A REPÚBLICA

PLATÃO

A REPÚBLICA

Camelot
EDITORA

CONHEÇA NOSSO LIVROS
ACESSANDO AQUI!

Copyright desta tradução © IBC - Instituto Brasileiro De Cultura, 2023

Título original: The Republic of Plato
Reservados todos os direitos desta tradução e produção, pela lei 9.610 de 19.2.1998.

1ª Impressão 2023

Presidente: Paulo Roberto Houch
MTB 0083982/SP

Coordenação Editorial: Priscilla Sipans
Coordenação de Arte: Rubens Martim (capa)
Tradução e preparação de texto: Fabio Kataoka
Diagramação: Rogério Pires
Produção Editorial: Eliana Nogueira
Revisão: Cláudia Rajão

Vendas: Tel.: (11) 3393-7727 (comercial2@editoraonline.com.br)

Foi feito o depósito legal.
Impresso na China

```
Dados Internacionais de Catalogação na Publicação (CIP)
              (eDOC BRASIL, Belo Horizonte/MG)

P716r   Platão.
           A republica / Platão. – Barueri, SP: Camelot, 2021.
           15,5 x 23 cm

           ISBN 978-65-87817-79-8

           1. Ciência política. 2. Filosofia. 3. Utopias. I. Título.
                                                           CDD 184

        Elaborado por Maurício Amormino Júnior – CRB6/2422
```

IBC — Instituto Brasileiro de Cultura LTDA
CNPJ 04.207.648/0001-94
Avenida Juruá, 762 — Alphaville Industrial
CEP. 06455-010 — Barueri/SP
www.editoraonline.com.br

Sumário

Introdução 9

Livro Um 11

Livro Dois 50

Livro Três 83

Livro Quatro 122

Livro Cinco 159

Livro Seis 205

Livro Sete 243

Livro Oito 279

Livro Nove 316

Livro Dez 349

Mosaico romano da Academia de Platão.

Cabeça de Platão, feita por Silanion (370 a.C) para a Academia em Atenas.

Introdução

O filósofo grego Platão escreveu *A República* no século IV a.C. O livro é apresentado em forma de diálogo, conduzido por Sócrates, que debate, ao longo de dez capítulos, os temas que considera fundamentais para a humanidade, com Glauco, Polemarco, Céfalo Trasímaco e Adimanto.

O assunto principal dessa conversa é a justiça. No decorrer da obra é imaginada uma república fictícia, também tratada como cidade ou Estado, onde são questionadas ideias sobre organização social e buscam definições para educação, política e ética. Durante esse processo, discutem metafísica, psicologia e epistemologia.

Platão transpõe a cidade-estado (*pólis,* para os gregos) para o estudo do ser humano, enfocando o papel da mulher e a velhice, entre outros aspectos. O filósofo entende que deve haver uma harmonia entre as diferentes faculdades da alma, como também entre as diferentes classes do povo. Só se alcança um bom resultado quando tanto o indivíduo quanto o Estado elegem seus aspectos racionais como orientador das ações.

Cabeça de Sócrates, no Museu do Louvre.

Livro Um

SÓCRATES:

— Tinha ido ontem ao Pireu com Glauco, filho de Aristo, para invocar a deusa e ver, ao mesmo tempo, como celebravam a festa, que se realizava pela primeira vez. A procissão dos habitantes pareceu-me bela, se bem que não fosse menos notável a que os habitantes de Trácia conduziam. Depois de termos feito as nossas preces e visto a cerimônia, regressávamos à cidade quando, tendo-nos descoberto de longe no caminho de volta, Polemarco, filho de Céfalo, ordenou ao seu jovem escravo que corresse atrás de nós e nos pedisse que esperássemos por ele. O escravo, puxando-me a túnica por trás, disse: "Polemarco pede que esperem por ele." Voltei-me e perguntei-lhe onde estava seu amo: "Vem atrás de mim", respondeu, "esperem por ele." "Claro que esperaremos", disse Glauco.

E, pouco depois, Polemarco chegou, acompanhado de Adimanto, irmão de Glauco, de Nicerato, filho de Nícias, e de alguns outros que voltavam da procissão.

Então, Polemarco disse:

— Parece, Sócrates, que você está indo embora e se dirige para a cidade.

— Sua suposição está correta. — respondi.

— Pois bem!— replicou. — Está vendo quantos somos?

— Como poderia não ver?

— Nesse caso, — prosseguiu — ou vocês provam que são mais fortes ou ficarão aqui.

PLATÃO

— Não há outra possibilidade, para que possamos persuadi-lo de nos deixar partir?

— Acaso conseguirão — respondeu — persuadir gente que não ouve?

— De maneira nenhuma! — disse Glauco.

— Então, fiquem sabendo que não os escutaremos.

Foi a vez de Adimanto perguntar:

— Não sabem que se realiza esta noite uma corrida com archotes, a cavalo, em honra da deusa?

— A cavalo! — exclamei. — Isso é novo. Os corredores que levam os archotes passam uns aos outros e disputam o prêmio a cavalo? É o que querem dizer?

— É— respondeu Polemarco. — Além disso, celebrarão uma festa noturna que vale a pena ser vista; sairemos depois do jantar para assistirmos a essa festa. Encontraremos lá vários jovens e conversaremos. Fiquem e façam como nós.

E GLAUCO:

— Parece que temos de ficar.

— Se parece — repliquei —, é assim que temos de fazer.

Fomos para casa de Polemarco e aí encontramos Lísias e Eutidemo, os seus irmãos, Trasímaco de Calcedônia, Carmantides de Peneia e Clitofonte, filho de Aristónimo. Também lá estava o pai de Polemarco, Céfalo. E pareceu-me muito velho, porquanto não o via há muito tempo. Estava sentado numa cadeira almofadada e tinha uma coroa na cabeça, porque acabava de proceder a um sacrifício no pátio. Sentamo-nos perto dele, em cadeiras que se encontravam ali, dispostas em círculo.

Assim que me viu, Céfalo me cumprimentou e disse:

— Sócrates, não vem muito ao Pireu para nos visitar. Deveria, pois se eu tivesse ainda forças para ir facilmente à cidade, não terias necessidade de vir aqui. Iríamos nós à sua casa. Mas, agora, é a você que compete vir aqui mais vezes. Para mim, quanto mais se desvanecem os prazeres do corpo, mais aumentam o desejo e o prazer da conversação. Portanto, faça como todos: reúna-se a estes jovens e venha aqui como a casa de amigos muito íntimos.

SÓCRATES:

— Eu também gosto de conversar com os velhos; porque creio que devemos informar-nos junto deles, como junto de pessoas que nos precederam numa estrada que talvez tenhamos também de percorrer, para sabermos como é: rude e difícil ou cômoda e fácil. E, por certo, que teria prazer em saber o que pensa, visto que já chegou ao ponto da vida que os poetas denominam "o limiar da velhice". É um momento difícil da vida ou é outra a sua mensagem?

CÉFALO:

— Agrada-me, Sócrates, expressar meu pensamento. Cultivo o hábito de encontrar-me com pessoas da mesma idade. Muitos de nós lamentam-se, recordam os prazeres da juventude e, ao lembrar do amor, da bebida, da boa

A REPÚBLICA

comida e de outros prazeres, atormentam-se como pessoas privadas de bens notáveis, que em outra época viviam bem e que, agora, nem ao menos vivem. Vários manifestam pesar pelas ofensas oriundas dos parentes e imputam à velhice a causa de tantos sofrimentos. Contudo, em meu modo de ver, Sócrates, eles se enganam a respeito da verdadeira causa de suas misérias, pois, se ela fosse realmente a velhice, também eu sentiria o mesmo desconforto, assim como todos aqueles que chegaram a essa fase da vida. Mas a verdade é que tenho encontrado velhos que se expressam de maneira muito diferente. Certa vez, indagaram ao poeta Sófocles, em minha presença: "Qual é tua opinião a respeito do amor, Sófocles? Ainda te julgas capaz de amar?" E ele respondeu: "Falemos baixo! Libertei-me do amor com o prazer de quem se liberta de um senhor colérico e truculento." "Naquela época dei-lhe razão, e dou-lhe ainda hoje. Porque é bem verdade que a velhice nos proporciona repouso, livrando-nos de todas as paixões. Quando os desejos diminuem, a asserção de Sófocles revela toda a sua justeza. É como se nos libertássemos de inúmeros e enfurecidos senhores. No que diz respeito aos desgostos, aos aborrecimentos domésticos, estes têm apenas uma causa, Sócrates, que não é a velhice, mas o caráter dos homens. Se eles tiverem bom caráter e espírito equilibrado, a velhice não lhes será um fardo insuportável. Para os que não são assim, tanto a velhice quanto a juventude lhes serão desgostosas.

E eu, encantado com as suas palavras e desejoso de continuar a ouvi-lo, provoquei-o e disse-lhe:

— Eu creio, Céfalo, não serem muitos os que apoiam suas ideias, porque julgam não ser seu caráter, porém a tua riqueza que o ajuda a tolerar bem a velhice. Com efeito, o dinheiro traz muitas compensações.

CÉFALO:

— É verdade que não me apoiam. E eles têm certa razão, apesar de não ser tanta quanto creem. Existe muito de verdadeiro na resposta de Temístocles ao indivíduo de Serifo que o insultou dizendo-lhe que era famoso por causa de sua pátria e não por causa de seus próprios méritos. Eu não teria me transformado num homem célebre, se tivesse nascido em Serifo, tampouco você, se fosse ateniense. Do mesmo modo, há aqueles que, não sendo ricos, se lamentam da velhice, poderia dizer que, se é verdade que um homem bom não pode ser totalmente feliz na velhice, também riqueza alguma poderá proporcionar a paz a um homem mau.

— Mas, Céfalo — repliquei —, recebeu o que possui como herança ou adquiriu você mesmo a maior parte?

— O que adquiri, Sócrates? Quanto a riquezas, ocupo o meio-termo entre o meu avô e o meu pai. O meu avô, de quem uso o nome, tendo herdado uma fortuna mais ou menos igual a que possuo agora, a multiplicou. Mas Lisanias, o meu pai, deixou-a um pouco abaixo do seu nível atual. Por mim, contento-me em deixar a estes jovens não menos, mas um pouco mais do que o que recebi.

PLATÃO

CÉFALO:

— Tem razão.

SÓCRATES:

— Claro que sim. Mas quero fazer outra pergunta. Qual é o maior benefício que você acredita ter auferido com a posse de um imenso patrimônio?

CÉFALO:

— Se eu o confessasse, talvez não conseguisse convencer ninguém. Você tem de saber, Sócrates, que, quando o homem percebe que o momento de sua morte está se aproximando, fica tomado pelo temor e pela ansiedade por problemas que antes não lhe causavam qualquer preocupação. Os relatos sobre o Hades e sobre o castigo que lá embaixo devem sofrer os homens injustos, até aquele momento o faziam rir. A partir daí, porém, começam a perturbar o ânimo porque teme que sejam verdadeiros. Além do mais, a fraqueza da velhice ou a maior proximidade das coisas de lá debaixo impelem a considerar com maior atenção esses mistérios. Fica apreensivo e começa a repassar continuamente os erros cometidos. Quem descobre muitos erros na própria existência, desperta com frequência dos próprios sonhos, como as crianças, sobressaltado, e vive acabrunhado por maus pressentimentos. Quem, no entanto, sabe não ter feito nada de mal, sempre tem uma doce esperança, e até, como diz Píndaro, a boa nutriz de sua velhice. Com efeito, Sócrates, esse poeta disse de modo magistral que "quem viveu uma vida justa e santa, uma doce esperança o acompanha, aquecendo seu coração e nutrindo sua velhice com a esperança que governa de modo soberano o pensamento dos mortais".

— São versos verdadeiramente admiráveis! Por isso, acho que ser rico seja um bem muito precioso, não para qualquer um, mas somente para um homem equilibrado.

— A riqueza, na realidade, contribui de maneira decisiva para não enganar nem mentir, sequer involuntariamente; para não ficar devedor de sacrifícios a um deus ou de dinheiro a um homem; e finalmente, para não partir daqui cercado de receios. Não há dúvida de que a riqueza traz muitas outras vantagens, mas, ponderando bem, para um homem sensato, esta me parece ser sua máxima utilidade.

SÓCRATES:

— Céfalo, você realmente tem razão. Mas vamos definir a essência dessa vantagem. Trata-se somente do fato de dizer a verdade e de restituir o que se toma emprestado de alguém? Ou essas ações podem ser realizadas com razão ou sem razão, de acordo com cada caso? Por exemplo, alguém tomou emprestado armas de um amigo que estava de plena posse de suas faculdades mentais. Esse, depois, é vítima de um acesso de loucura e pede a restituição das mesmas. Em tal caso, todos estão de acordo que as armas não deveriam ser restituídas. Quem o fizesse, agiria de modo errôneo, exatamente como se quisesse contar toda a verdade a um homem em tal estado.

A REPÚBLICA

CÉFALO:
— Você tem razão.

SÓCRATES:
— Então não se pode definir como justiça o fato de ser sincero e o de restituir o que se recebeu em consignação.

POLEMARCO:
— Ao contrário, acho que sim, se Simônides merece crédito.

CÉFALO:
— Seja como for, deixo que vocês discutam porque já chegou a hora de me ocupar com o sacrifício.

SÓCRATES:
— Então, Polemarco herda seu posto no debate?

CÉFALO:
— Certamente.

Assim respondeu Céfalo, rindo, e saiu para oferecer seu sacrifício.

SÓCRATES:
— Explique-nos, já que é o herdeiro da discussão, que disse Simônides de tão correto a respeito da justiça.

POLEMARCO:
— Que é justo devolver aquilo que devemos. Parece-me que ele tem razão.

SÓCRATES:
— Claro que tem. Não é fácil não levar em consideração um homem sábio e divino como Simônides. O significado da frase, porém, e talvez você o saiba, Polemarco, para mim permanece obscuro. Não me refiro, contudo, ao que se dizia há pouco, isto é, que se alguém tivesse deixado alguma coisa depositada junto a outra pessoa e, depois, fora de si, a exigisse de volta, que devesse ser restituída. Um empréstimo, entretanto, é uma coisa devida, ou não?

POLEMARCO:
— Com certeza!

SÓCRATES:
— Mas não se deve restituir nada mesmo quando aquele que a reclama está fora de si?

POLEMARCO:
— Exatamente assim.

SÓCRATES:
— Então Simônides, pelo que parece, entende outra coisa ao afirmar que é justo restituir o que é devido.

POLEMARCO:
— Com toda a certeza, por Zeus! Outra coisa, sem dúvida alguma! Ele é de opinião que aos amigos se deve sempre e somente fazer o bem.

PLATÃO

SÓCRATES:

— Agora entendo, quando restituir e retomar se torna perigoso e quando quem retoma e quem restitui são amigos, não cumpre seu papel quem restitui o ouro recebido em depósito. Não é esse, você não acha, o pensamento de Simônides?

POLEMARCO:

— Precisamente este.

SÓCRATES:

— E então? Aos próprios inimigos devemos devolver o que a eles se deve?

POLEMARCO:

— Com toda a certeza. É necessário restituir o que a eles se deve. E um inimigo deve ao inimigo o que lhe toca, isto é, o dano; esta é a relação entre eles.

SÓCRATES:

— Simônides, pelo que parece, definiu, portanto, a justiça de maneira poeticamente enigmática. Aparentemente, pensava que a justiça fosse devolver a cada um o seu, chamando isso de dívida.

POLEMARCO:

— O que você está querendo dizer?

SÓCRATES:

— Por Zeus! Se lhe tivessem perguntado: Simônides, a profissão chamada medicina a quem e que coisa dá que seja devida ou apropriada? O que teria ele respondido, segundo você?

POLEMARCO:

— Mas é de todo evidente: prescreve os medicamentos, os alimentos e a bebida ao corpo.

SÓCRATES:

— E a assim chamada arte culinária a quem e que coisa dá que seja devida e apropriada?

POLEMARCO:

— Acrescenta os temperos às iguarias.

SÓCRATES:

— De acordo. E a arte, pois, que poderia ser definida como justiça, o que dá e a quem dá?

POLEMARCO:

— Segundo o que já foi dito, Sócrates, a justiça é a arte de trazer benefício para os amigos e prejuízo para os inimigos.

SÓCRATES:

— Simônides chama, portanto, justiça beneficiar os amigos e prejudicar os inimigos?

POLEMARCO:

— Parece-me que sim.

A REPÚBLICA

SÓCRATES:

— Quem é, pois, o mais apto em fazer o bem aos amigos doentes e em prejudicar os inimigos com relação à doença e à saúde?

POLEMARCO:

— O médico.

SÓCRATES:

— E quem pode ajudar ou prejudicar os navegadores com relação aos perigos do mar?

POLEMARCO:

— O piloto.

SÓCRATES:

— Muito bem. E o homem justo? Em quais ações e com relação a que é o mais apto de todos em favorecer aos amigos e prejudicar os inimigos?

POLEMARCO:

— Pelo que me parece, na guerra, como adversário destes e como aliado daqueles.

SÓCRATES:

— Ótimo! Mas, caro Polemarco, para quem não está doente, o médico não tem serventia alguma.

POLEMARCO:

— É verdade.

SÓCRATES:

— Nem o piloto para quem não vive no mar.

POLEMARCO:

— Evidente.

SÓCRATES:

— Se não houver guerra, portanto, também o homem justo não tem qualquer serventia?

POLEMARCO:

— Com relação a isto, não estou de acordo.

SÓCRATES:

— Então a justiça é útil também em tempos de paz?

POLEMARCO:

— Com certeza!

SÓCRATES:

— Como a agricultura, ou não?

POLEMARCO:

— Sem dúvida alguma.

SÓCRATES:

— Como condição para a produção de frutos?

POLEMARCO:

— Sim.

PLATÃO

SÓCRATES:

— E o que se poderia dizer da profissão do sapateiro?

POLEMARCO:

— A mesma coisa.

SÓCRATES:

— Isto é, que serve para fabricar sapatos?

POLEMARCO:

— Mas é claro!

SÓCRATES:

— E então? Segundo sua opinião, que objetivo tem ou o que promove a justiça em tempo de paz?

POLEMARCO:

— Serve para os contratos, Sócrates.

SÓCRATES:

— Por contratos você entende as sociedades ou alguma coisa diferente?

POLEMARCO:

— Exato, as sociedades.

SÓCRATES:

— Para dispor as peças no jogo de damas, porém, qual o companheiro melhor e mais útil, senão o que realmente sabe jogar?

POLEMARCO:

— Ele e ninguém mais.

SÓCRATES:

— E para colocar tijolos e pedras, o homem justo é um parceiro melhor e mais útil que o pedreiro?

POLEMARCO:

— De jeito nenhum!

SÓCRATES:

— Então, para que tipo de sociedade o homem justo vale mais que um tocador de harpa, posto que um tocador de harpa vale mais que um homem justo para fazer vibrar as cordas de um instrumento?

POLEMARCO:

— Acho que em termos de dinheiro.

SÓCRATES:

— Exceto, talvez, no caso em que se deva gastar para comprar ou vender um cavalo. Parece-me, então, que é mais útil um bom entendedor de cavalos, ou não?

POLEMARCO:

— Acho que sim.

SÓCRATES:

— E a respeito de um navio, também é mais útil o construtor ou o piloto, concordas?

A REPÚBLICA

POLEMARCO:
— Sim.
SÓCRATES:
— Sendo assim, em qual circunstância, em que for necessário usar dinheiro ou ouro em sociedade, o homem justo é mais útil que qualquer outro?
POLEMARCO:
— Na circunstância de desejarmos fazer um depósito em segurança, Sócrates.
SÓCRATES:
— Mas isso significa: quando não utilizamos o dinheiro e preferimos deixá-lo imobilizado. Certo?
POLEMARCO:
— Sem dúvida.
SÓCRATES:
— Logo, a justiça só é útil quando o dinheiro for inútil?
POLEMARCO:
— Creio que sim.
SÓCRATES:
— Então, no caso de precisarmos guardar uma tesoura de podar, a justiça é útil tanto do ponto de vista comum como particular; contudo, se precisarmos usá-la, é mais útil a arte de cultivar a vinha?
POLEMARCO:
— Parece que sim.
SÓCRATES:
— Você conclui, portanto, que, se quisermos guardar um escudo e uma lira, sem usá-los, a justiça é útil; porém, se desejarmos nos servir deles, é mais útil a arte do soldado e do músico.
POLEMARCO:
— Necessariamente.
SÓCRATES:
— Por conseguinte, a respeito de todas as outras coisas, a justiça é inútil quando nos servimos dela e útil quando não nos servimos?
POLEMARCO:
— Penso que sim.
SÓCRATES:
— Logo, meu amigo, a justiça é muito pouco importante, se ela se aplica somente a coisas inúteis. Mas vamos examinar o seguinte: em um combate ou numa luta qualquer, o homem mais capaz de desferir golpes é também o mais capaz de se defender?
POLEMARCO:
— Sem dúvida.

PLATÃO

SÓCRATES:

— E o mais capaz em preservar-se de uma doença não é também o mais capaz em transmiti-la secretamente?

POLEMARCO:

— Creio que sim.

SÓCRATES:

— Mas não é bom guarda de um exército aquele que furta aos inimigos os seus segredos e os seus planos?

POLEMARCO:

— Não resta dúvida.

SÓCRATES:

— Por conseguinte, o hábil guardião de uma coisa é também o hábil ladrão dessa mesma coisa.

POLEMARCO:

— Parece que sim.

SÓCRATES:

— Logo, se o homem justo é hábil em guardar dinheiro, o será também em furtá-lo.

POLEMARCO:

— Seu raciocínio leva a essa conclusão.

SÓCRATES:

— Portanto, o justo apresenta-se como uma espécie de ladrão, e penso que aprendeu isto com Homero Este poeta enaltece o avô materno de Ulisses, Autólico, dizendo que excedia a todos os homens no furto e no perjúrio. Logo, parece que a justiça, na tua opinião, na de Homero e Simônides, corresponde a uma determinada arte de furtar, porém, a favor dos amigos e em prejuízo dos inimigos. Não era isso que dizia?

POLEMARCO:

— Claro que não! Não sei mais o que eu dizia. No entanto, continuo afirmando que a justiça se resume em ser útil aos amigos e prejudicial aos inimigos.

SÓCRATES:

— Mas chama de amigos aqueles que os outros reputam honestos ou aqueles que o são de verdade, apesar de não o parecerem, e da mesma forma os inimigos?

POLEMARCO:

— É natural apreciarmos os que julgamos honestos e detestar os que consideramos maus.

SÓCRATES:

— Mas os homens não podem se enganar, julgando honestas pessoas que não o são e vice-versa?

POLEMARCO:

— Sim, podem.

A REPÚBLICA

SÓCRATES:

— Logo, para os que se enganam, os honestos são inimigos e os desonestos, amigos?

POLEMARCO:

— Sem dúvida.

SÓCRATES:

— E, apesar disso, reputam justo ser útil aos desonestos e prejudicial aos honestos?

POLEMARCO:

— Parece que sim.

SÓCRATES:

— Contudo, os honestos e bons são justos e não têm capacidade de cometer injustiças.

POLEMARCO:

— Concordo.

SÓCRATES:

— Logo, de acordo com o seu raciocínio, é justo prejudicar os que não cometem injustiças.

POLEMARCO:

— De forma alguma, Sócrates, pois o seu raciocínio está errado.

SÓCRATES:

— Então, é justo prejudicar os maus e ajudar os bons?

POLEMARCO:

— Essa conclusão é bem melhor que a precedente.

SÓCRATES:

— Então, para numerosas pessoas, Polemarco, que se enganaram a respeito dos homens, a justiça significará prejudicar os amigos — sendo que possuem amigos maus — e ajudar os inimigos — os quais, em verdade, são bons. E, sendo assim, afirmaremos o contrário do que imputávamos a Simônides.

POLEMARCO:

— Sem dúvida, parece que é isso mesmo. Mas façamos uma correção, pois corremos o risco de não havermos feito uma precisa definição de amigo e inimigo.

SÓCRATES:

— E de que maneira os definimos, Polemarco?

POLEMARCO:

— Amigo é aquele que parece honesto.

SÓCRATES:

— E de que maneira corrigiremos a definição?

POLEMARCO:

— Amigo é aquele que parece e realmente é honesto. Aquele que parece honesto, mas não é, apenas aparenta ser amigo, sem sê-lo. A definição é a mesma a respeito do inimigo.

PLATÃO

SÓCRATES:

— Por conseguinte, de acordo com o teu raciocínio, amigo é o indivíduo bom e inimigo, o mau?

POLEMARCO:

— Exatamente.

SÓCRATES:

— Então, quer que acrescentemos ao que dissemos anteriormente a respeito da justiça que é justo ajudar o amigo e prejudicar o inimigo. Agora, devemos também afirmar que é justo ajudar o amigo bom e prejudicar o inimigo mau?

POLEMARCO:

— Precisamente. Dessa maneira parece-me bem explicado.

SÓCRATES:

— Logo, é peculiar ao justo prejudicar a quem quer que seja?

POLEMARCO:

— Não há dúvida de que devemos prejudicar os maus que são nossos inimigos.

SÓCRATES:

— E se fazemos mal aos cavalos, eles se tornam melhores ou piores?

POLEMARCO:

— Piores.

SÓCRATES:

— Relativamente à virtude dos cães ou à dos cavalos?

POLEMARCO:

— A dos cavalos.

SÓCRATES:

— Então, quanto aos cães a que fizermos mal, eles se tomarão piores em relação à virtude dos cães, e não à dos cavalos?

POLEMARCO:

— Exatamente.

SÓCRATES:

— E quanto aos homens a quem se faz mal, podemos também afirmar que se tomam piores conforme a virtude humana?

POLEMARCO:

— Isso mesmo.

SÓCRATES:

— Mas a justiça não é virtude especificamente humana?

POLEMARCO:

— Sim.

SÓCRATES:

— Por conseguinte, meu amigo, os homens contra quem se pratica o mal tornam-se obrigatoriamente piores.

A REPÚBLICA

POLEMARCO:

— Concordo.

SÓCRATES:

— Por acaso, é possível a um músico, por meio de sua arte, tornar outras pessoas ignorantes em música?

POLEMARCO:

— Isso é impossível.

SÓCRATES:

— E, por intermédio do hipismo, pode um cavaleiro tornar outras pessoas incapazes de montar?

POLEMARCO:

— Também é impossível.

SÓCRATES:

— Mas, através da justiça, é possível que um justo torne alguém injusto? Ou, de forma geral, pela virtude, os bons podem transformar os outros em maus?

POLEMARCO:

— Não podem.

SÓCRATES:

— Realmente, creio que ao calor não é dado esfriar, e sim o contrário.

POLEMARCO:

— Justamente.

SÓCRATES:

— Nem à aridez é dado umedecer, mas o contrário.

POLEMARCO:

— Não há dúvida.

SÓCRATES:

— Nem ao homem bom ser mau, mas o contrário.

POLEMARCO:

— É o que parece.

SÓCRATES:

— Portanto, o homem justo é bom?

POLEMARCO:

— Evidentemente.

SÓCRATES:

— Então, Polemarco, não é adequado a um homem justo prejudicar seja a um amigo, seja a ninguém, mas é adequado ao seu oposto, o homem injusto.

POLEMARCO:

— Estás dizendo a pura verdade, Sócrates.

SÓCRATES:

— Por conseguinte, se alguém declara que a justiça significa restituir a cada um o que lhe é devido, e se por isso entende que o homem justo deve prejudicar

PLATÃO

os inimigos e ajudar os amigos, não é sábio quem expõe tais ideias. Pois a verdade é bem outra: que não é lícito fazer o mal a ninguém e em nenhuma ocasião.

POLEMARCO:

— Estou de pleno acordo.

SÓCRATES:

— Sendo assim, lutaremos juntos, você e eu, contra quem imputar semelhante princípio a Simônides, a Bias, a Pítaco ou a qualquer outro homem sábio.

POLEMARCO:

— Associo-me com prazer à luta.

SÓCRATES:

— Você sabe a quem atribuo a asserção de que é justo ajudar os amigos e prejudicar os inimigos?

POLEMARCO:

— A quem?

SÓCRATES:

— A Periandro, a Perdicas, a Xerxes, a Ismênio, de Tebas, ou a qualquer outro homem rico que se considerava assaz poderoso.

POLEMARCO:

— Eis uma grande verdade.

SÓCRATES:

— Porém, visto que nem a justiça, nem o justo nos pareceram significar isso, como poderemos defini-los? Repetidas vezes, enquanto falávamos, Trasímaco procurava tomar parte na conversa, mas fora impedido pelos amigos, que queriam ouvir-nos até o fim. Durante a nossa pausa, após minhas últimas palavras, não pôde mais se conter; erguendo-se do chão, como uma fera, lançou-se contra nós, como para nos dilacerar.

— Polemarco e eu ficamos aterrorizados; mas ele, erguendo a voz no meio do auditório, disse: "Que tagarelice é essa, Sócrates, e por que nos faz de tolos, inclinando-se alternadamente um diante do outro? Se, realmente, quer saber o que é justo, não se contente em interrogar e não se obstine em refutar aquele que responde, mas, tendo reconhecido que é mais fácil interrogar do que responder, responda você mesmo e diga como define a justiça. E abstenha-se de pretender que é o que se deve fazer, o útil, o proveitoso, o lucrativo ou o vantajoso; exprima-se com clareza e precisão, porque eu não admitirei tais banalidades.

— Ao ouvir tais palavras, fui tomado de assombro e, olhando para ele, senti-me dominado pelo medo; creio até que, se não o tivesse olhado antes que ele me olhasse, eu teria ficado mudo. Mas, quando a discussão começou a irritá-lo, olhei-o em primeiro lugar, de modo que consegui dizer-lhe, um tanto trêmulo: "Não leve a mal, Trasímaco. Se este homem e eu estamos seguindo a trilha errada em nossa perquirição, fique certo que isto ocorre para nosso desgosto. Se procurássemos ouro, você bem sabe que ficaríamos a tecer elogios um para o outro, sob

A REPÚBLICA

o risco de comprometer o êxito da busca. Se procuramos a justiça, que é uma coisa muito mais preciosa que muitas pepitas de ouro, não nos tome por tão estultos que um possa ceder ao outro e que não nos preocupemos seriamente em descobri-la. Amigo, a respeito disto você pode estar certo. Talvez, no entanto, não sejamos capazes. Vocês, portanto, que são hábeis, deveriam ter piedade de nós, e não se deixar pela indignação."

SÓCRATES:

— Nada impede. E, mesmo que não fosse semelhante, mas que assim se afigurasse à pessoa interrogada, achas que ela deixaria de responder o que lhe parece verdadeiro, quer lhe proibíssemos, quer não?

TRASÍMACO:

— Você também irá se comportar dessa maneira? Dará uma das respostas que eu lhe proibi?

SÓCRATES:

— Não me espantaria se, depois de pensar, tomasse essa resolução.

TRASÍMACO:

— Mas veja, se eu provo que existe, a respeito da justiça, uma resposta diferente de todas essas e melhor, a que te condenas?

SÓCRATES:

— A que poderá ser, senão ao que convém ao ignorante? Ora, convém-lhe ser instruído portanto, sabe; por tanto, condeno-me a isso.

TRASÍMACO:

— É encantador. Mas, além da pena de aprender, também deverá pagar com dinheiro.

SÓCRATES:

— Certamente, quando tiver.

GLAUCO:

— Mas nós temos. Se é uma questão de dinheiro, Trasímaco, fala: todos nós pagaremos por Sócrates.

TRASÍMACO:

— Percebo claramente. Para que Sócrates se entregue à sua ocupação habitual, não deve responder. E, quando alguém responde, apodera-se do argumento e refuta-o!

SÓCRATES:

— Mas como, meu nobre amigo, alguém poderia responder em primeiro lugar, se não sabe e se confessa não saber, e se, além disso, caso tenha uma opinião sobre o assunto, é proibido de dizer o que pensa por uma pessoa de grande autoridade? É você que deves falar, dado que pretendes saber e ter algo a dizer. Não se esquive, portanto: dá-me o prazer de responder e não uses de parcimônia para instruir Glauco e os outros.

Após eu proferir essas palavras, Glauco e os outros pediram-lhe que não se esquivasse. Percebia-se claramente que Trasímaco desejava falar para se distin-

PLATÃO

guir, julgando ter uma excelente resposta a dar; mas aparentava insistir para que fosse eu a responder. Por fim, cedendo, exclamou:

TRASÍMACO:

— É esta a sabedoria de SÓCRATES: recusar-se a ensinar, ir instruir-se com os outros e não se mostrar reconhecido por isso!

SÓCRATES:

— Tem razão quanto ao fato de que me instruo com os outros, mas estás enganado ao pretender que não lhes pago na mesma moeda. Pois eu pago na medida em que posso. Ora, não posso senão aplaudir, porque não possuo riquezas. Mas a alegria com que o faço, quando julgo que alguém fala bem, conhecerá logo que me tenha respondido; porque eu julgo que falará bem.

TRASÍMACO:

— Ouve, então. Eu digo que a justiça é simplesmente o interesse do mais forte. Então, que esperas para me aplaudir? Vai se recusar!

SÓCRATES:

— Em primeiro lugar, deixa que eu compreenda o que diz, porque ainda não entendi. Pretende que justiça é o interesse do mais forte. Mas como entende isso, Trasímaco? Com efeito, não pode ser da seguinte maneira: "Se Polidamas é mais forte do que nós e a carne de boi é melhor para conservar suas forças, não diz que, também para nós, mais fracos do que ele, esse alimento é vantajoso e, ao mesmo tempo, justo?"

TRASÍMACO:

— É um cínico, Sócrates. Toma as minhas palavras por onde pode atacá-las melhor!

SÓCRATES:

— De forma alguma, nobre homem. Mas se exprima mais claramente.

TRASÍMACO:

— De acordo! Sabe que, entre as cidades, umas são tirânicas, outras democráticas, outras aristocráticas.

SÓCRATES:

— Logicamente que sei.

TRASÍMACO:

— Portanto, o setor mais forte, em cada cidade, é o governo?

SÓCRATES:

— Sim.

TRASÍMACO:

— E cada governo faz as leis para seu próprio proveito: a democracia, leis democráticas; a tirania, leis tirânicas, e as outras a mesma coisa; estabelecidas estas leis, declaram justo, para os governados, o seu próprio interesse, e castigam quem o transgride como violador da lei, culpando-o de injustiça. Aqui tens, homem excelente, o que afirmo: em todas as cidades o justo é a mesma coisa, isto é, o que é vantajoso para o governo constituído; ora, este é o mais forte, de onde

A REPÚBLICA

se segue, para um homem de bom raciocínio, que em todos os lugares o justo é a mesma coisa: o interesse do mais forte.

SÓCRATES:

— Agora compreendo o que diz. Procurarei estudá-lo. Portanto, Trasímaco, respondeu que aquilo que é vantajoso é justo, depois de ter me proibido de dar essa resposta, acrescentando, contudo: o interesse "do mais forte".

TRASÍMACO:

— Uma pequena adição, talvez?

SÓCRATES:

— Ainda não é evidente que seja grande; mas é evidente que é necessário examinar se fala a verdade. Reconheço que o justo é algo vantajoso; mas você acrescenta à definição que é o interesse do mais forte. Eu ignoro, preciso analisar.

TRASÍMACO:

— Analise.

SÓCRATES:

— Farei isso. Agora, diga se não julga justo obedecer aos governantes?

TRASÍMACO:

— Julgo.

SÓCRATES:

— Mas os governantes são sempre infalíveis ou passíveis de se enganarem?

TRASÍMACO:

— E evidente que são passíveis de se enganarem.

SÓCRATES:

— Logo, quando elaboram leis, as fazem boas e más?

TRASÍMACO:

— É assim que eu penso.

SÓCRATES:

— As boas leis são aquelas que instituem o que lhes é vantajoso e as más o que lhes é desvantajoso?

TRASÍMACO:

— Sim.

SÓCRATES:

— Mas o que eles instituírem deve ser obedecido pelos governados. É nisto que consiste a justiça?

TRASÍMACO:

— Com certeza.

SÓCRATES:

— Então, na sua opinião, não apenas é justo fazer o que é vantajoso para o mais forte, mas também o contrário, o que é desvantajoso.

TRASÍMACO:

— Que está dizendo?!

PLATÃO

SÓCRATES:

— O que você mesmo diz, penso. Mas examinemos melhor. Não concordamos que, às vezes, os governantes se enganam quanto ao que é o melhor, impondo determinadas leis aos governados? E que, por outro lado, é justo que os governados obedeçam ao que lhes ordenam os governantes? Não concordamos?

TRASÍMACO:

— Sim.

SÓCRATES:

— Então, acha também justo fazer o que é desvantajoso para os governantes e para os mais fortes, quando os governantes, inadvertidamente, dão ordens que lhes são prejudiciais, porquanto afirma ser justo que os governados façam o que ordenam os governantes. Portanto, sábio amigo Trasímaco, não decorre necessariamente que é justo fazer o contrário daquilo que dizes? Com efeito, ordena-se ao mais fraco que faça o que é prejudicial ao mais forte.

POLEMARCO:

— Por Zeus, Sócrates, isso é claríssimo!

CLITOFONTE:

— Se ao menos testemunhasses por ele...

POLEMARCO:

— E quem necessita de testemunho? Trasímaco reconhece que às vezes os governantes fazem leis que lhes são prejudiciais e que é justo que os governados obedeçam a tais leis.

CLITOFONTE:

— Com efeito, Polemarco, Trasímaco afirmou ser justo que sejam obedecidas as ordens dadas pelos governantes.

POLEMARCO:

— De fato, Clitofonte, Polemarco considerou justo o que é vantajoso para o mais forte. Ao enunciar estes dois princípios, reconheceu também que, às vezes, os mais fortes dão aos mais fracos e aos governados ordens que são prejudiciais a eles mesmos. Destas declarações decorre que a justiça é tanto a vantagem como a desvantagem do mais forte.

CLITOFONTE:

— Mas ele definiu como vantagem o que o mais forte crê ser vantajoso para ele; é isso que o mais fraco tem de fazer e foi isso que Trasímaco considerou justo.

POLEMARCO:

— Ele não se expressou desse modo!

SÓCRATES:

— Isso não importa, Polemarco. Porém, se agora Trasímaco se expressa assim, admitamos que é assim que o entende. Trasímaco, você entende por justiça o que parece vantajoso para o mais forte, quer isso lhe seja vantajoso, quer não? Podemos dizer que considera assim?

A REPÚBLICA

TRASÍMACO:

— De forma alguma. Acredita que julgo aquele que se engana o mais forte, no momento em que se engana?

SÓCRATES:

— Assim acreditava quando reconheceu que os governantes não são infalíveis, mas que podem se enganar.

TRASÍMACO:

— É um sicofanta quando discute, Sócrates. Por acaso considera médico aquele que se engana em relação aos doentes, no mesmo instante e enquanto se engana? Ou matemático aquele que comete um erro de cálculo, no preciso momento em que comete o erro? Não. É um modo de falar, acredito, quando dizemos: o médico se enganou, o matemático e o escriba se enganaram. Mas julgo que nenhum deles, na medida em que é o que o denominamos, jamais se engana; de modo que, para falar com precisão, visto que queres ser preciso, nenhum artesão se engana. Aquele que se engana o faz quando a ciência o abandona, no instante em que não é mais artesão; assim, artesão, sábio ou governante, ninguém se engana no exercício das suas funções, apesar de todos dizerem que o médico se enganou, que o governante se enganou. Portanto, admito que eu tenha te respondido há pouco neste sentido; mas, para me expressar de forma mais exata, o governante, enquanto governante, não se engana, não comete um erro ao fazer passar por lei o seu maior interesse, que deve ser realizado pelo governado. Deste modo, como no início, afirmo que a justiça consiste em fazer o que é vantajoso para o mais forte.

SÓCRATES:

— Que seja, Trasímaco. Pareço um sicofanta?

TRASÍMACO:

— Exatamente.

SÓCRATES:

— Acha que lhe fiz uma pergunta com premeditação, para te prejudicar na discussão?

TRASÍMACO:

— Com toda a certeza. Mas não terás êxito, porque não poderás esconder-se para me prejudicar, nem me dominar pela violência na disputa.

SÓCRATES:

— Eu nem sequer o tentarei, homem bem-aventurado! Porém, para que isso não aconteça, define claramente se entende no sentido vulgar ou no sentido exato, de que acaba de falar, os termos governante, mais forte, para vantagem de quem será justo que o mais fraco trabalhe.

TRASÍMACO:

— Entendo o governante no sentido exato da palavra. Para isso, tenta prejudicar-me ou caluniar-me, se puder. Mas não és capaz!

PLATÃO

SÓCRATES:

— Crê que sou louco a ponto de tentar tosquiar um leão ou desacreditar Trasímaco?

TRASÍMACO:

— A verdade é que tentou, embora inutilmente!

SÓCRATES:

— Chega de palavreado! Mas diz-me: o médico, no sentido exato do termo, de que falavas ainda há pouco, tem por objetivo ganhar dinheiro ou tratar os doentes? Mas fala-me do verdadeiro médico.

TRASÍMACO:

— Tem por objetivo tratar os doentes.

SÓCRATES:

— E o piloto? O verdadeiro piloto é chefe dos marinheiros ou marinheiro?

TRASÍMACO:

— Chefe dos marinheiros.

SÓCRATES:

— Não penso que se deva ter em conta o fato de navegar para que o denominemos marinheiro; de fato, não é por navegar que o denominamos piloto, mas devido à sua arte e ao comando que exerce sobre os marinheiros.

TRASÍMACO:

— Concordo.

SÓCRATES:

— Portanto, para o doente e o marinheiro, existe alguma vantagem?

TRASÍMACO:

— Sem dúvida.

SÓCRATES:

— E a arte não objetiva procurar e proporcionar a cada um o que é vantajoso para ele?

TRASÍMACO:

— Sim.

SÓCRATES:

— Mas, para cada arte, existe outra vantagem, além de ser tão perfeita quanto possível?

TRASÍMACO:

— Qual é o sentido da sua pergunta?

SÓCRATES:

— Este. Se me perguntasse se é suficiente ao corpo ser corpo ou se tem necessidade de outra coisa, lhe responderia: Certamente que tem necessidade de outra coisa. Para isso é que a arte médica foi inventada: porque o corpo é defeituoso e não lhe é suficiente ser o que é. Por isso, para lhe

A REPÚBLICA

proporcionar vantagens, a arte organizou-se. Parece-te que tenho ou não razão?

TRASÍMACO:

— Tem razão.

SÓCRATES:

— Mas então a medicina é defeituosa? Geralmente, uma arte exige certa virtude — como os olhos, a visão ou as orelhas, a audição, pelo fato de que estes órgãos necessitam de uma arte que examine e lhes proporcione a vantagem de ver e ouvir? E nessa mesma arte existe algum defeito? Cada arte exige outra arte que examine o que lhe é vantajoso, e esta, por sua vez, outra semelhante, e assim até ao infinito? Ou examina ela própria o que lhe é vantajoso? Ou não precisa nem dela própria nem de outra para remediar a sua imperfeição? Pois nenhuma arte apresenta defeito ou imperfeição e não deve procurar outra vantagem exceto a do indivíduo a que se aplica: ela própria, quando verdadeira, está isenta de mal e é pura enquanto se mantiver rigorosa e totalmente de acordo com a sua natureza. Faça uma análise, tomando as palavras no sentido exato de que falava. É assim ou não?

TRASÍMACO:

— Parece-me que sim.

SÓCRATES:

— Portanto, a medicina não objetiva a sua própria vantagem, mas a do corpo.

TRASÍMACO:

— Certamente.

SÓCRATES:

— Nem a arte hípica cuida da sua própria vantagem, mas a dos cavalos; nem, em geral, qualquer arte tem por objeto a sua própria vantagem — pois não necessita de nada —, mas a do indivíduo a que se aplica.

TRASÍMACO:

— E assim que me parece.

SÓCRATES:

— Mas, Trasímaco, as artes governam e dominam o objeto sobre o qual se exercem.

Ele concordou comigo neste ponto, embora a muito custo.

SÓCRATES:

— Portanto, nenhuma ciência procura nem prescreve a vantagem do mais forte, mas a do mais fraco, que lhe é sujeito.

Também concordou comigo neste ponto, mas só depois de ter procurado uma contestação; quando cedeu, eu lhe disse:

SÓCRATES:

— Portanto, o médico, na medida em que é médico, não objetiva nem prescreve a sua própria vantagem, mas a do doente? Com efeito, reconhecemos que o

PLATÃO

médico, no sentido exato da palavra, governa o corpo e não é homem de negócios. Não reconhecemos?

Ele concordou.

SÓCRATES:

— E que o piloto, no sentido exato da palavra, lidera os marinheiros, mas não é marinheiro?

TRASÍMACO:

— Foi assim que o reconhecemos.

SÓCRATES:

— Consequentemente, tal piloto, tal governante, não objetivará e não prescreverá a sua própria vantagem, mas sim a do marinheiro, do indivíduo que ele governa.

Ele concordou com grande dificuldade.

SÓCRATES:

— Sendo assim, Trasímaco, nenhum governante, seja qual for a natureza da sua autoridade, na medida em que é governante, não objetiva e não ordena a sua própria vantagem, mas a do indivíduo que governa e para quem exerce a sua arte; é com vista ao que é vantajoso e conveniente para esse indivíduo que diz tudo o que diz e faz tudo o que faz.

Estávamos neste ponto da discussão e era claro para todos que a definição da justiça tinha sido virada do avesso, quando Trasímaco, em lugar de responder, gritou:

— Você tem uma ama, Sócrates?

SÓCRATES:

— O quê? Não seria mais apropriado responder do que me fazer tal pergunta?

TRASÍMACO:

— E que ela não te deixa babar e não te assoa o nariz quando necessário, visto que não aprendeu a diferenciar os carneiros do pastor.

SÓCRATES:

— Por que dizes isso?

TRASÍMACO:

— Porque crê que os pastores e os vaqueiros objetivam o bem dos seus carneiros e dos seus bois e os engordam e tratam tendo em vista outra coisa para além do bem dos seus patrões e deles mesmos. E, da mesma maneira, acredita que os governantes das cidades, os que são realmente governantes, olham para os seus súditos como se olha para carneiros e que objetivam, dia e noite, tirar deles um lucro pessoal. Foi tão longe no conhecimento do justo e da justiça, do injusto e da injustiça, que ignora que a justiça é, na realidade, um bem alheio, o interesse do mais forte e daquele que governa e a desvantagem daquele que obedece e serve; que a injustiça é o oposto e comanda os simples de espírito e os justos; que os indivíduos trabalham para o interesse do mais forte e fazem a sua felicidade servindo-o, mas de nenhuma maneira a deles mesmos. Veja, Sócrates, como é necessário encarar o

A REPÚBLICA

caso: o homem justo é em todos os lugares inferior ao injusto. Em primeiro lugar, no comércio, quando se associam um ao outro, nunca descobrirá, ao dissolver-se a sociedade, que o justo ganhou, mas que perdeu; em seguida, nos negócios públicos, quando é preciso pagar contribuições, o justo paga mais do que os seus iguais, o injusto, menos. Ao contrário, quando se trata de receber, um não recebe nada e o outro, muito. E, quando um e outro ocupam algum cargo, acontece que o justo, mesmo que não haja outro prejuízo, deixa, por negligência, que os seus negócios domésticos periclitem e não tira da função pública nenhum proveito, por causa da sua justiça. Além disso, incorre no ódio dos parentes e conhecidos, ao recusar servi-los em detrimento da justiça; quanto ao injusto, é exatamente o contrário. Pois entendo como tal aquele de quem falava há pouco, o que é capaz de se sobrepor aos outros. Examine-o bem, se quiser saber até que ponto, no particular, a injustiça é mais vantajosa do que a justiça. Mas irá compreendê-lo mais facilmente se for até a injustiça mais perfeita, a que leva ao ápice da felicidade o homem que a comete e ao ápice da infelicidade os que a sofrem e não querem cometê-la. Esta injustiça é a tirania que, por fraude ou violência, se apodera do bem alheio: sagrado, profano, particular, público, e não por partes, mas na totalidade. Para cada um destes delitos, o homem que se deixa apanhar é punido e coberto das piores ignomínias. Essas pessoas são consideradas sacrílegas, traficantes de escravos, arrombadores de moradias, espoliadores, ladrões, conforme a injustiça cometida. Mas quando um homem, além da fortuna dos cidadãos, se apodera das suas pessoas e os escraviza, em vez de receber esses nomes ignominiosos, é considerado feliz e afortunado, não apenas pelos cidadãos, mas também por todos aqueles que sabem que ele cometeu a injustiça em toda a sua extensão. Não receiam cometer a injustiça. Receiam ser vítimas dela. Por isso, Sócrates, a injustiça levada a um alto grau é mais forte, mais livre, mais digna de um senhor do que a justiça e, como eu dizia a princípio, a justiça significa o interesse do mais forte e a injustiça é em si mesma vantagem e lucro.

Depois de falar dessa maneira, Trasímaco pretendia se retirar, após ter, como um banhista, inundado os nossos ouvidos com o seu impetuoso e abundante discurso. Mas os assistentes não o deixaram partir e o forçaram a permanecer para justificar as suas palavras. Eu próprio insisti com ele, dizendo: "O divino Trasímaco, depois de nos ter feito tal discurso, pensa em ir embora, antes de demonstrar suficientemente ou ensinar se isso é assim ou diferente? Crê que é tarefa fácil definir a regra de vida que cada um de nós deve seguir para viver da maneira mais proveitosa?"

TRASÍMACO:

— Por acaso eu penso que é de outra maneira?

SÓCRATES:

— É o que parece. Ou então não se preocupa conosco e não se importa que levemos uma vida pior ou melhor, na ignorância do que pretende saber. Mas,

PLATÃO

meu caro, dá ao incômodo de nos instruir também: não fará um mau investimento se nos fizer seus devedores, numerosos como somos. Com efeito, se você quer saber o que penso, não estou convencido e não creio que a injustiça seja mais vantajosa do que a justiça, mesmo quando há a liberdade de praticá-la e não se é impedido de fazer o que se quer. Mesmo que um homem, meu caro, seja injusto e tenha o poder de praticar a injustiça por fraude ou à força: nem por isso estou convencido de que tire daí mais proveito que da justiça. Talvez este seja também o sentimento de outros entre nós, e não somente o meu; convença-nos, portanto, homem divino, de maneira satisfatória, de que fazemos mal em preferir a justiça à injustiça.

TRASÍMACO:

— E como eu haveria de te convencer, se não o consegui com o que já disse? Que mais posso fazer? Será necessário que enfie os meus argumentos na sua cabeça?

SÓCRATES:

— Por Zeus, basta! Em primeiro lugar, se mantenha nas posições assumidas, ou, se as mudar, terá de fazê-lo com clareza e não nos engane. Vês agora, Trasímaco — para voltar ao que dissemos —, que, depois de ter apresentado a definição do verdadeiro médico, não achou que devia revelar rigorosamente a do verdadeiro pastor. Pensa que, como pastor, ele engorda os seus carneiros não objetivando seu maior bem, mas, como um glutão que pretende dar um festim, objetivando a boa carne ou, como um comerciante, objetivando a venda, e não como um pastor. Mas a arte do pastor objetiva unicamente o maior bem do indivíduo a que se aplica — já que ele próprio está suficientemente provido das qualidades que asseguram a sua excelência, enquanto se mantém de acordo com a sua natureza de arte pastoril. Pelo mesmo motivo, eu supunha há pouco que éramos obrigados a reconhecer que todo governo, enquanto governo, objetiva unicamente o maior bem dos indivíduos que governa e dos quais é responsável, quer se trate da população de uma cidade, quer de um particular. Mas você crê que os governantes das cidades, os que governam realmente, o fazem com prazer?

TRASÍMACO:

— Se creio? Por Zeus, tenho certeza!

SÓCRATES:

— Mas como, Trasímaco! Não notou que ninguém concorda em exercer os outros cargos por eles mesmos, que, ao contrário, se exige uma retribuição, porque não é ao próprio que o seu exercício aproveita, mas aos governados? E responde a isto: não se diz sempre que uma arte se diferencia de outra por ter um poder diferente? E, homem bem-aventurado, não responde contra a sua opinião, para que possamos avançar!

TRASÍMACO:

— Mas é nisso que ela se diferencia.

A REPÚBLICA

SÓCRATES:

— E cada um de nós não procura conseguir certo benefício particular e não comum a todos, como a medicina, a saúde, a pilotagem, a segurança na navegação e assim por diante?

TRASÍMACO:

— Sem dúvida.

SÓCRATES:

— É a arte do mercenário, o salário, dado que reside aí o seu próprio poder? Confunde a medicina com a pilotagem? Ou, para definir as palavras com rigor, como propôs, se alguém recupera a saúde governando um navio, porque é vantajoso para ele navegar, denominará por isso medicina a sua arte?

TRASÍMACO:

— Claro que não.

SÓCRATES:

— Mas como! Denominará medicina a arte do mercenário porque o médico, ao curar, ganha salário?

TRASÍMACO:

— Não.

SÓCRATES:

— Não afirmamos que cada arte objetiva tem um benefício particular?

TRASÍMACO:

— Afirmamos.

SÓCRATES:

— Portanto, se todos os artesãos se beneficiam em comum de certo lucro, é evidente que acrescentam à sua arte um elemento comum de que auferem lucro?

TRASÍMACO:

— É o que parece.

SÓCRATES:

— E nós declaramos que os artesãos ganham salário porque adicionam à sua arte à do mercenário.

Reconheceu-o a custo.

SÓCRATES:

— Portanto, não é da arte que exerce que cada um retira esse proveito que consiste em receber um salário; mas, examinando com rigor, a medicina cria a saúde e a arte do mercenário proporciona o salário, a arquitetura edifica a moradia e a arte do mercenário, que a acompanha, proporciona o salário, e assim todas as outras artes: cada um trabalha na obra que lhe é própria e aproveita ao indivíduo a que se aplica. Porém, se não recebesse salário, tiraria o artesão proveito da sua arte?

TRASÍMACO:

— Acredito que não.

PLATÃO

SÓCRATES:
— E sua arte deixa de ser útil quando ele trabalha gratuitamente?
TRASÍMACO:
— A meu ver, não.
SÓCRATES:
— Então, Trasímaco, é evidente que nenhuma arte e nenhum comando proveem ao seu próprio benefício, mas, como dizíamos há instantes, assegura e objetiva o do governado, objetivando o interesse do mais fraco, e não o do mais forte. Eis porque, meu caro Trasímaco, que eu dizia há pouco que ninguém concorda de bom grado em governar e curar os males dos outros, mas exige salário, porque aquele que quer exercer convenientemente a sua arte não faz e não objetiva, na medida em que objetiva segundo essa arte, senão o bem do governado; por estas razões, é necessário pagar um salário aos que concordam em governar, seja em dinheiro, honra ou castigo, se porventura se recusarem.
GLAUCO:
— Que quer dizer com isso, Sócrates? Eu conheço os dois outros tipos de salários, mas ignoro o que entende por castigo dado na forma de salário.
SÓCRATES:
— Então não conhece o salário dos melhores, aquilo pelo qual os mais virtuosos governam, quando se resignam a fazê-lo. Não sabe que o amor à honra e ao dinheiro é considerado coisa vergonhosa e, efetivamente é?
GLAUCO:
— Sei.
SÓCRATES:
— Devido a isso, os homens de bem não querem governar nem pelas riquezas nem pela honra; porque não querem ser considerados mercenários, exigindo abertamente o salário correspondente à sua função, nem ladrões, tirando dessa função lucros secretos; também não trabalham pela honra, porque não são ambiciosos. Portanto, é preciso que haja obrigação e castigo para que aceitem governar — é por isso que tomar o poder de livre vontade, sem que a necessidade a isso obrigue, pode ser considerado vergonha — e o maior castigo consiste em ser governado por alguém ainda pior do que nós, quando não queremos governar. É com este receio que me parecem agir, quando governam, as pessoas honradas, então assumem o poder não como um bem a ser usufruído, mas como uma tarefa necessária, que não podem confiar a outras melhores nem iguais a elas. Se surgisse uma cidade de homens bons, é provável que nela se lutasse para fugir do poder, como agora se luta para obtê-lo, e se tornaria evidente que, na verdade, o governante autêntico não deve visar ao seu próprio interesse, mas ao do governado; de modo que todo homem sensato preferiria ser obrigado por outro a preocupar-se em obrigar outros. Portanto, de forma alguma concordo com Trasímaco, quando afirma que a

A REPÚBLICA

justiça significa o interesse do mais forte. Mas voltaremos a este ponto mais tarde; dou uma importância muito maior ao que diz agora Trasímaco: que a vida do homem injusto é superior à do justo. Que partido toma, Glauco? Qual dessas asserções lhe parece mais verdadeira?

GLAUCO:

— A vida do homem justo parece-me mais proveitosa.

SÓCRATES:

— Ouviste a relação que Trasímaco fez dos bens ligados à vida do injusto?

GLAUCO:

— Ouvi, mas não me convenci.

SÓCRATES:

— Queres então que o convençamos, se conseguirmos encontrar o meio, de que ele não está na verdade?

GLAUCO:

— Como não haveria de querer?

SÓCRATES:

— Se, juntando as nossas forças contra ele e opondo argumento a argumento, relacionarmos os bens que a justiça proporciona, se, por seu turno, ele replicar, e nós também, será preciso contar e avaliar as vantagens citadas por uma e outra parte em cada argumento e iremos precisar de juízes para decidir; se, ao contrário, como há pouco, debatermos a questão até conseguirmos um mútuo acordo, nós seremos conjuntamente juízes e advogados.

GLAUCO:

— É verdade.

SÓCRATES:

— Qual destes dois métodos prefere?

GLAUCO:

— O segundo.

SÓCRATES:

— Então, Trasímaco, voltemos ao começo e me responda. Acredita que a injustiça total é mais proveitosa do que a justiça total?

TRASÍMACO:

— Com certeza, e já expliquei por que razões.

SÓCRATES:

— Muito bem, mas da maneira que entende essas duas coisas, denominas uma virtude e a outra, vício?

TRASÍMACO:

— Sem dúvida.

SÓCRATES:

— E é a justiça que denominas virtude e a injustiça, vício?

TRASÍMACO:

PLATÃO

— É o que dou a entender, encantadora criatura, quando digo que a injustiça é proveitosa e a justiça não o é?

SÓCRATES:

— Como é, então?

TRASÍMACO:

— O contrário.

SÓCRATES:

— A justiça é um vício?

TRASÍMACO:

— Não, mas uma nobre simplicidade de caráter.

SÓCRATES:

— Então a injustiça é perversidade de caráter?

TRASÍMACO:

— Não, é prudência.

SÓCRATES:

— Será, Trasímaco, que os injustos lhe parecem sábios e bons?

TRASÍMACO:

— Sim, aqueles que são capazes de cometer a injustiça com perfeição e de submeter cidades e povos. Pensas, talvez, que me refiro aos gatunos? Sem dúvida, tais práticas são rendosas, enquanto não são descobertas; mas não merecem menção ao lado das que acabo de indicar.

SÓCRATES:

— Percebo perfeitamente o seu raciocínio, mas o que me surpreende é que classifique a injustiça com a virtude e a sabedoria, e a justiça com os seus opostos.

TRASÍMACO:

— Mas é exatamente assim que as classifico.

SÓCRATES:

— Isto é grave, camarada, e não é fácil saber o que se pode dizer. Se, com efeito, admitisse que a injustiça é proveitosa, admitindo ao mesmo tempo, como alguns outros, que vício é coisa vergonhosa, poderíamos lhe responder invocando as noções correntes sobre o assunto; mas, evidentemente, diria que ela é bela e forte e lhe concederia todos os atributos que nós concedemos à justiça, visto que ousaste compará-la com a virtude e a sabedoria.

TRASÍMACO:

— Adivinha muito bem.

SÓCRATES:

— Contudo, não devo recusar-me a continuar com este exame enquanto puder acreditar que fala seriamente. E que me parece, realmente, Trasímaco, que não é caçoada da sua parte e que está exprimindo a sua verdadeira opinião.

TRASÍMACO:

— Que importância tem que seja ou não a minha opinião? Limite-se a me refutar.

A REPÚBLICA

SÓCRATES:

— De fato, não tem importância. Mas responde a mais isto: parece para você que um homem justo procura prevalecer de algum modo sobre outro homem justo?

TRASÍMACO:

— Jamais, pois não seria educado e simples como é.

SÓCRATES:

— Nem mesmo numa ação justa?

TRASÍMACO:

— Nem assim.

SÓCRATES:

— Mas ele pretenderia prevalecer sobre o homem injusto e pensaria ou não fazê-lo justamente?

TRASÍMACO:

— Pensaria e o pretenderia, mas não poderia.

SÓCRATES:

— Não foi isso que perguntei: quero saber se o justo não teria nem a pretensão nem o desejo de prevalecer sobre o justo, mas apenas sobre o injusto.

TRASÍMACO:

— Assim é.

SÓCRATES:

— E o injusto pretenderia prevalecer sobre o justo e sobre a ação justa?

TRASÍMACO:

— Como não, se ele pretende prevalecer sobre todos?

SÓCRATES:

— Então, prevalecerá sobre o homem injusto e sobre a ação injusta e se empenhará em prevalecer sobre todos?

TRASÍMACO:

— Isso mesmo.

SÓCRATES:

— Resumindo: o justo não prevalece sobre o seu semelhante, mas sobre o seu contrário; o injusto prevalece sobre o seu semelhante e o seu contrário.

TRASÍMACO:

— Excelentemente expresso.

SÓCRATES:

— Porém, o injusto é sábio e bom, ao passo que o justo não é nem uma coisa nem outra?

TRASÍMACO:

— Excelente, também.

PLATÃO

SÓCRATES:

— Como consequência, o injusto assemelha-se ao sábio e ao bom, e o justo não se lhes assemelha?

TRASÍMACO:

— Como poderia ser diferente? Sendo o que é, ele se assemelha aos seus semelhantes e o outro não se assemelha.

SÓCRATES:

— Muito bem. Portanto, cada um é tal como aqueles a que se assemelha?

TRASÍMACO:

— Quem pode duvidar?

SÓCRATES:

— Que seja, Trasímaco. Agora, não afirma que um homem é músico e que outro não é?

TRASÍMACO:

— Afirmo.

SÓCRATES:

— Qual dos dois é conhecedor e qual não é?

TRASÍMACO:

— Certamente, o músico é conhecedor e o outro não é.

SÓCRATES:

— E um não é bom nas coisas de que é conhecedor e o outro não é?

TRASÍMACO:

— Certamente.

SÓCRATES:

— Mas a respeito da medicina, não é assim?

TRASÍMACO:

— É assim.

SÓCRATES:

— Agora, crê, excelente homem, que um músico que afina a sua lira, esticando ou soltando as cordas, pretende prevalecer sobre um músico ou ter vantagem sobre ele?

TRASÍMACO:

— Não, não creio.

SÓCRATES:

— Mas quererá prevalecer sobre um homem ignorante em música?

TRASÍMACO:

— Sim, com certeza.

SÓCRATES:

— E o médico? Ao prescrever alimento e bebida, quererá prevalecer sobre um médico ou sobre a prática médica?

TRASÍMACO:

— Certamente que não.

A REPÚBLICA

SÓCRATES:
— E sobre um homem que ignora a medicina?
TRASÍMACO:
— Sim.
SÓCRATES:
— Mas percebe, a respeito da ciência e da ignorância em geral, se um conhecedor qualquer parece querer prevalecer, com atos ou com palavras, sobre outro conhecedor e não agir como o seu semelhante no mesmo caso.
TRASÍMACO:
— Talvez seja necessário que seja assim.
SÓCRATES:
— Mas, da mesma forma, não quererá o ignorante prevalecer sobre o conhecedor e o ignorante?
TRASÍMACO:
— Talvez.
SÓCRATES:
— Ora, o conhecedor é sábio?
TRASÍMACO:
— É.
SÓCRATES:
— E o sábio é bom?
TRASÍMACO:
— É.
SÓCRATES:
— Portanto, o homem sábio e bom não quererá prevalecer sobre o seu semelhante, mas sobre aquele que não se assemelha a ele, sobre o seu oposto.
TRASÍMACO:
— Aparentemente.
SÓCRATES:
— Ao passo que o homem mau e ignorante quererá prevalecer sobre o seu semelhante e o seu oposto.
TRASÍMACO:
— Pode ser.
SÓCRATES:
— Mas, Trasímaco, o nosso homem injusto não prevalece sobre o seu oposto e o seu semelhante? Não disse isso?
TRASÍMACO:
— Disse.
SÓCRATES:
— E não é verdade que o justo não prevalecerá sobre o seu semelhante, mas sim, sobre o seu oposto?

PLATÃO

TRASÍMACO:

— É verdade.

SÓCRATES:

— Então, o justo assemelha-se ao homem sábio e bom e o injusto, ao homem mau e ignorante.

TRASÍMACO:

— Pode ser.

SÓCRATES:

— Mas nós havíamos afirmado que cada um deles é igual àquele a que se assemelha?

TRASÍMACO:

— De fato, afirmamos.

SÓCRATES:

— Logo, o justo é bom e sábio e o injusto, ignorante e mau.

Trasímaco concordou com tudo isto, não tão facilmente como o meu relato, mas contra sua vontade e a muito custo. Suava abundantemente, tanto mais que fazia muito calor — e foi então que, pela primeira vez, vi Trasímaco enrubescer! E quando concordamos que a justiça é virtude e sabedoria e a injustiça vício e ignorância, prossegui:

SÓCRATES:

— Consideremos isto definido. Mas afirmamos que a injustiça tem também a força. Não se lembras, Trasímaco?

TRASÍMACO:

— Lembro-me, mas não me agrada o que acaba de afirmar e sei como refutar. Contudo, se eu usar da palavra, com certeza dirá que estou fazendo um discurso. Por isso, me deixe falar à vontade ou, se quer me interrogar, me interrogue. E eu, como se faz com as velhas que contam histórias, direi: "seja!" e o aprovarei ou desaprovarei com a cabeça.

SÓCRATES:

— Mas, pelo menos, não respondas contra a sua opinião.

TRASÍMACO:

— Farei como quiser, já que não me deixas falar. Que mais quer?

SÓCRATES:

— Nada, por Zeus! Faça como preferir; vou interrogá-lo.

TRASÍMACO:

— Interroga.

SÓCRATES:

— Farei a mesma pergunta que há pouco, para podermos continuar a discussão: o que é a justiça em comparação com a injustiça? Com efeito, foi dito que a injustiça é mais poderosa do que a justiça; mas agora, se a justiça é sabedoria e virtude, conclui-se facilmente, penso eu, que ela é mais poderosa do que a injustiça, visto que a injustiça é ignorância. Já ninguém pode ignorá-lo.

A REPÚBLICA

No entanto, não é de uma maneira tão simples, Trasímaco, pretendo abordar o assunto, mas do ponto de vista seguinte: existe cidade injusta que tente sujeitar ou tenha sujeitado outras cidades, mantendo um grande número delas em escravidão?

TRASÍMACO:

— Com certeza. E é assim que procederá a melhor cidade, a mais perfeitamente injusta.

SÓCRATES:

— Eu sei que era esta a sua tese. Mas a tal propósito considero o seguinte ponto: uma cidade que se torna senhora de outra cidade poderá fazê-lo sem intermédio da justiça ou será obrigada a recorrer a ela?

TRASÍMACO:

— Se, como dizia há pouco, a justiça for sabedoria, recorrerá a ela; mas, se for como eu dizia, utilizará a injustiça.

SÓCRATES:

— Estou feliz, Trasímaco, por não aprovar ou desaprovar com um gesto de cabeça e responder tão bem.

TRASÍMACO:

— Faço isso para lhe agradar.

SÓCRATES:

— Muito amável da tua parte. Mas, por favor, responde ainda a isto: acha que uma cidade, um exército, um bando de salteadores ou de ladrões, ou qualquer outra associação que persegue em comum um objetivo injusto, poderia conduzir qualquer empresa se os seus membros violassem entre si as normas da justiça?

TRASÍMACO:

— Certamente que não.

SÓCRATES:

— E se observassem as normas? Não seria melhor?

TRASÍMACO:

— Com certeza.

SÓCRATES:

— Portanto, Trasímaco, a injustiça faz nascer entre os homens dissensões, ódios e brigas, enquanto a justiça alimenta a concórdia e a amizade. Concordas?

TRASÍMACO:

— Assim seja! Não quero entrar em discussão contigo.

SÓCRATES:

— Está se portando muito bem, excelente homem. Mas responde a esta pergunta: se é próprio da injustiça provocar o ódio em todo lugar onde acontece, aparecendo em homens livres ou escravos, não fará que eles se odeiem, briguem entre si e sejam impotentes para empreender seja o que for em comum?

PLATÃO

TRASÍMACO:

— Sem dúvida.

SÓCRATES:

— E se a injustiça surgir em dois homens? Não ficarão divididos, cheios de rancor, inimigos um do outro e dos justos?

TRASÍMACO:

— Ficarão.

SÓCRATES:

— E se, maravilhoso amigo, a injustiça surgir em um único homem, ela perderá o seu poder ou o manterá intacto?

TRASÍMACO:

— Penso que o manterá intacto!

SÓCRATES:

— Portanto, não parece possuir o poder, seja qual for o lugar em que ela surja, cidade, tribo, exército ou sociedade, de tornar primeiramente cada um deles incapaz de agir de acordo consigo próprio, devido às dissensões e contendas que causa, e, em seguida, de torná-lo inimigo de si mesmo, do seu oposto e do justo?

TRASÍMACO:

— Sem dúvida.

SÓCRATES:

— E creio que, num único homem, a injustiça produzirá os mesmos efeitos que está na sua natureza produzir; em primeiro lugar, tornará esse homem incapaz de agir, provocando nele a rebeldia e a discórdia; em seguida, irá transformá-lo em inimigo de si mesmo e dos justos, não é?

TRASÍMACO:

— É.

SÓCRATES:

— Mas, meu amigo, os deuses não são justos?

TRASÍMACO:

— Que seja!

SÓCRATES:

— Portanto, também entre os deuses, o injusto será inimigo, e o justo amigo.

TRASÍMACO:

— Regozije-se sem receio com os seus argumentos: não vou contradizer, para não provocar o ressentimento da assembleia.

SÓCRATES:

— Então, continuemos! Alimente-me com o resto do festim, continuando a responder. Acabamos de concluir que os homens justos são mais sábios, melhores e mais poderosos do que os homens injustos, e que estes são incapazes de agir harmonicamente — e, quando dizemos que às vezes levaram a bom termo um assunto em comum, não é, de maneira nenhuma, a verdade, porque uns e outros não seriam poupados se tivessem sido totalmente injustos; por isso, é

A REPÚBLICA

evidente que existia neles certa justiça que os impediu de se prejudicarem mutuamente, na época em que causavam danos às suas vítimas, e que lhes permitiu realizar o que realizaram; lançando-se em seus injustos empreendimentos, só em parte estavam pervertidos pela injustiça, visto que os inteiramente maus e os totalmente injustos são também inteiramente incapazes de fazer seja o que for. Eis como eu o compreendo, e não como você supunha no início. Agora, precisamos analisar se a vida do justo é melhor e mais feliz do que a do injusto: questão que tínhamos adiado para análise posterior. Ora, parece-me que isso é evidente, conforme aquilo que dissemos. No entanto, devemos analisar melhor o problema, pois não se trata de uma discussão a respeito de uma trivialidade, mas sobre o modo como temos de regular a nossa vida.

TRASÍMACO:

— Então, analisa.

SÓCRATES:

— Assim farei. Diga: lhe parece que o cavalo tem uma função?

TRASÍMACO:

— Sim, me parece.

SÓCRATES:

— Dirias, então, que é função do cavalo, ou de qualquer outra criatura, apenas o que pode ser feito por ele ou o que se faz melhor com ele?

TRASÍMACO:

— Não compreendo.

SÓCRATES:

— Explico-me melhor: você pode enxergar sem ser com os olhos?

TRASÍMACO:

— Certamente que não.

SÓCRATES:

— E pode ouvir sem ser com os ouvidos?

TRASÍMACO:

— De forma alguma.

SÓCRATES:

— Portanto, podemos afirmar que são essas as funções desses órgãos.

TRASÍMACO:

— Sem dúvida.

SÓCRATES:

— Mas não pode podar uma videira com uma faca, um trinchete e muitos outros instrumentos?

TRASÍMACO:

— E por que não?

PLATÃO

SÓCRATES:

— Mas com nenhum outro, creio eu, tão bem quanto com uma podadeira, que é própria para isso.

TRASÍMACO:

— Concordo.

SÓCRATES:

— Portanto, não afirmaremos que é essa a sua função?

TRASÍMACO:

— Por certo que afirmaremos.

SÓCRATES:

— Julgo que agora compreendes melhor o que eu dizia há pouco, quando te perguntava se a função de uma coisa não é o que ela pode fazer ou o que ela faz melhor do que as outras.

TRASÍMACO:

— Compreendo e creio que é realmente essa a função de cada coisa.

SÓCRATES:

— Ótimo. Mas não existe também uma virtude em cada coisa a que é atribuída uma função? Voltemos aos exemplos anteriores: os olhos possuem uma função?

TRASÍMACO:

— Possuem.

SÓCRATES:

— Então, possuem também uma virtude?

TRASÍMACO:

— Sim, possuem uma virtude.

SÓCRATES:

— Muito bem! As orelhas, dissemos nós, possuem uma função?

TRASÍMACO:

— Sim.

SÓCRATES:

— E, por conseguinte, também uma virtude?

TRASÍMACO:

— Também uma virtude.

SÓCRATES:

— Mas não acontece o mesmo com todas as coisas?

TRASÍMACO:

— Acontece.

SÓCRATES:

— Pois bem! Poderiam os olhos desempenhar bem a sua função se não possuíssem a virtude que lhes é própria ou se, em lugar dessa virtude, possuíssem o vício contrário?

A REPÚBLICA

TRASÍMACO:
— Como poderiam? Quer, por acaso, dizer a cegueira, em vez da vista?
SÓCRATES:
— Qual é a sua virtude, pouco importa; ainda não perguntei, mas apenas se cada coisa desempenhar bem a sua função por virtude própria e mal pelo vício contrário.
TRASÍMACO:
— É como diz.
SÓCRATES:
— Posto isto, os ouvidos, sendo privados da sua virtude própria, desempenharão mal a sua função?
TRASÍMACO:
— Sem dúvida.
SÓCRATES:
— Este princípio pode ser aplicado a todas as outras coisas?
TRASÍMACO:
— Julgo que sim.
SÓCRATES:
— Então, analisa agora isto: a alma não possui uma função que nada, a não ser ela, poderia desempenhar, como vigiar, comandar, deliberar e o resto? Podemos atribuir estas funções a outra coisa que não à alma? E não temos o direito de dizer que elas lhe são peculiares?
TRASÍMACO:
— Não podemos atribuí-las a nenhuma outra coisa.
SÓCRATES:
— E a vida? Não afirmaremos que é uma função da alma?
TRASÍMACO:
— Com certeza.
SÓCRATES:
— Portanto, afirmaremos que a alma também possui a sua virtude própria?
TRASÍMACO:
— Afirmaremos.
SÓCRATES:
— Então, Trasímaco, a alma executará bem essas funções se for privada da sua virtude própria? Ou será impossível?
TRASÍMACO:
— Será impossível.
SÓCRATES:
— Em decorrência disso, é obrigatório que uma alma má comande e vigie mal e que uma alma boa faça bem tudo isso.
TRASÍMACO:
— É obrigatório.

PLATÃO

SÓCRATES:

— Ora, não concluímos que a justiça é uma virtude e a injustiça, um vício da alma?

TRASÍMACO:

— Concluímos.

SÓCRATES:

— Por conseguinte, a alma justa e o homem justo viverão bem e o injusto, mal?

TRASÍMACO:

— Assim parece, de acordo com o teu raciocínio.

SÓCRATES:

— Então, aquele que vive bem é feliz e afortunado e o que vive mal, o contrário.

TRASÍMACO:

— Não há dúvida.

SÓCRATES:

— Portanto, o justo é feliz e o injusto, infeliz.

TRASÍMACO:

— Que seja!

SÓCRATES:

— E não é vantajoso ser infeliz, mas ser feliz.

TRASÍMACO:

— Sem dúvida.

SÓCRATES:

— Por conseguinte, divino Trasímaco, jamais a injustiça é mais vantajosa do que a justiça.

TRASÍMACO:

— Que seja esse, Sócrates, o seu festim das festas de Bêndis!

SÓCRATES:

— Muita bondade de sua parte, Trasímaco, porque você se tornou mais brando e deixou de lado o tratamento descortês. Certamente não fiz um grande festim, não por culpa sua, mas minha. Como os glutões se atracam em cada prato e dele provam apenas o que foi servido, antes de terem degustado bastante o prato anterior, assim fiz eu também. Sem ter ainda descoberto o que procurávamos antes de tudo, isto é, o que viria a ser a justiça, deixando de lado aquele problema, comecei a indagar se ela é vício e ignorância ou sabedoria e virtude. Surge em seguida outra hipótese, a de saber que a injustiça é mais vantajosa do que a justiça, não pude evitar de ir de uma para outra, de modo que o resultado da nossa conversa é que não sei nada. E não sabendo o que é a justiça, ainda menos saberei se é virtude ou não e se aquele que a possui é feliz ou infeliz.

Fragmento de A República, de Platão.

Livro Dois

Com essas palavras, julgava ter me livrado da discussão. Ao contrário pelo que me parece, aquele tinha sido somente o prelúdio. De fato, Glauco, sempre muito agressivo com todos, também nessa circunstância não aceitou a renúncia de Trasímaco e falou:

— Contente-se, Sócrates, em fingir que nos convenceu ou quer convencer-nos realmente de que, de qualquer maneira, é melhor ser justo que injusto?

SÓCRATES:

— Na verdade, este teria sido meu desejo, se isso dependesse de mim.

GLAUCO:

— Então, não fazes o que pretendes. Com efeito, diz-me: não te parece que existe uma espécie de bens que buscamos não objetivando as suas consequências, mas porque os amamos em si mesmos, como a alegria e os prazeres inofensivos, que, por isso mesmo, não têm outro efeito que não seja o deleite daquele que os possui?

SÓCRATES:

— Sim, acredito sinceramente que existem bens dessa espécie.

GLAUCO:

— E não existem bens que amamos por si mesmos e também por suas consequências, como o bom senso, a visão, a saúde? Com efeito, tais bens nos são preciosos por ambos os motivos.

SÓCRATES:

— Sim.

A REPÚBLICA

GLAUCO:

— Mas não vê uma terceira espécie de bens como a ginástica, a cura de uma doença, o exercício da arte médica ou de outra profissão lucrativa? Poderíamos citar bens que exigem boa vontade; nós os buscamos não por eles mesmos, mas pelas recompensas e as outras vantagens que proporcionam.

SÓCRATES:

— Concordo que essa terceira espécie existe. Mas aonde quer chegar?

GLAUCO:

— Em qual dessas espécies você coloca a justiça?

SÓCRATES:

— Na mais bela, creio, na dos bens que, por si mesmos e por suas consequências, deve amar aquele que quer ser plenamente feliz.

GLAUCO:

— Não é a opinião da maioria dos homens, que põem a justiça no nível dos bens penosos, que é preciso cultivar pelas recompensas e distinções que proporcionam, mas que devem ser evitados por eles mesmos, porque são difíceis.

SÓCRATES:

— Eu sei que é essa a opinião da maioria. É por isso que, desde há muito, Trasímaco censura esses bens e elogia injustiça. Mas, segundo parece, eu tenho a cabeça dura.

GLAUCO:

— Então, me escute agora, se é que não mudou de opinião. Com efeito, creio que Trasímaco cedeu mais rapidamente do que devia, fascinado por você como uma serpente; eu não me satisfiz com a sua exposição sobre a justiça e a injustiça. Desejo conhecer a sua natureza e qual o poder próprio de cada uma, considerada em si mesma, na alma em que reside, sem considerar as recompensas que proporcionam e as suas consequências. Eis como procederei, se estiveres de acordo: retomando a argumentação de Trasímaco, começarei por dizer o que geralmente se entende por justiça e qual é a sua origem; em segundo lugar, que aqueles que a praticam não o fazem por vontade própria, por considerá-la uma coisa necessária, e não um bem. Em terceiro lugar, que têm razão para agirem assim, dado que a vida do injusto é muito melhor do que a do justo, como afirmam. Quanto a mim, Sócrates, não compartilho esta opinião. No entanto, sinto-me embaraçado, pois tenho os ouvidos cheios dos argumentos de Trasímaco e mil outros. Ainda não ouvi ninguém falar da justiça e da sua superioridade sobre a injustiça como o desejaria: gostaria de ouvir sendo elogiada em si mesma e por ela mesma. E é principalmente de você que espero esse elogio. É por isso que, aplicando todas as minhas forças, elogiarei a vida do injusto e, ao fazê-lo, mostrarei de que maneira pretendo que censure a injustiça e elogies a justiça. Mas vê se isso lhe convém.

PLATÃO

SÓCRATES:
— Caro que me convém. Com efeito, de que assunto um homem sensato apreciaria falar e ouvir falar com mais frequência?

GLAUCO:
— Escuta, portanto, a primeira parte de meu discurso, sobre a natureza e a origem da justiça. Dizem por aí que por natureza é um bem cometer injustiça e um mal é sofrê-la; ainda, que sofrê-la é um mal maior que cometê-la. Quando, pois, os homens se ofendem mutuamente e provam as duas condições, aqueles que não conseguem oprimir nem escapar à opressão, julgam que seria de bom alvitre não cometer nem sofrer injustiça. Esta foi a origem de suas leis e de seus pactos. Passaram a chamar de legalidade e de justiça a suas prescrições. Esta é a origem e a natureza da justiça que ocupa o meio-termo entre a condição melhor — a de quem ofende impunemente — e a pior — a de quem é ofendido sem poder vingar-se. Mas a justiça, exatamente porque ocupa a posição intermediária entre esses dois extremos, não é amada como se fosse um bem, mas somente como algo que se aprecia quando inexiste a aptidão de prevalecer. Quem, na verdade, pudesse cometer injustiça e fosse um verdadeiro homem, jamais consentiria em não cometer e em não sofrer injustiça, pois para ele representaria uma loucura. Esta é, portanto, Sócrates, a natureza da justiça. E esta, sua origem, de acordo com a opinião comum.

GLAUCO:
— Para compreender que também aquele que pratica a justiça o faz a contragosto e só pela impossibilidade de cometer injustiça, o modo mais oportuno é recorrer a uma situação imaginária. Concedamos ao justo e ao injusto a possibilidade de fazer o que lhes aprouver. A seguir, sigamos a ambos para ver para onde os conduzirá o impulso da paixão. Encontraremos o justo percorrendo a mesma trilha do injusto, impelido pela avidez que, por natureza, todo ser persegue como o próprio bem, muito embora a lei o obrigue à força a respeitar a igualdade. Tal possibilidade se poderia realizar no mais elevado grau, se ambos tivessem os amplos meios de que dispunha, segundo se relata, Giges, antepassado de Creso, rei de Lídia. Ele estava a serviço, na qualidade de pastor, do rei que então reinava em Lídia. Certo dia, durante um violento terremoto acompanhado de um temporal, a terra se fendeu e se abriu um sorvedouro no local em que Giges apascentava os rebanhos. Ele observou a fenda e surpreso e hesitante, desceu por ela. Entre as muitas maravilhas com que se deparou, conforme narra a lenda, viu um cavalo de bronze, oco e com algumas aberturas. Introduziu numa delas a cabeça e lá dentro avistou um cadáver de dimensões acima das humanas, totalmente nu, trazendo um anel de ouro num dos dedos. Giges o apanhou e saiu.
— Uma vez por mês era costume os pastores se reunirem para prestar contas ao rei sobre o estado dos rebanhos e Giges se dirigiu à reunião com o anel no dedo. Enquanto estava sentado entre seus companheiros, virou por acaso

A REPÚBLICA

o engaste do anel contra si mesmo, para dentro da mão, e se tornou invisível para os que estavam presentes, de modo que seus companheiros começaram a falar dele como se estivesse ausente. Surpreso, ele virou de novo o anel, girando o engaste para fora, e logo se tornou novamente visível. Curioso com o fato, repetiu a experiência para controlar o poder do anel. Constatou de fato que, ao voltar o engaste do anel para dentro, se tornava invisível e, ao girá-lo para o lado externo, voltava a ser visível. Assegurando-se sobre esse fenômeno, tomou todas as providências para ser incluído entre os informantes do rei. Conhecedor dos meandros do palácio, tornou-se amante da rainha e, juntamente com ela, conjurou contra o rei, matou-o e tomou o poder.

— Supondo que existissem dois desses anéis. Se um fosse dado ao homem justo e outro ao injusto, acredito que nenhum deles seria tão perseverante em persistir nas veredas da justiça e conservar a força moral para não lançar mão dos bens de outrem sem sequer tocá-los, uma vez que se lhe ofereceria a possibilidade de levar do mercado o que quisesse, de entrar nas casas e unir-se com quem desejasse, de matar a uns e de libertar a outros, segundo sua própria vontade, e de fazer tudo como se fosse um deus entre os homens. Procedendo desse modo, em nada o justo diferiria do injusto, porquanto ambos seguiriam pelo mesmo caminho. E nada provaria melhor que não se pratica justiça de espontânea vontade, mas somente por necessidade e não porque tenha a justiça como vantajosa por si mesma. De fato, todos cometem a injustiça, quando julgam que possam cometê-la. Todo homem pensa que injustiça lhe é muito mais útil que a justiça. E tem razão de assim pensar, segundo o defensor desta tese. De fato, quem tivesse semelhante poder e não quisesse ser injusto nem sequer tocar nos bens alheios, seria considerado por quantos o soubessem o mais infeliz e insensato dentre os homens, muito embora fosse louvado publicamente, enganando-se reciprocamente pelo temor de serem eles vítimas de possíveis danos. E é exatamente isso que ocorre.

GLAUCO:

— Para avaliar a condição das pessoas de quem estamos falando, só podemos nos pronunciar de modo correto fazendo a distinção entre o homem mais justo e o mais injusto. De outro modo, não é possível. Para distingui-los, vamos atribuir ao injusto toda a injustiça e ao justo, toda a justiça. Vamos considerá-los no mais alto grau do tipo de conduta que cada um deles abraçou.

— Vamos supor que o injusto proceda como os artistas particularmente hábeis como, por exemplo, um piloto extremamente hábil ou como um médico capaz de distinguir, no exercício de sua profissão, o que é impossível daquilo que é possível, e aplicar-se a este, deixando de lado aquele. Se cometer um erro, estará em condições de remediá-lo. Da mesma maneira, o homem injusto, se realmente assim pretende ser, deve realizar com perspicácia suas injustiças, passando despercebido. Quem se deixa apanhar deve ser considerado medíocre porque o

O Anel de Giges, Anônimo da escola de Ferrara, século XVI.

PLATÃO

cúmulo da injustiça consiste precisamente em parecer justo sem o ser. Deve-se, portanto, atribuir ao homem completamente injusto a injustiça perfeita, sem qualquer abrandamento, e conceder-lhe atrair sobre si a máxima reputação de justiça, apesar de sua extrema injustiça. Deve-se também conceder-lhe, em caso de erro, a capacidade de remediar, de falar de modo persuasivo se algum de seus crimes for denunciado e de agir com prepotência sempre que prepotência for exigida, graças à sua coragem, ao seu vigor e à disponibilidade de amigos e de dinheiro.

— A tal homem que acabamos de imaginar, confrontemos o homem justo, simples e nobre, desejoso, como diz Ésquilo, de ser bom e não de parecer bom. Vamos, contudo, privá-lo desta aparência, pois se parecer justo, receberia em decorrência honrarias e recompensas e, em tal caso, não se saberia se assim se comporta por amor da justiça ou por ter em vista honras e louvores. Deve-se, portanto, despojá-lo de tudo, menos da justiça, para contrapô-lo ao outro. Mesmo que não cometa injustiça, vamos imaginá-lo com fama de grande injusto, tanto para colocá-lo à prova. Assim se poderá ver se não será atingido pela má fama e por suas consequências. Cumpre que permaneça firme até a morte, sempre virtuoso, mas também sempre considerado injusto. Desse modo, um e outro, tendo atingido o mais alto grau, respectivamente da justiça e da injustiça, serão submetidos a julgamento e se poderá, enfim, decidir qual dos dois é o mais feliz.

SÓCRATES:

— Notável, meu caro Glauco! Com que vigor você consegue despir esses dois homens para apresentá-los em juízo. Parece que você acaba de dar polimento a mera estátua!

GLAUCO:

— Faço o melhor que posso. Reduzindo-os a tal estado, não me parece difícil predizer qual sorte tocará a um e a outro. De qualquer maneira, vou explicá-lo. Se minhas palavras parecerem um tanto duras, relembra-te, Sócrates, que não sou eu quem fala, mas aqueles que exaltam a injustiça em detrimento da justiça. Segundo eles, o homem justo, em vista de sua conduta, será açoitado, torturado, posto sob grilhões, terá seus olhos queimados e, depois de ter sofrido todo tipo de males, será levantado num madeiro e só então se dará conta que convém desejar não o ser, mas somente parecer justo. Os versos de Ésquilo se aplicariam bem melhor ao injusto, porquanto todos dirão que ele concentrou todos os seus esforços numa coisa real em vez de pautar sua vida somente pelas aparências, não querendo parecer injusto, mas sendo-o de fato: "Sua mente se transformou em sulco profundo, de onde brotam nobres ideias."— Antes de mais nada, graças à sua reputação, domina sua cidade, toma por mulher a que melhor lhe apraz, casa suas filhas com quem melhor lhe parece, estipula contratos e sociedades com quem quer e tira partido de tudo, porquanto não hesita em comportar-se de modo injusto. Quando se defronta com rivalidades públicas ou privadas, ganha todas e elimina os competidores. Assim enriquece, presta

A REPÚBLICA

benefícios aos amigos, persegue os inimigos, oferece aos deuses sacrifícios e dons magníficos e concilia melhor e mais perfeitamente que o justo os favores dos deuses e dos homens, a quem se empenha em agradar. Por esse motivo, ele pode se considerar convictamente mais caro aos deuses que o próprio homem justo. Por isso, Sócrates, os partidários da injustiça afirmam que os deuses e os homens asseguram ao injusto uma existência melhor que ao justo.

Ao terminar de proferir essas palavras, eu queria dar-lhe uma resposta, mas seu irmão Adimanto interveio:

— Acredita, Sócrates, que a questão foi suficientemente desenvolvida?

SÓCRATES:

— E por que não?

ADIMANTO:

— O ponto essencial foi omitido.

SÓCRATES:

— Pois bem! De acordo com o provérbio, que o irmão socorra o irmão! Se Glauco esqueceu algum ponto, ajude-o. No entanto, ele disse o suficiente para me pôr fora de combate e na impossibilidade de defender a justiça.

ADIMANTO:

— As palavras que você proferiu de nada valem. Escute, por favor. Cumpre apresentar também os argumentos dos adversários, mencionados por Glauco, daqueles que louvam a justiça e desaprovam a injustiça, para tornar mais claro o que o próprio Glauco tem em vista. Os pais e os preceptores recomendam aos filhos a necessidade da prática da justiça, não em vista da justiça em si mesma, mas das vantagens que acarreta. A reputação de justiça lhes rende magistraturas no Estado, matrimônios ilustres e todas as vantagens que Glauco acabou de enumerar há pouco, proporcionadas ao homem justo por sua boa fama. Estendem bem mais longe as consequências positivas da boa reputação, chegando a citar o reconhecimento dos próprios deuses, além de catalogar inumeráveis vantagens que, segundo eles, os deuses concedem a quem é justo. De modo semelhante falam o bom Hesíodo e Homero. O primeiro afirma que para os justos os deuses fazem "brotar bolotas nas copas dos carvalhos, abelhas no tronco das árvores e as ovelhas se cobrirem de espessa lã", além de muitas outras coisas boas como essas.

— De modo similar escreve Homero: "Quando um rei irrepreensível teme os deuses e governa com justiça, a terra negra produz trigo e centeio, as árvores se carregam de frutos, as ovelhas se multiplicam em profusão, o mar oferece seus melhores peixes."

— Museu e seu filho atribuem aos justos, dons divinos mais esplêndidos ainda. Após a morte, os guiam por meio do Hades, apresentando-os aos banquetes dos virtuosos, cingidos de coroas, passando o resto de seu tempo a beber, como se a melhor recompensa da virtude fosse uma eterna embriaguez. Outros lhes atribuem recompensas ainda maiores da parte dos deuses, afirmando que

PLATÃO

o homem justo e fiel aos pactos revive depois da morte nos filhos dos filhos e nos distantes descendentes. Essas e outras são as vantagens que os levam a tecer elogios à justiça. No tocante aos ímpios e injustos, os fazem precipitar no lodo do Hades e os condenam a carregar água numa peneira. Ainda em vida os condenam à infâmia, os cobrem com aqueles castigos que, segundo Glauco, são infligidos aos homens justos que passam por injustos. A respeito dos injustos dizem as mesmas coisas, sem acrescentar nada de novo. Este é, portanto, o louvor e esta a lamentação que entoam a um e outro.

— Além disso, Sócrates, atente para outro tipo de argumentação sobre a justiça e a injustiça criada pelo povo e pelos poetas. Todos eles concordam em exaltar a temperança e a justiça como coisas belas, mas difíceis e penosas, enquanto a intemperança e a injustiça como coisas agradáveis e fáceis de praticar, mas afrontosas para a opinião pública e para a lei. Acrescentam ainda que a injustiça é mais proveitosa que a justiça e que os homens são levados a se considerar felizes, a prestar honras em público e em particular aos maus que dispõem de riquezas e poder e a desprezar e a se afastar dos demais se forem fracos e pobres, mesmo reconhecendo sua superioridade moral. De todos, os discursos mais estranhos são os que se referem aos deuses e à virtude. De fato, sustentam que até os deuses reservaram para muitos homens justos uma existência desafortunada e infeliz, ao passo que aos outros concederam sorte contrária. Sacerdotes mendicantes e adivinhos batem à porta dos ricos, persuadindo-os de terem recebido dos deuses, graças a sacrifícios e encantamentos, a faculdade de reparar, com festins e divertimentos, iniquidades perpetradas pelo dono da casa ou por seus ancestrais. Se alguém pretender fazer mal a um inimigo, eles se empenham, por modesta compensação, em perpetrar o mal a quem quer que seja, justo ou injusto, mediante sortilégios e fórmulas mágicas, afirmando que com isso podem convencer os deuses a colocar-se a seu serviço. Para isso, evocam o testemunho de poetas, como Hesíodo, tentando provar quão fáceis são as sendas do mal:

— "Fácil é alcançar a maldade, possível é segui-la com a multidão, pois o caminho é plano e ela está bem próxima de nós. Mas diante da virtude, os deuses puseram suores, a estrada é longa e íngreme." Outros mostram que os deuses se deixam aplacar pelos homens e se servem da autoridade de Homero que escreveu: "Os próprios deuses se deixam aplacar com sacrifícios e amáveis preces, com libações, e a gordura das vítimas os homens os aplacam, suplicando a eles quando transgridem a lei e cometem crimes."

Mostram ainda uma quantidade de escritos de Museu e de Orfeu, filhos da Lua e das Musas, como se conta, sob cuja autoridade convencem não somente os simples cidadãos, mas também os homens de Estado, de que, para vivos e mortos, há ritos de absolvições e purificações das culpas, mediante sacrifícios e agradáveis divertimentos, chamando esses ritos de iniciações que seriam capazes de nos livrar dos males do além-túmulo. Afirmam ainda que, se desprezados, terríveis castigos nos são reservados.

A REPÚBLICA

— Que impressão, meu caro Sócrates, é de se supor que produzam tais discursos e tantos outros similares em que os homens e os deuses recompensam a virtude e o vício, na mente dos jovens dotados e capazes, por assim dizer, de captá-los rapidamente e deles deduzir o modo como devem portar-se para tomar a rota que os levem a viver da melhor maneira possível? Parece lógico que um jovem dirá a si mesmo o que consta nos versos de Píndaro: "Vou escalar os altos muros com a justiça ou chegarei até lá com tortuosos enganos, cercando-me do melhor e gozando da ventura da vida?"

— Ouve-se dizer, com efeito, que, se for justo sem o parecer, não levarei vantagem alguma, mas somente penas e castigos inevitáveis; por outro lado, ao injusto é reservada uma existência brilhante, contanto que se esforce por obter fama de justo. Em vista, portanto, da aparência, como me demonstram os sábios, "ganha também a verdade que decide sobre a felicidade", convém voltar-me de todo às aparências. Devo traçar em torno de mim, como uma fachada bem decorada, uma imagem de virtuoso. Devo levar comigo a astuta e enganadora raposa do perspicaz Arquíloco. Se me for confutado que não é fácil esconder constantemente a maldade, responderia que nenhum outro empreendimento é fácil. Se, no entanto, quisermos ser felizes, é preciso percorrer esse caminho, traçado por nossos discursos. Para esconder nossa maldade, uniremos em alianças e sociedades, além de existirem mestres de notável persuasão que asseguram a posse de uma sabedoria popular e jurídica, com as quais poderemos tanto persuadir como obrigar, aprimorando-nos na arte de enganar sem danos.

— "Mas é impossível enganar ou resistir aos deuses!" Se, contudo, não existem ou se preocupam por nada com as vicissitudes humanas, para que nos preocuparmos em fugir deles? Se, por outro lado, existem e se preocupam conosco, não os conhecemos a não ser por ouvir dizer ou pelos autores de genealogias. Até eles afirmam que os deuses podem ser aplacados e passar para nosso lado por meio de "sacrifícios e amáveis preces", além de ofertas. Ora, ou se acredita em tudo o que dizem ou não se crê em nada. Se for para crer, então devemos nos comportar mal e oferecer aos deuses sacrifícios que sejam fruto de nossas más ações. Se fôssemos justos, certamente nada teríamos que temer aos deuses, mas perderíamos as vantagens da injustiça. Ao contrário, se injustos, conquistaríamos os deuses com orações, mesmo continuando a transgredir as leis e a cometer crimes, persuadindo-os depois a nos perdoarem. "Mas no Hades havemos de descontar as culpas aqui cometidas, nós mesmos ou os filhos de nossos filhos." Nosso racionalista, porém, há de responder: "As iniciações, meu caro, e os deuses libertadores aos muitos poderosos, como o afirmam os Estados mais fortes e os filhos dos deuses, isto é, os poetas e os intérpretes dos deuses que nos asseguram que as coisas correm assim mesmo."

— Por que, portanto, preferir a justiça à injustiça suprema, se a adquirindo com uma falsa aparência de virtude tudo deverá correr melhor em vida e na morte da parte dos deuses e da parte dos homens, como o dizem os simples cidadãos e os

PLATÃO

homens ilustres? Diante de tudo o que acabo de dizer, que expediente, Sócrates, poderia levar um homem de alguma superioridade intelectual, física, econômica ou familiar a apreciar a justiça, em vez de desprezá-la quando ouve alguém que a elogia? Quem tivesse condições de demonstrar a falsidade de nossas afirmações e se convencesse de que a justiça é o sumo bem, tal homem, ainda assim, seria indulgente para com os injustos, em vez de mostrar-se irado com eles. Ele bem sabe que, excetuando-se aquele que por inspiração divina seja contrário à injustiça e dela se abstenha, porque iluminado pela ciência, ninguém mais é justo por espontânea vontade, mas somente por causa da covardia, ou da velhice, ou por qualquer outra debilidade, passando a lastimar a injustiça somente porque é incapaz de praticá-la.

— E as coisas correm assim mesmo. Com efeito, o primeiro dentre eles que galga o poder será também o primeiro a ser injusto, dentro dos limites do possível.

— A única causa de tudo isso é a que impeliu meu irmão, bem como a mim, a debater com você, Sócrates. Gostaria de dizer, meu caro amigo, que de todos vocês que se declaram partidários da justiça, a começar pelos heróis da antiguidade, cujos discursos chegaram até nós, nenhum dentre todos execrou a injustiça e louvou a justiça, senão em vista da boa reputação, das honrarias e das recompensas inerentes. Nunca, algum deles, em prosa ou em poesia, com base em sua natureza e no poder que exercem no ânimo de quem as possui, fora do conceito de deuses e homens, demonstrou que a injustiça é o maior de todos os males que possa afligir o espírito e a justiça, pelo contrário, o maior de todos os bens. Porque, se todos vocês nos tivessem desde logo falado assim e nos tivessem convencido disso desde nossa juventude, não estaríamos sempre de sobreaviso uns contra os outros, receando que a injustiça se propagasse; ao contrário, cada um se guardaria a si mesmo porque estaria atemorizado em atrair sobre si, ao cometer injustiça, o pior dos males.

— Isto mesmo, Sócrates, ou quem sabe outras coisas teriam dito Trasímaco e outros sobre a justiça e a injustiça, confundido grosseiramente, segundo meu parecer, as características de ambas. Eu, porém, sem querer dissimular, gostaria de ouvir objeções de sua parte e, por esta razão, sustentei a tese contrária com o máximo ardor possível. Por isso, não gostaria que se limitasse a demonstrar que teoricamente se pode preferir a justiça à injustiça, mas explique também os efeitos de uma e de outra sobre quem as possui, exatamente aqueles que de uma fazem um bem e de outra, um mal. Deixe de lado as opiniões, como Glauco recomendou. Porque, se em ambos os casos, você não repelir as falsas opiniões para se ater somente às verdadeiras, poderíamos entender que você não louva a justiça, mas somente a aparência e nem critica a injustiça, mas somente o que parece como tal e, além disso, que você nos exorta a cometê-la às escondidas. Resumindo, você estaria de acordo com Trasímaco ao reconhecer que a justiça é um bem de outrem, é o interesse do mais forte, enquanto que a injustiça é útil e vantajosa por si mesma, ainda que seja prejudicial ao fraco.

A REPÚBLICA

— Desde que você admitiu que a justiça faz parte dos bens supremos, daqueles que vale a pena atingir por suas consequências e ainda mais por si mesmos, como a visão, a audição, a inteligência, a saúde e todos os bens dotados de valor natural, prescindindo de sua aparência, elogie pois, no caso da justiça, as vantagens que traz consigo a quem a possui e, no caso da injustiça, lastima os danos que ela traz. De certo eu poderia aceitar que outro louvasse a justiça e atacasse a injustiça, limitando-se a apreciar e a criticar as aparências e as recompensas decorrentes de uma e de outra. Não o toleraria, porém, de sua parte, a menos que você o exigisse, porquanto você passou toda a vida estudando somente este problema. Não se atenha, portanto, em demonstrar que se pode preferir a justiça à injustiça, mas explique também os efeitos de uma e de outra como tais, prescindindo do fato de que elas sejam encobertas ou descobertas a deuses e homens, porquanto são exatamente tais efeitos a transformar uma num bem e outra num mal.

SÓCRATES:

Sempre havia admirado o caráter de Glauco e de Adimanto, mas depois de escutar essas palavras, senti-me invadido por uma alegria especial e falei:

— Não era sem motivo, ó filhos de tal pai, que o admirador de Glauco começava nos seguintes termos a elegia que lhes dedicou, quando se distinguiram na batalha de Magara:

— Filhos de Ariston, divina raça de um homem ilustre. Tal elogio, meus amigos, parece-me que lhes cabe à perfeição. De fato, existe algo de realmente divino nos seus sentimentos se não estais convencidos de que a injustiça vale mais que a justiça, sendo capazes de falar assim, a respeito desta questão. Ora, acredito que, na verdade, não estão convencidos — julgo-o pelos outros aspectos do seu caráter, visto que a julgar apenas pela sua linguagem, desconfiaria de você, e quanto mais confiança lhe concedo, mais confuso me sinto quanto ao partido que devo tomar. Por um lado, não sei como tomar a defesa da justiça; parece-me que não tenho forças para isso — e o sinal para mim é este: quando eu pensava ter demonstrado, contra Trasímaco, a superioridade da justiça sobre a injustiça, você não aceitou os meus argumentos. Por outro lado, não sei como não tomar a sua defesa; com efeito, seria pura impiedade abandonar a defesa da justiça, quando atacada em minha presença, enquanto me resta alento e energia para reagir. Por isso, o melhor é defendê-la o melhor que eu puder.

Ouvindo isso, Glauco e os outros suplicaram-me a utilizar todos os meus recursos, que não abandonasse a discussão, mas que investigasse a natureza da justiça e da injustiça e a verdade das suas respectivas vantagens. Disse-lhes então o que sentia:

— A busca que executamos não é de pouca importância, mas exige, em minha opinião, grande acuidade de espírito. Ora, dado que esta qualidade nos falta, lhe direi como julgo que se deve proceder. Se se ordenasse a pessoas com visão pouco apurada que lessem de longe letras escritas em caracteres miúdos e

PLATÃO

uma delas descobrisse que essas mesmas letras se encontram escritas em outro lugar em grandes caracteres e num espaço maior, ninguém duvidaria de que seria mais fácil ler primeiro as letras grandes e examinar em seguida as miúdas, para ver se são de fato iguais.

ADIMANTO:

— Certamente. Mas, Sócrates, que tem isso a ver com a investigação a respeito da natureza da justiça?

SÓCRATES:

— Vou explicar. Não afirmamos que a justiça se encontra num homem em particular e também num Estado?

— Sem dúvida.

— O Estado não é maior que um só indivíduo?

— Certamente.

— Talvez no quadro maior se possa encontrar uma justiça mais consistente e mais fácil de discernir. Se quiserem, podemos examinar sua natureza primeiramente nos Estados e depois a estudaremos em cada pessoa, relacionando o que é menor com o que é maior, por analogia.

— Parece-me ideia razoável.

— Se considerássemos teoricamente, pois, o surgimento de um Estado, poderíamos assistir ao surgimento tanto da justiça como da injustiça.

— É bem provável.

— Teríamos então a esperança de encontrar mais rapidamente o que procuramos.

— Não há dúvida.

— Acham que vale a pena tentar? Pensem bem, porque não é tarefa das mais fáceis.

— Estamos decididos. Vamos fazer como você acabou de dizer.

SÓCRATES:

— Segundo minha opinião, um Estado se organiza porque ninguém se basta a si mesmo, ao contrário, tem muitas necessidades. Ou talvez você pense que o Estado deva seu surgimento a algum outro motivo?

ADIMANTO:

— Não.

— Por isso, um homem se junta a outro por uma necessidade e a mais outro por outra necessidade porque têm muitas delas. Assim, muitas pessoas se reúnem num mesmo local para se valerem mutuamente e também para ter companhia. Assim se forma uma comunidade a que damos o nome de Estado. Não é assim?

— É assim mesmo.

— Um dá alguma coisa ao outro ou recebe desse alguma coisa e não acredita que esteja assim satisfazendo seu próprio interesse?

A REPÚBLICA

— Claro.

— Que tal? Vamos tentar fundar um Estado em teoria. Ele deverá surgir de acordo com nossas necessidades, pelo que parece.

— Sem dúvida alguma.

— A primeira e a mais importante é recolher alimento para continuar a viver.

— Certamente.

— A segunda é a habitação, a terceira, o vestuário e assim por diante.

— Perfeito!

— Como poderá, contudo, o Estado prover a tantas necessidades? Não será preciso que alguém seja agricultor, outro pedreiro e um terceiro, tecelão? Cumpre acrescentar ainda um sapateiro ou algum outro artesão para prover pelas exigências do corpo.

— Isso é realmente necessário.

— Então o núcleo do Estado se comporia pelo menos de quatro ou cinco pessoas.

— De acordo.

— Torna-se necessário, portanto, que cada um coloque à disposição da comunidade o próprio trabalho. O agricultor, por exemplo, embora sendo um só, deve prover a alimentação de outros quatro, gastando quatro vezes mais tempo e trabalho para fornecer alimento e dividi-lo com os demais. Ou, sem levar em conta os demais, trabalharia só para si, empregando uma quarta parte do tempo para prover um quarto do alimento, gastando os outros três quartos respectivamente construindo sua casa, fazendo seu vestuário e calçados e providenciando tudo para as próprias necessidades, sem preocupar-se com os outros?

— Talvez fosse mais indicada, Sócrates, a primeira solução.

— Por Zeus! Não é deveras estranho? As palavras que você proferiu me levam a pensar que cada um de nós é fundamentalmente diferente de outro, em primeiro lugar, por suas inclinações. Não acha?

— Perfeitamente.

— Então é melhor dedicar-se cada um a diversas atividades ou a uma só?

— A uma só.

— Parece-me claro também que se é menosprezado o tempo oportuno para fazer alguma coisa, esse não volta mais.

— Com certeza.

— Porque o trabalho não se acomoda às conveniências do trabalhar, mas este não deve fazê-lo como se fora um passatempo.

— Isso mesmo.

— Donde se conclui que mais coisas são feitas, melhores e mais facilmente, quando cada um se aplica a uma só atividade, segundo sua inclinação e no momento certo, sem se preocupar com as outras.

PLATÃO

— É bem como você diz.

— Neste caso, Adimanto, para as necessidades de que falávamos, são necessários mais de quatro concidadãos. Com efeito, se tudo deve correr bem, não deverá ser o agricultor que fabrica seu arado, nem a enxada e outros implementos agrícolas. O mesmo se pode dizer do pedreiro que também necessita de utensílios, como ainda do tecelão, do sapateiro.

— É verdade.

— Assim, pois, carpinteiros, ferreiros e muitos outros artesãos afluirão a nosso Estado e vão aumentar sua população.

— Sem dúvida.

— Não seria demais acrescentar ainda os vaqueiros, os pastores e criadores de outros animais para fornecer aos agricultores bois de tração, aos pedreiros e aos camponeses animais de carga e ainda peles e lã para os tecelões e sapateiros.

— Um Estado que já reunisse tudo isso não seria mais tão pequeno.

— Há algo mais, pois, é quase impossível fundá-lo em local onde se encontre de tudo e não haja necessidade de importar algum produto.

— Praticamente impossível.

— Nosso Estado teria, pois, necessidade de outros cidadãos que fossem buscar em outro Estado o que falta no nosso.

— É verdade.

— Mas, se o encarregado dessa tarefa partir de mãos vazias, sem levar nada do que o outro Estado necessita, voltará igualmente de mãos vazias. Não seria assim?

— Parece-me que sim.

— Um Estado, portanto, deve produzir em quantidade adequada não somente o que lhe serve, mas também o que serve aos Estados dos quais importa.

— Assim deve ser.

— Então haverá necessidade de maior número de camponeses e outros artesãos para nosso Estado.

— Com toda a certeza.

— Seriam necessários também os encarregados da importação e da exportação de cada produto, isto é, os mercadores. Não deveria ser assim?

— Claro.

— Teríamos necessidade também de comerciantes?

— Por certo.

— E se o comércio se realiza por mar, teríamos necessidade de mais pessoas experientes em navegação.

— Sim, de bom número.

SÓCRATES:

— E como se realizará no interior do Estado a distribuição dos produtos do trabalho individual, tendo em vista que este foi o objetivo pelo qual nos reunimos e criamos o Estado?

A REPÚBLICA

ADIMANTO:

— Evidente que haverá o processo de compra e venda.

SÓCRATES:

— Deveremos ter, portanto, um mercado e uma moeda como símbolo da compra e venda.

ADIMANTO:

— Certamente que sim.

SÓCRATES:

— Mas se um camponês ou um artesão leva ao mercado seu produto e não chega ao mesmo tempo que os outros que necessitam comprar, deverá largar seu trabalho para esperá-los ocioso no mercado?

ADIMANTO:

— Não! Haverá os encarregados que, notando esse inconveniente, se incumbem da mediação. Nos Estados bem administrados, geralmente assumem essa tarefa as pessoas fisicamente mais fracas e incapazes de desenvolver qualquer outra atividade. Essas permanecem na praça do mercado e compram com dinheiro de quem quiser vender e revendem o produto, sempre com dinheiro, a quem quiser comprar.

SÓCRATES:

— Tal necessidade exige, portanto, a presença de mercadores em nosso Estado. Não chamamos assim, por acaso, aqueles que permanecem parados no mercado, enquanto designamos de comerciantes por atacado aqueles que circulam pelas cidades?

ADIMANTO:

— Exatamente assim.

SÓCRATES:

— Existem ainda, me parece, agentes de outro tipo que, embora sendo espiritualmente pouco dignos de fazer parte da sociedade civil, são contudo, por sua força física, aptos para suportar fadigas. Esses são chamados assalariados, ao que me parece, porque vendem o uso de sua força física e chamam de salário sua compensação. Não é assim?

ADIMANTO:

— Claro que é.

SÓCRATES:

— Vemos, portanto, que também os assalariados completam o Estado.

ADIMANTO:

— Acho que sim.

SÓCRATES:

— Então, Adimanto, nosso Estado já está atingindo um desenvolvimento que pode ser considerado quase perfeito.

ADIMANTO:

— Parece que sim

SÓCRATES:

— E onde se poderia encontrar a justiça e a injustiça? Em qual das situações levadas em consideração poderiam ter surgido?

PLATÃO

ADIMANTO:

— Não concordo, Sócrates, a menos que seja nas relações de intercâmbio das próprias mercadorias.

SÓCRATES:

— Talvez tenha acertado, mas não devemos evitar de aprofundar o tema. Antes de mais nada, perguntemo-nos, portanto, que tipo de vida levarão as pessoas assim organizadas? Não se limitarão a produzir gêneros alimentícios, vinho, vestuário e calçados. Deverão construir casas e, no verão, irão trabalhar quase sempre seminus e descalços, enquanto no inverno bem agasalhados e calçados. Por alimento, farão pasta de farinha de centeio ou de trigo que cozinharão ao fogo. Farão belos pães e bolos e serão servidos em cestas de junco ou sobre folhas limpas. Reclinados sobre esteiras entrelaçadas com ramos de teixo e murta, se banquetearão juntamente com seus filhos, bebendo vinho, com coroas na cabeça, cantando hinos aos deuses. Viverão juntos em alegria e, por receio da pobreza e da guerra, não criarão mais filhos que quantos possam manter.

Neste ponto, Glauco interveio:

— Parece-me que não dás nada a esses homens além de pão seco.

SÓCRATES:

— Tem razão. Esqueci-me de dizer que, evidentemente, eles terão sal, azeitonas, queijo, cebolas e esses legumes cozidos que se costumam preparar no campo. Como sobremesa, terão figos, ervilhas e favas. Assarão na brasa bagas de murta e bolotas, que comerão, bebendo moderadamente. Assim, passando a vida em paz e com saúde, morrerão velhos, como é natural, e legarão aos filhos uma vida semelhante à deles.

GLAUCO:

— Se fundasses uma sociedade de suínos, Sócrates, os engordaria de maneira diferente?

SÓCRATES:

— Como devem então viver, Glauco?

GLAUCO:

— Como geralmente se vive. Devem se deitar em camas, penso eu, se quiserem sentir-se confortáveis, comer sentados à mesa e servir-se de pratos e de sobremesas hoje conhecidos.

SÓCRATES:

— Que assim seja, compreendo. Não estamos considerando apenas um estado em formação, mas também uma cidade repleta de luxo. Talvez o processo não seja mau; de fato, é possível que tal exame nos mostre como a justiça e a injustiça se originam nas cidades. Contudo, creio que o verdadeiro Estado deva ser a que descrevi como são. Agora, se quiser que examinemos um Estado tomado de euforia, nada impede que o façamos. Parece que muitos não se satisfarão com esse padrão de vida simples e com esse regime: terão leitos, mesas, móveis

A REPÚBLICA

de toda a espécie, pratos requintados, essências aromáticas, perfumes para queimar, cortesãs, variadas iguarias, e tudo isto em grande quantidade. Portanto, já não podemos considerar apenas necessárias as coisas a que nos referimos no começo: moradias, vestuários e calçados. Teremos de levar em conta a pintura e a arte de bordar, procurar ouro, marfim e materiais preciosos de todas as qualidades. Não é isso?

GLAUCO:

— É.

SÓCRATES:

— Sendo assim, precisamos aumentar a cidade, pois aquela que consideramos sã já não é suficiente, e enchê-la de uma multidão de pessoas que não estão nas cidades por necessidade, como os caçadores de toda a espécie e os imitadores, a turba dos que imitam as formas e as cores e a turba dos que cultivam a música: os poetas com seu cortejo de cantores ambulantes, atores, dançarinos, empresários de teatro, fabricantes de artigos de todo tipo e especialmente de adornos femininos. Precisaremos também de aumentar o número dos servidores; ou acha que não teremos necessidade de pedagogos, amas, governantas, criadas de quarto, cabeleireiros e também cozinheiros e açougueiros? Não existia nada disso na nossa primeira cidade, porque não havia necessidade, mas nessa será indispensável. E devemos acrescentar gado de toda a espécie, para aqueles que desejarem comer carne, não te parece?

GLAUCO:

— E por que não?

SÓCRATES:

— Mas, levando este tipo de vida, teremos necessidade de muito mais médicos do que antes.

GLAUCO:

— Muito mais.

SÓCRATES:

— E o território, que até então era de tamanho suficiente para alimentar os seus habitantes, tornar-se-á demasiado pequeno e insuficiente. Que acha disto?

GLAUCO:

— Que é verdade.

SÓCRATES:

— Então seremos obrigados a tomar as pastagens e lavouras dos nossos vizinhos? E eles não farão a mesma coisa em relação a nós, se, ultrapassando os limites do necessário, se entregarem, como nós, a uma insaciável cupidez?

GLAUCO:

— E bem provável, Sócrates.

SÓCRATES:

— Iremos então à guerra, ou faremos outra coisa?

PLATÃO

GLAUCO:

— Iremos à guerra.

SÓCRATES:

— Ainda não chegou o momento de dizer se a guerra acarreta bons ou maus resultados; notemos apenas que descobrimos a origem da guerra nessa paixão que é, no mais alto grau, geradora desse flagelo tão funesto para o indivíduo e a sociedade.

GLAUCO:

— Exatamente.

SÓCRATES:

— Então, meu amigo, a cidade precisa aumentar ainda mais, e não em pouca coisa, pois acolherá todo um exército que possa entrar em campanha para defender todos os bens a que nos referimos e fazer frente aos invasores.

GLAUCO:

— Mas como? Os cidadãos não podem fazer isso?

SÓCRATES:

— Não, se você e todos nós concordamos com o princípio, quando fundamos a cidade, de que é impossível a um único homem exercer satisfatoriamente vários ofícios.

GLAUCO:

— Tem razão.

SÓCRATES:

— E não achas que o ofício de guerreiro depende de uma técnica?

GLAUCO:

— Sim, com certeza.

SÓCRATES:

— Crê que se deve dar mais atenção à arte do calçado do que à arte da guerra?

GLAUCO:

— De forma alguma.

SÓCRATES:

— Mas nós negamos ao sapateiro o direito de exercer, ao mesmo tempo, o ofício de lavrador, tecelão ou pedreiro; obrigamo-lo a ser apenas sapateiro, para que os trabalhos de sapataria sejam bem executados; da mesma forma, atribuímos a cada um dos outros artesãos um único ofício, aquele para o qual está habilitado por natureza, se quer tirar proveito das oportunidades a desempenhar bem a sua tarefa. Mas não é importante que o ofício da guerra seja bem executado? Ou é fácil que um lavrador, um sapateiro ou qualquer outro artesão possa, ao mesmo tempo, ser guerreiro, quando não se pode ser bom jogador de gamão ou de dados, se não se praticarem estes jogos desde a infância, e não apenas nas horas livres? Bastará prover-se de um escudo ou de qualquer outra arma para

A REPÚBLICA

se tornar, de um dia para o outro, bom guerreiro, ao passo que os instrumentos das outras artes, tomados nas mãos, nunca darão origem a um artesão nem a um atleta e serão inúteis a quem não tiver adquirido o seu conhecimento e não se tiver treinado suficientemente?

GLAUCO:

— Se assim fosse, os instrumentos teriam um enorme valor!

SÓCRATES:

— Portanto, quanto mais importante é a função de guardião do Estado, mais tempo livre exige e também mais arte e aplicação.

GLAUCO:

— Acredito que sim

SÓCRATES:

— E não são necessárias habilidades naturais para exercer esta profissão?

GLAUCO:

— Claro que sim.

SÓCRATES:

— Logo, parece que a nossa tarefa consistirá em escolher, se formos capazes, os que são habilitados por natureza a defender o Estado.

GLAUCO:

— Com certeza, será essa a nossa tarefa.

SÓCRATES:

— Mas é uma tarefa bastante difícil! No entanto, não devemos perder a coragem, pelo menos enquanto tivermos forças.

GLAUCO:

— É verdade, não devemos perder a coragem.

SÓCRATES:

— Muito bem! Pensas que o caráter de um cachorro de boa raça difere, no que concerne à guarda, do de um jovem e valoroso guerreiro?

GLAUCO:

— Que estás querendo dizer com isso?

SÓCRATES:

— Que tanto um quanto o outro precisam ter um sentido apurado para descobrir o inimigo, velocidade para persegui-lo e força para combatê-lo, se for preciso, quando o alcançam.

GLAUCO:

— Certamente, todas essas qualidades são exigidas.

SÓCRATES:

— E também coragem para lutar bem.

GLAUCO:

— Com certeza.

PLATÃO

SÓCRATES:

— Mas será corajoso aquele que não estiver enraivecido, seja cavalo, cachorro ou outro animal qualquer? Já percebeu que a cólera é algo indomável e invencível e que o espírito que a possui não pode temer nem ceder?

GLAUCO:

— Percebi.

SÓCRATES:

— São estas, pois, as qualidades que deve ter o guardião no que concerne ao corpo?

GLAUCO:

— Sim.

SÓCRATES:

— E no que concerne ao espírito, deve ser de temperamento irascível?

GLAUCO:

— Sim, também.

SÓCRATES:

— Mas então, Glauco, não serão ferozes uns com os outros e com o restante dos cidadãos que tiverem os mesmos temperamentos?

GLAUCO:

— Por Zeus! Só poderá ser dessa maneira!

SÓCRATES:

— Entretanto, é preciso que sejam brandos com os seus e rudes com os inimigos; caso contrário, não esperarão que outros destruam a cidade: eles mesmos a destruirão.

GLAUCO:

— É o que receio.

SÓCRATES:

— Que fazer, então? Onde encontraremos um temperamento ao mesmo tempo brando e rude? Pois um é o oposto do outro.

GLAUCO:

— É o que parece.

SÓCRATES:

— Contudo, se faltar uma destas qualidades, não teremos um bom guardião. Ter ambas é impossível. De onde se conclui que um bom guerreiro não se encontra em parte alguma.

GLAUCO:

— Receio que está com a razão.

Eu também fiquei um pouco hesitante, mas refleti sobre o que havíamos dito e continuei:

SÓCRATES:

— Meu amigo, temos realmente motivos para ficarmos embaraçados. O fato é que nos afastamos de nossa comparação.

A REPÚBLICA

GLAUCO:
— Como é que é?

SÓCRATES:
— Não suspeitamos e não levamos em conta o fato de que existem caracteres que possuem essas duas qualidades opostas.

GLAUCO:
— Onde?

SÓCRATES:
— Podem ser encontradas em muitos animais e sobretudo naquele que comparamos ao defensor ou guardião. Você sabe que os cães de raça são por índole muito dóceis para com as pessoas que conhecem bem e, pelo contrário, muito agressivos com os estranhos.

GLAUCO:
— Sei disso.

SÓCRATES:
— Logo, a coisa é perfeitamente possível e quando procuramos um defensor desse tipo não procuramos nada contrário à natureza.

GLAUCO:
— Parece que não.

SÓCRATES:
— Mas não lhe parece que ao futuro defensor lhe falte ainda uma qualidade, ou seja, uma índole filosófica além de ardorosa?

GLAUCO:
— Como assim? Não entendo.

SÓCRATES:
— Também esse vestígio pode ser encontrado nos cães, ainda que pareça estranho admirá-lo num animal.

GLAUCO:
— Que vestígio?

SÓCRATES:
— O cão, ao ver um desconhecido, fica irritado até sem motivo. Mas ao ver uma pessoa conhecida, a saúda, mesmo que maltratado. Você nunca observou isso?

GLAUCO:
— Não muito, mas é claro que o cão age assim.

SÓCRATES:
— Entretanto, esse comportamento revela uma índole nobre e verdadeiramente filosófica.

GLAUCO:
— Em que sentido?

SÓCRATES:
— O cão sabe distinguir uma figura amiga ou inimiga pelo simples fato que conhece uma e ignora a outra. Logo, como poderia não amar o conhecimento, se o conhecimento e a ignorância lhe permitem distinguir o amigo do estranho?

PLATÃO

GLAUCO:

— Realmente, você está com a razão.

SÓCRATES:

— Mas ter uma natural avidez de aprender não é a mesma coisa que ser filósofo?

GLAUCO:

— A mesma coisa, claro.

SÓCRATES:

— Podemos, pois, afirmar tranquilamente que também no caso do homem quem quer ser meigo com os amigos e conhecidos deverá possuir também uma natureza filosófica e ávida por aprender.

GLAUCO:

— Concordo.

SÓCRATES:

— E assim será também esse. Mas como criar e educar pessoas com essa índole? O exame deste problema pode nos ajudar a descobrir o fim de toda nossa indagação, isto é, a origem da justiça e da injustiça num Estado, sem deixar de lado nenhum argumento importante e sem delongar excessivamente a discussão.

ADIMANTO interveio:

— Eu penso que esse exame nos será útil para atingirmos o nosso objetivo.

SÓCRATES:

— Então, como se contássemos uma fábula para nos entreter, façamos com palavras a educação desses homens.

ADIMANTO:

— E o que precisamos fazer.

SÓCRATES:

— Mas que educação lhes proporcionaremos? Será possível encontrar uma melhor do que aquela que foi descoberta ao longo dos tempos? Ora, para o corpo temos a ginástica e para a alma, a música.

ADIMANTO:

— Certamente.

SÓCRATES:

— Não convém começarmos a sua educação pela música em lugar da ginástica?

ADIMANTO:

— Sem dúvida.

SÓCRATES:

— Admite que os discursos fazem parte da música ou não?

ADIMANTO:

— Admito.

SÓCRATES:

— E existem dois tipos de discursos, os verdadeiros e os falsos?

A REPÚBLICA

ADIMANTO:

— Sim, existem.

SÓCRATES:

— Ambos entrarão na nossa educação ou começaremos pelos falsos?

ADIMANTO:

— Não estou entendendo.

SÓCRATES:

— Nós não começamos contando fábulas às crianças? Geralmente são falsas, embora encerrem algumas verdades. Utilizamos essas fábulas para a educação das crianças antes da ginástica.

ADIMANTO:

— É verdade.

SÓCRATES:

— Este é o motivo por que eu dizia que a música deve preceder a ginástica.

ADIMANTO:

— E tem razão.

SÓCRATES:

— E o começo, em todas as coisas, é sempre o mais importante, principalmente para os jovens? Com efeito, é sobretudo nessa época que os modelamos e que eles recebem a marca que pretendemos imprimir-lhes.

ADIMANTO:

— Com certeza.

SÓCRATES:

— Sendo assim, vamos permitir, por negligência, que as crianças ouçam as primeiras fábulas que lhes apareçam, criadas por indivíduos quaisquer, e tenham em seus espíritos o oposto que desejamos, quando forem adultos?

ADIMANTO:

— De forma alguma permitiremos.

SÓCRATES:

— Portanto, parece-me que precisamos começar por vigiar os criadores de fábulas, separar as suas composições boas das más. Em seguida, convenceremos as amas e as mães a contarem aos filhos as que tivermos escolhido e a modelarem-lhes a alma com as suas fábulas muito mais do que o corpo com as suas mãos. Mas a maior parte das que elas contam atualmente estão condenadas.

ADIMANTO:

— Quais?

SÓCRATES:

— Julgaremos as pequenas pelas grandes, porquanto umas e outras devem ser calcadas nos mesmos moldes e produzir o mesmo efeito; concorda?

ADIMANTO:

— Concordo. Mas não sei quais são essas grandes fábulas de que fala.

PLATÃO

SÓCRATES:

— São as de Hesíodo, Homero e de outros poetas. Eles compuseram fábulas mentirosas que foram e continuam sendo contadas aos homens.

ADIMANTO:

— Quais são essas fábulas e o que há nelas de condenável?

SÓCRATES:

— O que antes e acima de tudo deve ser condenado, mormente quando a mentira não possui beleza.

ADIMANTO:

— E quando não possui?

SÓCRATES:

— Quando os deuses e os heróis são mal representados, como um pintor que pinta objetos sem nenhuma semelhança com os que pretendia representar.

ADIMANTO:

— É com razão que se condenem tais coisas. Mas como dizemos isso e a que estamos nos referindo?

SÓCRATES:

— Em primeiro lugar, a mentira mais grave, aquela que diz respeito aos seres supremos, contada por Hesíodo ao atribuir a Urano as ações que perpetrou e a vingança contra ele de Cronos. Mesmo se fosse verdade o que Cronos fez e o que sofreu por parte de seu filho, não acho que deveria ser contada com tamanha leviandade às crianças que são seres privados ainda de razão. Seria melhor nem falar nisso. Se fosse mesmo necessário falar a respeito, que esses contos fossem difundidos de modo velado entre o menor número possível de ouvintes, depois de ter oferecido em sacrifício não um porco, mas uma vítima preciosa e rara, exatamente para que sejam os ouvintes reduzidos ao mínimo.

ADIMANTO:

— De fato, essas histórias são abomináveis.

SÓCRATES:

— E não devem ser contadas na nossa cidade. Não se deve dizer diante de um jovem ouvinte que, cometendo os piores crimes e castigando um pai injusto da forma mais cruel, não faz nada de extraordinário e age como os primeiros e os maiores dos deuses.

ADIMANTO:

— Não, por Zeus! A mim também parece que tais coisas não se devam dizer!

SÓCRATES:

— Deve-se também evitar contar que os deuses fazem guerra entre si e que armam ciladas recíprocas, porque não é verdade, se quisermos que os futuros guardiães da nossa cidade considerem o cúmulo da vergonha discutir levianamente. E ainda menos se lhes deve contar ou representar em tapeçarias as lutas

A REPÚBLICA

dos gigantes e esses ódios de toda a espécie que armaram os deuses e os heróis contra os seus parentes e amigos. Ao contrário, se quisermos convencê-los de que jamais a discórdia reinou entre os cidadãos e que tal coisa é ímpia, devemos fazer com que os adultos lhes digam isto desde a infância. Cumpre ainda cuidar para que poetas componham para eles fábulas que tendam para o mesmo objetivo. Que jamais lhes conte a história de Hera acorrentada pelo filho, de Hefesto precipitado do céu pelo pai, por ter defendido a mãe, que aquele maltratava, e os combates de deuses que Homero imaginou, quer essas ficções sejam alegóricas, quer não. Pois uma criança não pode diferenciar uma alegoria do que não é, e as opiniões que recebe nessa idade tornam-se indeléveis e inabaláveis. É devido a isso que se deve fazer todo o possível para que as primeiras fábulas que ela ouve sejam as mais belas e as mais adequadas a ensinar-lhe a virtude.

ADIMANTO:

— Tudo que dizes é profundamente sensato. Porém, se alguém nos indagasse o que entendemos por isso e que fábulas são essas, que responderíamos?

SÓCRATES:

— Não somos poetas, mas fundadores de um Estado. Compete aos fundadores conhecer os modelos que devem seguir os poetas nas suas histórias e proibir que se afastem deles; mas não lhes compete criar fábulas.

ADIMANTO:

— Ainda assim, gostaria de saber quais são os modelos que se devem seguir nas histórias que se referem aos deuses.

SÓCRATES:

— Vou dizer-te. Deve-se representar Deus sempre tal como é, quer seja representado na epopeia, na poesia lírica ou na tragédia.

ADIMANTO:

— Perfeitamente de acordo

SÓCRATES:

— Não é certo que Deus é essencialmente bom e não é assim que se deve falar dele?

ADIMANTO:

— Sem dúvida.

— E nada do que é bom pode ser prejudicial, não é mesmo?

— É o que penso.

SÓCRATES:

— Pode prejudicar aquilo que em si não é prejudicial?

ADIMANTO:

— De modo algum.

SÓCRATES:

— Pode fazer mal aquilo que não prejudica?

ADIMANTO:

— Também não.

PLATÃO

SÓCRATES:
— E o que não faz mal pode ser causa de algum mal?
ADIMANTO:
— Impossível.
SÓCRATES:
— E aquilo que é bom é benéfico? O bem é benéfico?
ADIMANTO:
— Sim.
SÓCRATES:
— Por conseguinte, é a causa do êxito?
ADIMANTO:
— É.
SÓCRATES:
— Então, o bem não é a causa de todas as coisas; é a causa do que é bom e não do que é mau.
ADIMANTO:
— Necessariamente.
SÓCRATES:
— Assim, Deus, dado que é bom, não é a causa de tudo, como se pretende vulgarmente; é causa apenas de uma pequena parte do que acontece aos homens, e não o é da maior, já que os nossos bens são muito menos numerosos que os nossos males e só devem ser atribuídos a Ele, enquanto para os nossos males devemos procurar outra causa, mas não Deus.
ADIMANTO:
— Nada mais certo, penso eu.
SÓCRATES:
— É impossível, portanto, admitir, de Homero ou de qualquer outro poeta, erros acerca dos deuses tão absurdos como estes: Dois odres se encontram no palácio de Zeus, um repleto de bens e outro de males. E quando Zeus entorna a ambos sobre alguém, este ora experimenta o mal, ora o bem. Quando entorna somente o segundo, o homem é perseguido por toda parte pela fome devoradora. Sequer é justo afirmar que Zeus seja para todos aquele que reparte bens e males.
SÓCRATES:
— E, se algum poeta nos disser, a respeito da violação dos juramentos e dos tratados de que Pandaro se tomou culpado, que foi cometida por instigação de Atena e de Zeus, não o aprovaremos, assim como não aprovaremos aquele que tomou Artemis e Zeus responsáveis pela querela e julgamento das deusas. Da mesma forma não permitiremos que ouçam os versos de Ésquilo onde se diz que Deus engendra o crime entre os mortais quando quer arruinar inteiramente uma casa.
— Se alguém compõe um poema a respeito das desgraças de Níobe, dos pelópidas, dos troianos ou acerca de qualquer outro tema semelhante, não deve dizer que tais desgraças são obra de Deus ou, se o disser, deve justificá-

A REPÚBLICA

--lo, mais ou menos como nós, agora, tentamos fazer. Deve declarar que, com isso, Deus só fez o que era justo e bom e que aqueles a quem castigou tiraram proveito daí; mas nós não devemos dar ao poeta a liberdade de afirmar que os homens punidos foram infelizes e que Deus foi o autor dos seus males. Ao contrário, se ele disser que os maus precisavam de castigo, sendo infelizes, e que Deus lhes fez bem castigando-os, devemos deixá-lo livre. Portanto, se disserem que Deus, que é bom, é a causa das desgraças de alguém, combateremos tais palavras com todas as nossas forças e não permitiremos que sejam proferidas, ou ouvidas pelos jovens ou pelos velhos, em verso ou em prosa, numa cidade que deve ter boas leis, porque seria pecaminoso, abusivo e absurdo.

ADIMANTO:

— Tal regra me agrada.

SÓCRATES:

— Logo, esse poderia ser o primeiro princípio legal com relação aos deuses, respeitando-o nos discursos e na poesia, isto é, que a divindade é responsável somente pelo bem e não por tudo o que acontece.

ADIMANTO:

— Isso basta.

SÓCRATES:

— Vejamos agora a segunda regra. Acreditas que Deus seja um mágico capaz de assumir, perfidamente, formas variadas, ora de fato presente e transformando a sua imagem numa infinidade de figuras diferentes, ora enganando-nos e mostrando de si mesmo apenas simulacros sem realidade? Não será antes um ser simples, de todo incapaz de deixar a forma que lhe é própria?

— Não sei o que responder.

SÓCRATES:

— Não concordas, ao menos, em que, se um ser deixa sua forma que lhe é própria, tal transformação deve, forçosamente, provir de si mesmo ou de outro ser?

ADIMANTO:

— Sim, sem dúvida.

SÓCRATES:

— Pois bem, as coisas mais bem constituídas não são as menos sujeitas a ser alteradas e movidas por uma influência estranha? Pensa, por exemplo, nas alterações causadas no corpo pelo alimento, pela bebida, pela fadiga, ou na planta pelo calor do sol, pelo vento e por outros acidentes que tais; o indivíduo mais são e vigoroso não é o menos atingido?

ADIMANTO:

— Sim.

SÓCRATES:

— E, da mesma maneira, não é a alma mais corajosa e sábia a que menos é perturbada e alterada pelos acidentes exteriores?

PLATÃO

ADIMANTO:

— Por certo.

SÓCRATES:

— Pelo mesmo motivo, de todos os objetos produzidos pelo trabalho humano, edifícios, vestuário, os bens tangentes de destruição alteram menos.

ADIMANTO:

— Exato.

SÓCRATES:

— Em geral, todo o ser perfeito, que tira a sua perfeição da natureza, da arte ou das duas, está menos sujeito às transformações vindas de fora.

ADIMANTO:

— Assim é.

SÓCRATES:

— Mas se Deus é perfeito, tudo que se refere à sua natureza é, em todos os aspectos, perfeito?

ADIMANTO:

— Sem dúvida.

SÓCRATES:

— Assim, pois, Deus é o menos sujeito a receber formas diferentes.

ADIMANTO:

— Certamente.

SÓCRATES:

— Seria, então, por si mesmo que Ele mudaria e se transformaria?

ADIMANTO:

— Evidentemente, seria por si mesmo, se é certo que Ele sofre tais mudanças.

SÓCRATES:

— Mas Ele toma uma forma melhor e mais bela ou pior e mais feia?

ADIMANTO:

— Forçosamente, toma uma forma pior, porque não seria apropriado dizer que falta a Deus algum grau de beleza ou de virtude.

SÓCRATES:

— Muito bem. Mas, se assim for, acredita, Adimanto, que um ser se torna voluntariamente pior em qualquer aspecto que seja — quer se trate de um deus, quer de um homem?

ADIMANTO:

— É impossível.

SÓCRATES:

— Logo, é também impossível que a divindade queira mudar. Ao contrário, sendo sumamente belo e bom, cada um dos deuses permanece simplesmente em sua forma característica.

ADIMANTO:

— Parece-me que deva ser necessariamente assim.

A REPÚBLICA

SÓCRATES:

— Que nenhum poeta, pois, nos venha contar que "os deuses, sob a aparência de viajantes estrangeiros, disfarçados de todas as maneiras, atravessam as cidades". Que ninguém nos venha contar mentiras sobre as metamorfoses de Proteu e de Tétis. Que Hera não seja representada, nas tragédias e em outros gêneros poéticos, com vestes de sacerdotisa mendigando "para os benéficos filhos do rio Ïnaco, de Argos". Nem nos venham contar outras invencionices desse jaez. Que as mães, persuadidas por esses, não assustem as crianças com fábulas inoportunas, dizendo que algumas divindades vagueiam à noite sob as aparências de peregrinos de todo tipo; assim, não mais blasfemarão contra os deuses e, ao mesmo tempo, evitarão de tornar mais assustadiços seus filhos.

ADIMANTO:

— Que se guardem bem disso!

SÓCRATES:

— Será verdade, no entanto, que os deuses, embora incapazes de transformar-se por si mesmos, como nos fazem crer, apareçam sob múltiplas formas para nos enganar e nos ferir com seus encantamentos?

ADIMANTO:

— Talvez.

SÓCRATES:

— Mas como? A divindade pode querer enganar por palavras ou por fatos, oferecendo-nos um fantasma de si própria?

ADIMANTO:

— Não sei.

SÓCRATES:

— Você não sabe que a verdadeira mentira, se assim se pode defini-la, é universalmente odiada pelos deuses e pelos homens?

ADIMANTO:

— O que você pretende dizer com isso?

SÓCRATES:

— Que ninguém quer ser espontaneamente enganado na parte mais importante de seu ser e sobre as questões fundamentais. Pelo contrário e, sobretudo, naquela parte de si mesmo, o que mais teme é encontrar-se na mentira.

ADIMANTO:

— Ainda não compreendo.

SÓCRATES:

— Sim, porque você está pensando que eu esteja dizendo algo de muito profundo. Pelo contrário, desejo tão somente afirmar que a pior desgraça para todo homem seria permanecer espiritualmente no engano em relação à natureza das coisas e que não há nada de mais desagradável e detestado do que ter e possuir na própria alma a ignorância e a mentira. Ninguém gostaria disto, melhor, todos odeiam sobretudo isto.

PLATÃO

ADIMANTO:

— É verdade.

SÓCRATES:

— E com toda a segurança se poderia chamar de verdadeira mentira aquilo de que se falava, ou seja, o estado de ignorância espiritual de quem é enganado, porque aquela que se manifesta em palavras é um reflexo do estado de alma, uma imagem sucessiva, não a mentira pura. Você não acha que é assim?

ADIMANTO:

— É assim mesmo.

SÓCRATES:

— A verdadeira mentira, pois, é detestada não somente pelos deuses, mas também pelos homens.

ADIMANTO:

— Assim também acho.

SÓCRATES:

— Mas quando e para quem um conto falso é tão útil de modo a não se tornar odioso? Quando os inimigos ou aqueles que consideramos amigos são levados, pela loucura ou pela insensatez, a cometer uma má ação, então a mentira não é útil como um remédio para desviá-los de seus propósitos? E nas fábulas de que mal falamos, porquanto sobre os fatos antigos ignoramos a verdade, não tornamos a mentira útil inventando-a com a maior verossimilhança possível?

ADIMANTO:

— É assim mesmo.

SÓCRATES:

— Em que sentido, pois, a mentira é útil à divindade? Esta poderia porventura mentir, tornando verossímil o passado, pois o ignora?

ADIMANTO:

— Seria ridículo supor tal coisa.

SÓCRATES:

— Logo, na divindade não pode coexistir um poeta mentiroso.

ADIMANTO:

— Creio que não.

SÓCRATES:

— Mas a divindade poderia mentir por receio dos inimigos?

ADIMANTO:

— Só o que faltava!

SÓCRATES:

— Para se defender da loucura ou da insensatez de seus amigos?

ADIMANTO:

— Mas nenhum louco, nenhum insensato é amigo dos deuses.

A REPÚBLICA

SÓCRATES:

— Logo, a divindade não tem motivo algum para mentir.

ADIMANTO:

— Nenhum.

SÓCRATES:

— Aquilo que é demoníaco e divino, portanto, nada tem a ver com a mentira.

ADIMANTO:

— Claro que não.

SÓCRATES:

— Resumindo, a divindade é simples e verdadeira nos fatos e nas palavras, não é mutável e não engana nem com aparições, nem com discursos, nem com o envio de sinais durante a vigília ou o sono.

Adimanto

— Suas palavras me parecem convincentes.

SÓCRATES:

— Você aceita, portanto, que o segundo princípio que nos deve guiar, falando dos deuses, em prosa e verso, é que eles não nos enfeitiçam mudando de aparência e não nos enganam com palavras nem com fatos?

ADIMANTO:

— Aceito.

SÓCRATES:

— Assim, pois, embora louvando muitas coisas em Homero, não louvaremos a passagem em que diz que Zeus enviou um sonho a Agamenon, nem a passagem de Ésquilo, no qual Tétis evoca o que Apolo cantou em suas bodas: "Predizia para mim fecundidade e filhos, isentos de doenças e longevos; depois de ter dito que meu destino era caro aos deuses, entoou um hino dando-me coragem. E eu acreditava com sinceridade na boca divina de Febo, cheia de sabedoria e de vaticínios. Mas ele próprio, que havia cantado no banquete de minhas bodas, depois de tais palavras, ele próprio se tornou o assassino de meu filho."

ADIMANTO:

— São muito sábias essas regras e eu estou de acordo com você. É de meu parecer que, a partir delas, se devem extrair outras tantas leis.

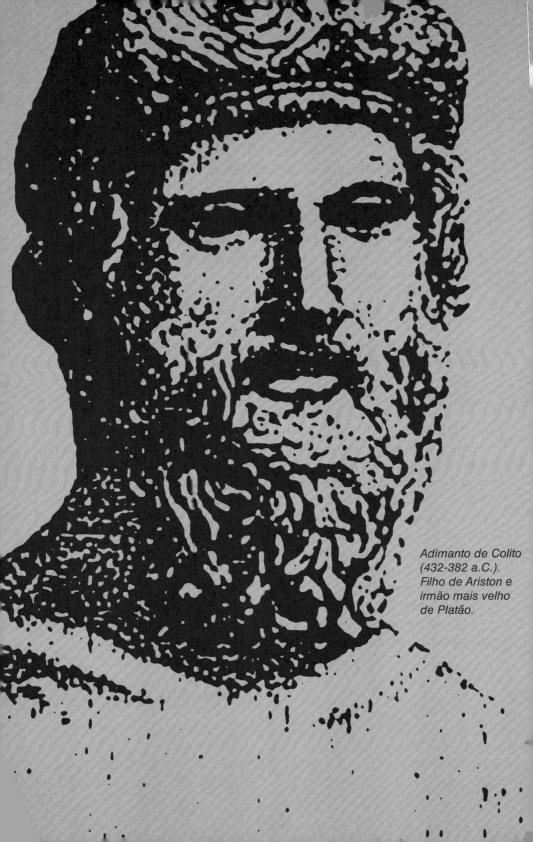

Adimanto de Colito (432-382 a.C.). Filho de Ariston e irmão mais velho de Platão.

Livro Três

SÓCRATES:

— São estes os discursos que, desde a infância, segundo meu parecer, devem as crianças escutarem ou não em relação aos deuses, e que no futuro deverão respeitar os deuses e os pais e dar o devido apreço à amizade recíproca.

ADIMANTO:

— E eu julgo correta a nossa opinião.

SÓCRATES:

— E para que eles sejam corajosos, por acaso não lhes devemos dizer palavras que façam com que receiem o menos possível a morte? Ou crê que nunca será corajoso alguém que abrigue esse medo dentro de si?

ADIMANTO:

— Não, por Zeus!

SÓCRATES:

— Então crê que exista Hades, um lugar assustador? Não receia a morte e, em combate, prefere ser derrotado a se tornar escravo?

ADIMANTO:

— De forma alguma.

SÓCRATES:

— Importa, pois, vigiar também aquele que conta essas fábulas e recomendar-lhe que não difame com tanta facilidade o Hades, em vez de elogiá-lo, porque de outro modo pouco se diria de verdadeiro e de útil a quem está destinado ao ofício da guerra.

PLATÃO

ADIMANTO:

— É o que devemos fazer.

SÓCRATES:

— Portanto, devemos expurgar, iniciando com estes versos, todas as asserções deste tipo: "Antes ser servo da gleba, em casa de um homem pobre, que não tem recursos, do que ser rei de mortos em vão..."

— E deste: "Que se revelasse aos olhos dos mortais e dos imortais a mansão assustadora, cheia de horrores, odiada pelos próprios deuses."

— E ainda estes: "Ai de mim! Na mansão do Hades só resta uma alma e uma sombra, mas privadas de qualquer sensação."

— E estes outros: "Só ele conserva a capacidade de perceber, os demais não passam de sombras errantes."

— Mais ainda: "A alma voou de seu corpo e desceu ao Hades, lamentando o próprio destino, abandonando o vigor e a juventude."

— E mais: "A alma, qual tênue fumaça, sumiu por sob a terra, a gemer."

— E finalmente: "Tal como os morcegos, no fundo de sagrada caverna, voam aos gritos quando um deles cai da fila colada ao rochedo e se achegam uns aos outros, assim partiam as almas, aos gemidos, para o além."

— Rogaremos a Homero e a outros poetas que não se indignem por eliminarmos esses e todos os demais versos similares, não porque lhes falte arte poética, ou sejam desagradáveis ao ouvido, mas exatamente porque quanto mais poéticos, menos devem ouvi-los jovens e adultos, se quiserem ser livres e temer mais a escravidão que a morte.

ADIMANTO:

— Você tem toda a razão.

SÓCRATES:

— Convém proscrever também todos aqueles nomes terríveis e assustadores, como Cocito, Estígio, manes, espectros e outros semelhantes que arrepiam os ouvintes. Talvez possam servir para outro objetivo, mas receamos que, pelo terror que infundem, nossos guerreiros se desencorajem e se abrandem mais que o necessário.

ADIMANTO:

— E motivo há para recear.

SÓCRATES:

— Vamos, portanto, eliminar esses termos?

ADIMANTO:

— Sim.

SÓCRATES:

— Tanto nos discursos como na poesia, deveremos impor que se expressem segundo o princípio contrário a esses?

ADIMANTO:

— Por certo.

A REPÚBLICA

SÓCRATES:

— Vamos suprir também lamentos e gemidos que se põem na boca dos heróis?

ADIMANTO:

— É uma consequência inevitável do que acabamos de dizer.

SÓCRATES:

— Vamos pensar com calma. Será que devemos mesmo cercear isso? Costumamos dizer que um homem equilibrado não considera um mal a morte de um amigo, sensato quanto ele.

ADIMANTO:

— Sim.

SÓCRATES:

— Não chorará por ele como se tivera sido vítima de uma desgraça.

ADIMANTO:

— Certamente que não.

SÓCRATES:

— Mas sustentamos também que, sobretudo um homem como esse se basta para viver bem e, diferentemente dos demais, sente necessidade de outra pessoa.

ADIMANTO:

— É verdade.

SÓCRATES:

— Então, é para ele menos terrível perder um filho, ou um irmão, ou dinheiro, ou quaisquer outros bens desta espécie.

ADIMANTO:

— Sim, menos que qualquer outro.

SÓCRATES:

— Portanto, irá lamentar-se menos, e suportará com mais serenidade uma dessas desventuras, ao ser por ela atingido.

ADIMANTO:

— Com muito mais, de fato.

SÓCRATES:

— Logo, teremos razão em arrancar as lamentações aos homens famosos, deixá-las às mulheres, e mesmo assim apenas àquelas que forem desprovidas de mérito, e aos homens covardes, para que não suportem um procedimento semelhante àqueles que estão destinados à defesa do país.

ADIMANTO:

— Sim, teremos razão.

SÓCRATES:

— Então, de novo pediremos a Homero e aos outros poetas que não apresentem Aquiles, que era filho de uma deusa, ora deitado de lado, ora de costas, ora de cabeça para baixo... ou então "a levantar-se, agitado, para vaguear

PLATÃO

ao longo da praia do pélago estéril", tampouco "a erguer com ambas as mãos o pó calcinado e a espalhá-lo pela cabeça", nem a verter lágrimas e a lamentar-se tantas vezes e em tais termos, como ele o imaginou; nem Príamo, próximo dos deuses por nascimento, a suplicar e a rolar-se na imundície, e a chamar cada um dos guerreiros pelo seu nome. E, muito mais ainda, pediremos a Homero que não represente os deuses lamentando-se e dizendo: "Ai de mim! Desgraçada! Ai! Mãe infeliz do mais valente dos homens!", E, se é desta maneira que falam dos deuses, que ao menos não ousem desfigurar o maior de todos, fazendo-o dizer: "Ah! É um guerreiro que eu estimo, que vejo com meus olhos ser perseguido à volta da cidade, e o meu coração geme. Ai de mim! Que é destino de Sarpedon, o mais caro dos homens, ser derrubado por Pátroclo, o filho de Menécio!"

— Sucede, meu caro Adimanto, que se os nossos jovens levassem a sério tais palavras, e não rissem delas, como indignas dos seres a quem dizem respeito, dificilmente alguns deles, sendo simples homens, se julgariam indignos de assim proceder e censurariam a si próprios se lhes acontecesse também dizer ou fazer algo semelhante. Mas, ao menor infortúnio, se abandonariam, sem a mínima vergonha, a queixas e lamentações.

ADIMANTO:

— É a pura verdade.

SÓCRATES:

— Mas isso não deve ser assim, como nos prova a argumentação. E precisamos acreditar nela, até que nos persuadam da existência de outra melhor.

ADIMANTO:

— De fato, não deve ser.

SÓCRATES:

— Não se deve, portanto, consentir que sejam representados os homens graves e muito menos os deuses no momento em que se deixam vencer pelo riso.

ADIMANTO:

— Certamente não.

SÓCRATES:

— Então deveremos reprovar também estes versos de Homero sobre os deuses: "Entre os deuses respeitáveis, uma risada irrompeu inextinguível, quando viram Hefesto atravessar a sala coxeando." De acordo com o arrazoado que você desenvolveu, não devem ser aceitos.

ADIMANTO:

— Se você quiser atribuir-me isso. Versos semelhantes, de fato, não devem ser aceitos em nenhum caso

SÓCRATES:

— É preciso, contudo, que a verdade se sobreponha a tudo. Porque, se não tínhamos razão há pouco, e na realidade assim deve ser, quando afirmávamos

A REPÚBLICA

que a mentira é inútil para os deuses e útil para os homens somente como remédio, é claro que tal expediente é preciso deixá-lo aos médicos, enquanto os profanos não deveriam a ele recorrer.

ADIMANTO:

— Evidente.

SÓCRATES:

— Quando muito, cabe aos chefes de Estado mentir aos inimigos ou aos concidadãos em vista do interesse público, mas os demais não devem fazê-lo. Poderíamos dizer que para um cidadão comum mentir aos governantes é culpa igual e até pior daquela do doente que engana o médico ou do atleta que não revela sua verdadeira condição física ao treinador ou do marinheiro que esconde do comandante as condições do barco e do equipamento, seu comportamento ou aquele de um companheiro.

ADIMANTO:

— Perfeitamente.

SÓCRATES:

— Se, portanto, for surpreendido mentindo à cidade um dos artesãos, um adivinho, um médico ou um carpinteiro, esse deverá ser punido porque introduz um hábito capaz de fazer soçobrar e de destruir a nave do Estado.

ADIMANTO:

— Isso aconteceria, se às palavras se seguissem os fatos.

SÓCRATES:

— E para nossos jovens não será necessária a temperança?

ADIMANTO:

— Claro que sim.

SÓCRATES:

— De modo geral, a temperança não consiste essencialmente em obedecer aos governantes e em exercer um domínio sobre si mesmos nos prazeres do beber, do amor e do comer?

ADIMANTO:

— Parece-me que sim.

SÓCRATES:

— Logo, também aprovaríamos versos de Homero, como aqueles postos na boca de Diomedes: "Pai, senta, fica em silêncio e escuta meus conselhos." E também os seguintes: "Respirando coragem, os gregos marchavam em silêncio por temor de seus chefes." Assim também com todos aqueles desse tipo.

ADIMANTO:

— Concordo.

SÓCRATES:

— O que dizer, porém, deste: "Cheio de vinho, olhos de cão, coração de cervo!" E há algum decoro no que se segue, com todos os insultos que em prosa e verso os súditos dirigem contra seus chefes?

PLATÃO

ADIMANTO:

— De modo algum.

SÓCRATES:

— Certamente que não e acho que não inspiram moderação alguma aos jovens que os escutam. Apesar disso, chego até a crer que, sob outro ponto de vista, esses versos são até agradáveis. Ou você pensa de modo diferente?

ADIMANTO:

— Não, concordo com você.

SÓCRATES:

— Acha que seja de ajuda a um jovem para manter-se na temperança, escutar o que Homero faz dizer ao mais sábio dos homens, a quem parecia supremo prazer "ter a seu lado mesas repletas de iguarias e de carne e um copeiro que tirava o vinho da cratera para levá-lo e vertê-lo nas taças"? Ou ainda que "morrer de fome é a mais triste das mortes". Ou ainda Zeus que fica desperto enquanto os outros deuses e os homens dormem, se esquece facilmente de todos os desígnios que havia concebido, vencido por transportes de paixão, fica tão arrebatado ao ver Hera que se excita a tal ponto que sequer a conduz para o quarto, mas quer satisfazer sua paixão ali mesmo no chão, declarando que jamais havia sido tomado de tal paixão por ela, nem mesmo quando da primeira vez se haviam unido às escondidas de seus pais? Ou mesmo quando narra que por motivos semelhantes, Ares e Afrodite foram acorrentados por Hefesto?

ADIMANTO:

— Por Zeus, não me parece oportuno que os jovens escutem episódios desse tipo.

SÓCRATES:

— Também não se deve consentir que os guerreiros recebam presentes, tampouco tenham ambição.

ADIMANTO:

— De forma alguma.

SÓCRATES:

— Nem convém que se cante na presença deles que os presentes persuadem os deuses, os presentes persuadem os veneráveis reis, nem se deve louvar Fênix, pedagogo de Aquiles, como se ele estivesse dando sábio conselho dizendo-lhe que, caso recebesse presentes dos aqueus, deveria defendê-los, mas, se não recebesse, não deveria renunciar à sua cólera; e nem aceitaremos que Aquiles seja tão ambicioso a ponto de aceitar presentes de Agamenon, e que devolva um cadáver somente após receber o resgate.

ADIMANTO:

— Não é correto, de fato, louvar tais atitudes.

SÓCRATES:

— Hesito, em consideração a Homero, em afirmar que é impiedoso atribuir a Aquiles tais sentimentos e dar crédito àqueles que os declaram; especialmente quando se dirige a Apolo: "Tu me prejudicaste, ó arqueiro, o mais cruel dentre todos os deuses. Sem dúvida de ti me vingaria, se isso me fosse dado!"

A REPÚBLICA

ADIMANTO:

— Estás com razão.

SÓCRATES:

— Por conseguinte, não devemos acreditar nem permitir que se diga que Teseu, filho de Poseidon, e Pirito, filho de Zeus, praticaram tão hediondos raptos, nem que outro qualquer filho de deus e herói tenha cometido os atos horríveis e ímpios de que são acusados. Ao contrário, obriguemos os poetas a dizer que não tiveram tais atitudes ou que não foram os filhos dos deuses, mas que não afirmem ambas as coisas ao mesmo tempo, tampouco que procurem convencer os nossos jovens de que os deuses realizam coisas más, e de que os heróis não são em nada melhores do que os homens. Conforme já dissemos, estas não passam de ideias ímpias e falsas, pois demonstramos que o mal não pode ser oriundo dos deuses.

ADIMANTO:

— É evidente que não.

SÓCRATES:

— Ademais, tais ideias prejudicam aqueles que as ouvem. Pois que homem não perdoará sua própria iniquidade se estiver convencido de que faz apenas o que praticam e praticaram os descendentes dos deuses, parentes de Zeus, a quem pertence o altar de Zeus ancestral no monte Ida, nas alturas e que conservam ainda nas veias um sangue divino. Motivos estes que nos induzem a rejeitar semelhantes histórias, por receio de que instiguem nossos jovens a praticar com leviandade as piores ações.

ADIMANTO:

— Com toda a certeza.

SÓCRATES:

— Que outro tipo de ideias devemos examinar, entre as que podemos ou não divulgar? Já analisamos como se deve falar a respeito dos deuses, dos demônios, dos heróis e dos habitantes do Hades.

ADIMANTO:

— Sem dúvida.

SÓCRATES:

— Logo, estaria faltando o que se refere aos homens?

ADIMANTO:

— Precisamente.

SÓCRATES:

— Mas, meu amigo, é impossível abordarmos esse assunto nas atuais circunstâncias.

ADIMANTO:

— Por quê?

SÓCRATES:

— Porque seríamos obrigados a dizer que os poetas e os prosadores proferem os maiores disparates acerca dos homens, quando afirmam que, em sua

PLATÃO

maioria, as pessoas más são felizes e as boas, mal-aventuradas; que a injustiça, quando praticada às escondidas, é útil; que a justiça é um bem para os outros, porém nociva para quem a pratica. Pediríamos que se abstivessem de tais opiniões, e exigiríamos que cantassem em versos e narrassem em prosa exatamente o contrário. Pensas também assim?

ADIMANTO:

— Certamente.

SÓCRATES:

— Então, se reconheces que tenho razão, posso concluir que concordas também a respeito daquilo que há muito procuramos?

ADIMANTO:

— Sua conclusão é perfeita.

SÓCRATES:

— Adiemos, então, a discussão a respeito do que é lícito dizer sobre os homens, até que tenhamos concluído o que é a justiça, se é útil a quem a pratica, quer este pareça justo, quer não.

ADIMANTO:

— Concordo plenamente.

SÓCRATES:

— Já falamos muito a respeito dos discursos. Falemos agora do estilo, e então teremos analisado completamente tanto os temas quanto as formas.

ADIMANTO:

— Não entendo o que queres dizer.

SÓCRATES:

— Contudo, é necessário que entendas. Explicarei de forma diferente. Tudo o que dizem os poetas e prosadores não se refere a acontecimentos passados, presentes ou futuros?

ADIMANTO:

— Não poderia ser diferente.

SÓCRATES:

— E para isso não se servem de simples narrativa, por intermédio da imitação, ou por meio de ambas?

ADIMANTO:

— Ainda preciso entender com maior clareza.

SÓCRATES:

— Parece que sou um mestre confuso e obscuro. Sendo assim, tal qual aqueles que são incapazes de se explicar claramente, tentarei demonstrar o que quero dizer não em seu conjunto, mas por partes. Sabes o começo da Ilíada, quando o poeta relata que Crises pediu a Agamenon que lhe devolvesse a filha, mas este lhe foi hostil, e aquele, não tendo conseguido seu objetivo, invocou a divindade contra os gregos? Logo, você sabe que até os versos "suplicava a todos os gregos, mas sobretudo aos

A REPÚBLICA

dois filhos de Atreu, comandantes de exércitos", o poeta fala em seu nome e não procura levar-nos a crer que seja outro a falar. Daí em diante, porém, finge que era Crises que está falando e se empenha na arte de fazer-nos crer que não era Homero, mas o velho sacerdote que está falando. E desse modo continua a narrar quase todo o relato dos fatos que dizem respeito a Ílion e a Ítaca e de quase toda a Odisseia.

ADIMANTO:

— É isso mesmo.

SÓCRATES:

— E não recorre à narração também toda vez que relata os discursos de seus heróis e os acontecimentos inseridos entre um discurso e outro?

ADIMANTO:

— Certamente.

SÓCRATES:

— Mas quando fala em nome de outro, não poderíamos dizer que adapta quanto possível seu modo de se expressar a cada um de seus personagens?

ADIMANTO:

— Sim, dá para dizer assim. E daí?

SÓCRATES:

— Ora, conformar-se à voz ou aos gestos de outro não significa imitar a pessoa que se quer?

ADIMANTO:

— Sim, e então?

SÓCRATES:

— Em tal caso, Homero e os outros poetas, pelo que parece, desenvolvem uma narrativa mediante a imitação.

ADIMANTO:

— Concordo plenamente.

SÓCRATES:

— Se o poeta não se ocultasse nunca sob o nome de outrem, toda a sua poesia e seu relato nada teriam a ver com a imitação. Não me repita, por favor, que não entende. Já lhe direi como isso pode ocorrer. Se Homero, depois de ter narrado que Crises chegou, levando o valor do resgate pela filha e suplicando aos gregos, mas sobretudo aos reis, tivesse continuado a falar não em nome de Crises, mas em seu próprio nome, você entende que não teria ocorrido imitação mas sim uma simples narrativa. Ele nos teria falado mais ou menos assim, embora eu me sirva da prosa porquanto não sou poeta: "Ao chegar, o sacerdote rogou aos deuses para que concedessem aos gregos de voltar sãos e salvos após conquistarem Troia, contanto que libertassem sua filha, mediante o resgate que trazia por respeito para com o deus. A essas palavras, todos os gregos declinaram seu respeito e acolheram seus rogos, mas Agamenon, irritado, ordenou-lhe que partisse para nunca mais voltar, caso contrário de pouco lhe valeriam o

PLATÃO

cetro e as insígnias de seu deus. Acrescentou que sua filha, antes de ser restituída, haveria de envelhecer com ele em Argos. Repetiu-lhe a ordem de ir embora e de não mais irritá-lo, se quisesse voltar para casa são e salvo. Ao ouvir essas palavras, o velho ficou com medo e se afastou em silêncio. Uma vez distante do acampamento, orou com ardor a Apolo, invocando-o por todos os seus nomes relembrando-lhe e suplicando-lhe que olhasse com favor para ele se considerasse que havia feito algo de grato a seus olhos, erigindo-lhe templos, oferecendo-lhe em sacrifício vítimas agradáveis. Em troca, suplicava que descarregasse contra os gregos suas flechas para fazê-los pagar pelas lágrimas que lhe haviam feito verter."

— Assim, meu amigo, se escreve uma narrativa simples, sem imitação.

ADIMANTO:

— Agora entendo.

SÓCRATES:

— Logo, você deverá compreender também que se usa um estilo oposto a esse, quando se conservam os diálogos, suprimindo os trechos narrativos.

ADIMANTO:

— Sim, claro, e me parece que esta é a estrutura própria da tragédia.

SÓCRATES:

— Exatamente. Parece que agora você já entende com clareza o que antes eu não conseguia lhe explicar. Na invenção poética há um gênero totalmente imitativo, como você diz, e é representado pela tragédia e pela comédia. Há outro, em que é o próprio poeta que narra, como ocorre especialmente nos ditirambos. Há ainda um terceiro tipo misto de narrativa e imitação, que se encontra na epopeia e em muitas outras composições. Você está entendendo, não está?

ADIMANTO:

— Claro, agora entendo tudo.

SÓCRATES:

— Lembre-se também que antes dizíamos ainda que já havíamos falado do conteúdo e que faltava analisar o estilo.

ADIMANTO:

— Sim, me lembro bem.

SÓCRATES:

— Queria dizer-lhe ainda que me questionava se deveríamos permitir aos poetas a narração puramente imitativa ou parcialmente como tal e em que casos, ou se devessem renunciar de qualquer modo à imitação.

ADIMANTO:

— Já adivinho o que você pretende, ou seja, você coloca em questão se convém ou não admitir a tragédia e a comédia em nosso Estado.

SÓCRATES:

— Talvez mais do que isso, pois eu ainda não sei ao certo. Contudo, para onde a razão, como uma brisa, nos levar, para lá devemos seguir.

A REPÚBLICA

ADIMANTO:

— Muito bem.

SÓCRATES:

— Agora, Adimanto, analise se os nossos guardiões devem ser imitadores ou não. Do que dissemos anteriormente, não resulta que cada um só pode exibir talento em uma profissão, não em várias, e que quem tentasse exercer muitas falharia em todas, a ponto de não se tornar famoso em nenhuma?

ADIMANTO:

— Não poderia ser diferente.

SÓCRATES:

— Então, este raciocínio não é válido também a respeito da imitação? É possível que um mesmo homem possa imitar várias coisas com perfeição?

ADIMANTO:

— Evidente que não.

SÓCRATES:

— Portanto, dificilmente exercerá, ao mesmo tempo, uma profissão importante e imitará muitas coisas e será imitador, uma vez que as mesmas pessoas não podem executar bem dois tipos de imitação que parecem próximos um do outro, como a tragédia e a comédia. Não dizia que eram ambas imitações?

ADIMANTO:

— Sim, as mesmas pessoas não podem triunfar nos dois gêneros. Estou de acordo.

SÓCRATES:

— E os atores não são os mesmos nas comédias e nas tragédias; mas ambas são imitações, ou não?

ADIMANTO:

— Claro que são.

SÓCRATES:

— No meu entender, Adimanto, a natureza humana divide-se em partes ainda menores, de forma que o homem não consegue imitar bem muitas coisas ou executar bem as coisas de que as imitações são cópias.

ADIMANTO:

— É a pura verdade.

SÓCRATES:

— Consequentemente, se nos ativermos ao nosso primeiro princípio, de que os nossos guardiões, eximidos de quaisquer outros ofícios, devem se dedicar a defender a independência da cidade e desprezar o que estiver fora disso, é necessário que não façam nem imitem outras coisas. Se imitarem, que imitem as virtudes que lhes convêm adquirir desde a infância: a coragem, a sensatez, a pureza, a liberalidade e as outras virtudes da mesma espécie. Porém, não devem

PLATÃO

imitar a baixeza nem ser capazes de imitá-la, igualmente a nenhum dos outros vícios, pelo perigo de que, a partir da imitação, usufruam o prazer da realidade. Você não percebeu que quando se cultiva a imitação desde a infância, ela se transforma em hábito e natureza para o corpo, a voz e a mente?

ADIMANTO:

— Com toda a certeza.

SÓCRATES:

— Sendo assim, não permitiremos que aqueles de quem pretendemos ocupar-nos e que necessitam tornar-se homens superiores, imitem, eles que são homens, uma mulher, jovem ou velha, ou injuriando o marido, ou rivalizando com os deuses, ou se vangloriando da felicidade, ou deixando-se dominar pela desgraça, pelo desgosto e pelas lamentações; com mais razão ainda, não podemos admitir que a imitem se está doente, apaixonada ou sofrendo as dores do parto.

ADIMANTO:

— De forma alguma.

SÓCRATES:

— Tampouco que imitem escravos ou escravas, agindo como estes.

ADIMANTO:

— Isso também não.

SÓCRATES:

— E nem homens perversos e covardes, que agem contrariamente ao que dizíamos agora há pouco, que falam mal, zombam uns dos outros e dizem coisas indecentes, quer na embriaguez, quer estando sóbrios, e toda espécie de erros de que se tornam culpadas tais pessoas, em ações e palavras, contra si mesmas e contra os outros. Creio também que não devem imitar a linguagem e o comportamento dos dementes, pois é necessário conhecer os dementes e os perversos, tanto homens como mulheres, mas não fazer nem imitar nada que seja próprio deles.

ADIMANTO:

— Claro que não.

SÓCRATES:

— Conviria, por acaso, imitar o comportamento dos ferreiros ou de outros artesãos, os remadores, ou quem bate o tempo dos remadores, ou qualquer outra coisa que se referisse a tudo isso?

— E o relinchar dos cavalos, o mugir dos touros, o murmurar dos rios, o bramir do mar, o trovão e todos os ruídos da mesma espécie, poderão eles imitá-los?

ADIMANTO:

— Não, pois lhes foi proibido serem loucos e imitar os loucos.

A REPÚBLICA

SÓCRATES:

— Se bem entendo suas palavras, existe um modo de se expressar e de contar, ao qual deve ater-se, quando fala, o homem realmente honesto. E há outro, diverso do precedente, ao qual sempre se atém, em seu modo de se expressar, quem possui uma natureza e uma educação desonestas.

ADIMANTO:

— Quais são esses modos?

SÓCRATES:

— O homem moderado, ao que me parece, quando tiver de relatar, em uma narrativa, uma frase ou um ato de uma pessoa de bem, tentará expressar-se como se fosse essa pessoa e não se envergonhará de imitá-la, principalmente se tiver de reproduzir atos de firmeza e de sabedoria. Contudo, irá imitar menos vezes e com menor talento, quando essa pessoa tiver falhado, por causa de doença, de paixão, de embriaguez ou de qualquer outra situação deprimente. Porém, se tiver de se referir a um homem indigno dele, não irá querer imitá-lo seriamente, a não ser de leve, quando esse homem tiver realizado algo digno; e, ainda assim, sentirá vergonha, ao mesmo tempo porque não possui prática de imitar homens dessa espécie e porque lhe repugna modelar-se pelo tipo de pessoas que lhe são inferiores, desprezando-as em seu íntimo e considerando a imitação um mero entretenimento.

ADIMANTO:

— É natural.

SÓCRATES:

— Por conseguinte, utilizará uma modalidade de narrativa semelhante àquela de que falávamos há pouco, a respeito dos versos de Homero, e o seu estilo participará de ambos os processos, a imitação e a narração simples; porém, num discurso extenso, só haverá uma pequena parte de imitação. Não achas que tenho razão?

ADIMANTO:

— Acredito que tenha razão. É assim que deve ser essa espécie de orador.

SÓCRATES:

— Portanto, o orador que não for dessa espécie, quanto maior for sua mediocridade, imitará tudo e não considerará nada indigno dele, de modo que tentará imitar seriamente, diante de grandes auditórios, aquilo que dizíamos há instantes: os trovões, o barulho do vento e do granizo, dos eixos de carros, das roldanas; os sons da trombeta, da flauta, de todos os instrumentos e também dos cães, dos carneiros e dos pássaros; todo o seu discurso será de imitação, com vozes e gestos, e terá pouca narrativa.

ADIMANTO:

— É forçoso que seja assim.

SÓCRATES:

— São estas as duas espécies de narração a que eu me referia.

ADIMANTO:

— De fato, elas existem.

PLATÃO

SÓCRATES:

— Portanto, a primeira experimenta pequenas variações e, quando se tiver dado à narrativa a harmonia e o ritmo convenientes, será fácil para o orador conservar essa mesma e única harmonia — pois são poucas as mudanças — e um ritmo que, da mesma forma, não se modifica.

ADIMANTO:

— É assim mesmo como diz.

SÓCRATES:

— E a respeito da outra espécie? Ela não necessita do contrário, isto é, de todas as harmonias, de todos os ritmos, para se exprimir de maneira apropriada, pelo fato de comportar todas as formas de variações?

ADIMANTO:

— Certamente que sim.

SÓCRATES:

— Mas todos os poetas, e em geral os que narram, não utilizam uma ou outra destas formas de dicção ou uma mistura de ambas?

ADIMANTO:

— Necessariamente.

SÓCRATES:

— Então, que faremos? Vamos admitir em nosso Estado todas essas formas, uma ou outra das formas puras ou a sua mistura?

ADIMANTO:

— Em minha opinião, devemos permitir apenas a forma pura que imita o homem de bem.

SÓCRATES:

— Mas a forma mista é muito bem aceita; e a forma mais agradável às crianças, aos seus preceptores e à multidão é a contrária da que você prefere.

ADIMANTO:

— Realmente, é a mais agradável.

SÓCRATES:

— Porém, talvez me diga que não convém ao nosso governo, porque não há entre nós homem duplo nem múltiplo e cada um só faz uma única coisa.

ADIMANTO:

— De fato, não convém.

SÓCRATES:

— É que em um Estado como o nosso, o sapateiro é apenas sapateiro e não comandante, o agricultor é só agricultor e não juiz, o guerreiro é somente guerreiro e não também comerciante, e assim por diante.

ADIMANTO:

— É verdade.

SÓCRATES:

— Se um homem perito na arte de tudo imitar viesse ao nosso Estado para exibir-se com os seus poemas, nós o saudaríamos como a um ser sagrado, ex-

A REPÚBLICA

traordinário, agradável; porém, lhe diríamos que não existe homem como ele por aqui e que não pode existir; em seguida o mandaríamos para outro Estado, depois de lhe termos derramado mirra na cabeça e o termos coroado com fitas. Por nossa conta, visando à utilidade, recorreremos ao poeta e ao narrador mais austero e menos agradável, que imitará para nós o tom do homem honrado e obedecerá, na sua linguagem, às regras que estabelecemos logo de início, quando empreendíamos a educação dos nossos guerreiros.

ADIMANTO:

— Sim, agiremos desse modo, se isso depender de nós.

SÓCRATES:

— Meu amigo, parece-me que acabamos com esta parte da música que se refere aos discursos e às fábulas, porque tratamos tanto do conteúdo quanto da forma.

ADIMANTO:

— Também me parece.

SÓCRATES:

— Resta-nos tratar do caráter do canto e da melodia, concordas?

ADIMANTO:

— Sim, evidentemente.

SÓCRATES:

— Haveria alguém que não dissesse, de pronto, o que devemos dizer acerca deles e o que devem ser, se quisermos manter de acordo com as ideias precedentes?

Então, Glauco, sorrindo, disse: — Por mim, Sócrates, corro o risco de ser a exceção, porque não estou muito em condições de inferir, neste momento, o que devem ser essas coisas; no entanto, faço conjecturas.

SÓCRATES:

— Creio que você, pelo menos, deve estar em condições de falar sobre este primeiro ponto, isto é, de dizer que uma melodia se compõe de três elementos: palavra, harmonia e ritmo.

GLAUCO:

— Quanto a isso, certamente que sim.

SÓCRATES:

— Mas entre o canto e a simples recitação não há diferença alguma, com relação ao fato de que ambas devem ser expressas nas formas e nos modos que acabamos de precisar.

GLAUCO:

— É verdade.

SÓCRATES:

— E a harmonia e o ritmo devem corresponder às palavras.

GLAUCO:

— Como não!

PLATÃO

SÓCRATES:

— Dizíamos, porém, que lamentos e gemidos não devem fazer parte dos discursos.

GLAUCO:

— Sem dúvida alguma.

SÓCRATES:

— Quais são as harmonias lamentosas? Você pode dizê-lo, já que é músico.

GLAUCO:

— A lídia mista, a lídia aguda e outras similares.

SÓCRATES:

— Então, é necessário excluí-las. São inúteis até para as mulheres que devem ser equilibradas. Imagine então para os homens!

GLAUCO:

— Sem sombra de dúvida.

SÓCRATES:

— E para os defensores do Estado, a embriaguez, a moleza e a preguiça são vícios sumamente inconvenientes.

GLAUCO:

— Com toda a certeza.

SÓCRATES:

— Quais são, portanto, as harmonias moles e em voga nos festins?

GLAUCO:

— A jônica e a lídia que são chamadas exatamente de relaxantes.

SÓCRATES:

— Então, amigo, que serventia têm para os guerreiros?

GLAUCO:

— Nenhuma. Só restam agora, talvez, a harmonia dórica e aquela frígia.

SÓCRATES:

— Não conheço as harmonias, mas conserve aquela que imite adequadamente os tons e os acentos que convêm a um homem corajoso, empenhado numa ação de guerra ou em outra ação violenta, e que, suposto que não tenha tido sucesso e vá de encontro aos ferimentos, ou à morte, ou a qualquer outra desgraça, em qualquer uma dessas circunstâncias, lute contra o destino com coragem e firmeza. Conserve também outra, capaz de imitar um homem empenhado em obra de paz, não por coação, mas por livre escolha. Convém, por exemplo, a um homem que procura convencer um deus com suas preces ou que dá a outro conselhos úteis ou, ao contrário, se mostre ele próprio sensível às preces, às admoestações, às dissuasões de outrem e, em decorrência, bem-sucedido sem orgulhar-se por isso, mas que aceite sempre aquilo que lhe acontece com temperança, com equilíbrio e de bom grado. Essas duas harmonias, a enérgica e a voluntária, devem ser conservadas, pois são capazes de imitar em grau supremo quem cai em desgraça e quem tem sucesso, quem é sensato e quem é corajoso.

A REPÚBLICA

GLAUCO:

— As harmonias que você me convida a reservar são exatamente aquelas duas de que falava antes.

SÓCRATES:

— Então em nossos cantos e melodias não necessitaríamos dos instrumentos de muitas cordas e ricos em harmonia.

GLAUCO:

— Acho que não.

SÓCRATES:

— Admitirá em nossa cidade os fabricantes e os tocadores de flauta? Não é este instrumento que pode emitir mais sons, e os instrumentos que reproduzem todas as harmonias não são imitações da flauta?

GLAUCO:

— E evidente.

SÓCRATES:

— Assim, restam a lira e a cítara, úteis à cidade; nos campos, os pastores terão o pífaro.

GLAUCO:

— É o que se infere do nosso raciocínio.

SÓCRATES:

— De resto, meu amigo, não inovamos ao preferirmos Apolo e os instrumentos de apoio a Mársias e seus instrumentos.

GLAUCO:

— Não, por Zeus! Não creio que estejamos inovando.

SÓCRATES:

— Mas, pelo cão! Sem nos darmos conta disso, purificamos a cidade que ainda há pouco dizíamos mergulhada na languidez.

GLAUCO:

— E o fizemos sabiamente.

SÓCRATES:

— Vamos concluir nossa reforma. Depois das harmonias, resta-nos examinar os ritmos; não devemos procurá-los variados, nem formando cadências de toda a espécie, mas diferenciar os que exprimem uma vida regulada e corajosa; quando os tivermos diferenciado, obrigaremos a cadência e a melodia a adequarem-se às palavras, e não as palavras à cadência e à melodia. Que ritmos são esses, compete a ti indicá-los como fizeste para as harmonias.

GLAUCO:

— Não me sinto capaz disso. Poderia dizer, pelo que estudei, que os tipos de que se formam as cadências são três, como no caso das harmonias são quatro os sons, dos quais derivam todas as outras. Não saberia, contudo, explicar a correspondência entre os ritmos e o modo de viver.

PLATÃO

SÓCRATES:

— Quem vai nos explicar isso será Damon. Quais cadências correspondem à avareza e à insolência, à insensatez e outras manifestações da maldade, além dos ritmos que se adaptam, ao contrário, às qualidades opostas. Parece-me tê-lo ouvido falar vagamente sobre um ritmo composto, que o chamava de enóplio, além do dátilo, do hexâmetro. Ele o regulava, não sei bem como, igualando os tempos fortes aos tempos fracos e fazendo com que terminasse com uma sílaba breve ou longa. Depois, me parece, falava de pé jâmbico e ainda do troqueu, a que adaptava as breves e longas. A respeito de algumas dessas cadências, aprovava ou condenava os movimentos do pé e os próprios ritmos ou qualquer peculiaridade comum a ambos. Esta parte, no entanto, repito, vamos deixá-la para Damon porque discutir sobre isso nos tomaria muito tempo. Tenho razão ou não?

GLAUCO:

— Por Zeus! Sem dúvida alguma!

SÓCRATES:

— Você, contudo, poderia pelo menos, descrever como a elegância e a deselegância dependem da presença ou da ausência do ritmo.

GLAUCO:

— Isso sim.

SÓCRATES:

— Mas a perfeição e a imperfeição rítmica acompanham respectivamente um estilo bom ou mau, como ocorre com a harmonia e a falta de harmonia, se é verdade, como dizíamos há pouco, que o ritmo e a harmonia foram feitos para a palavra e não esta para aqueles.

GLAUCO:

— Sim, estes devem se acomodar à palavra.

SÓCRATES:

— Mas a expressão e as próprias palavras não dependem do caráter da alma?

GLAUCO:

— Certamente.

SÓCRATES:

— E tudo o mais depende do estilo?

GLAUCO:

— Sim.

SÓCRATES:

— Logo, a perfeição das palavras e da harmonia, a graça e a euritimia são consequências da transparência espiritual, não da estupidez, a que chamamos falsamente e de modo lisonjeiro de simplicidade, mas da verdadeira transparência do caráter em que se conjugam beleza e bondade.

GLAUCO:

— Sem dúvida alguma.

A REPÚBLICA

SÓCRATES:

— E não seria isso que nossos jovens, se quisessem bem desempenhar seus deveres, deveriam exatamente se esforçar em conseguir?

GLAUCO:

— Sim, isso mesmo deveriam fazer.

SÓCRATES:

— As mesmas características devem distinguir também a pintura e todas as artes semelhantes: a tecelagem, o bordado, a arquitetura e tudo o que se relaciona com a decoração, a natureza dos corpos e das plantas de toda espécie. Em tudo isso, de fato, pode subsistir elegância ou deselegância. A falta de graça, a ausência de ritmo e de harmonia são inerentes à vulgaridade da linguagem e do caráter, assim como, pelo contrário, as qualidades opostas são expressão e imagem do homem sábio e honesto.

GLAUCO:

— Exatamente assim.

SÓCRATES:

— Mas bastaria vigiar e obrigar os poetas, com a ameaça de transferi-los para outro lugar, a introduzir em suas obras a representação dos bons costumes? Não seria necessário vigiar também os outros artistas e impedir que introduzam, tanto na representação de seres vivos como nas construções e em qualquer outra obra deles, a maldade, o desregramento, a mesquinhez, a indecência, sob pena de lhes negar a permissão de trabalhar em nosso meio para quem fosse incapaz de se impor essa limitação? Com efeito, seria de bom aviso preservar nossos defensores, criados no meio dessas imagens viciadas como se fora no meio de ervas daninhas, colhendo muitas delas, um pouco cada dia, e delas se nutrindo, para evitar que contraiam, por fim, sem notar, uma grande enfermidade para sua alma. Não deveríamos, ao contrário, procurar os artistas capazes de seguir os traços do que é belo e nobre? Destarte, nossos jovens, como quem vive num local saudável, tirariam benefício de todas as coisas e teriam a impressão de uma obra bela para os olhos ou para os ouvidos, como uma brisa salutar que sopra de lugares saudáveis. Então, desde a infância, sem sequer se darem conta, seriam guiados, mediante tais impressões, à concórdia, à amizade e a uma perfeita sintonia com a reta razão.

GLAUCO:

— Seria uma excelente educação.

SÓCRATES:

— E, decerto, por esta razão, meu caro Glauco, que a educação musical é a parte principal da educação, porque o ritmo e a harmonia têm o grande poder de penetrar na alma e tocá-la fortemente, levando com eles a graça e cortejando-a, quando se foi bem-educado. E também porque o jovem a quem é dada como convém sente muito

PLATÃO

vivamente a imperfeição e a feiura nas obras da arte ou da natureza e experimenta justamente desagrado. Louva as coisas belas, recebe-as alegremente no espírito, para fazer delas o seu alimento, e torna-se assim nobre e bom; ao contrário, censura justamente as coisas feias, odeia-as logo na infância, antes de estar de posse da razão, e, quando adquire esta, acolhe-a com ternura e reconhece-a como um parente, tanto melhor quanto mais tiver sido preparado para isso pela educação.

GLAUCO:

— Tais são as vantagens que se esperam da educação pela música.

SÓCRATES:

— Quando aprendíamos as letras, só considerávamos que as conhecíamos suficientemente ao nos darmos conta de que os seus elementos, em pequeno número, mas dispersos em todas as palavras, já não nos escapavam e, nem numa palavra curta nem numa comprida, não os desprezávamos, como inúteis de serem notados; então, ao contrário, esforçávamo-nos por distingui-los, convencidos de que não existia outra maneira de aprender a ler.

GLAUCO:

— É verdade.

SÓCRATES:

— É também verdade que não reconheceremos as imagens das letras, refletidas na água ou num espelho, antes de conhecermos as próprias letras, porquanto tudo isto é objeto da mesma arte e do mesmo estudo.

GLAUCO:

— Sem dúvida.

SÓCRATES:

— Assim também, pelos deuses, afirmo que não seremos músicos, nós e os guardiães que pretendemos educar, antes de sabermos reconhecer as formas da moderação, da coragem, da generosidade, da grandeza de alma, das virtudes suas irmãs e dos vícios contrários, onde quer que apareçam dispersos; antes de descobrirmos a sua presença, onde quer que se encontrem, elas ou as suas imagens, sem desprezarmos nenhuma, nem nas pequenas coisas nem nas grandes, convencidos de que elas são objeto da mesma arte e do mesmo estudo.

GLAUCO:

— Não pode ser de outra forma.

SÓCRATES:

— E, porventura, não seria o mais belo espetáculo, para quem o pudesse contemplar, o homem que reúne, ao mesmo tempo, boas disposições na sua alma e, no exterior, caracteres que se assemelham e harmonizam com essas disposições, porque participam do mesmo modelo?

GLAUCO:

— Sim, o mais belo.

A REPÚBLICA

SÓCRATES:

— O mais belo é também o mais digno de ser amado?

GLAUCO:

— Como não?

SÓCRATES:

— Assim sendo, o músico amará esses homens tanto quanto possível; mas não amará o homem desprovido de harmonia.

GLAUCO:

— Convenho em que isso aconteça, pelo menos se for a alma a ter algum defeito; porém, se for o corpo, tomará o seu partido e consentirá em amar.

SÓCRATES:

— Sei que tens amado ou amas, e eu te aprovo.

— Mas diz-me: o prazer excessivo harmoniza-se com a temperança?

GLAUCO:

— Como poderia isso acontecer, visto que o excessivo prazer não perturba a alma menos que a excessiva dor?

SÓCRATES:

— E com as outras virtudes?

GLAUCO:

— Tampouco.

SÓCRATES:

— E com a insolência e o desregramento?

GLAUCO:

— Muitíssimas vezes.

SÓCRATES:

— Sabe de um prazer maior e mais intenso que o sexual?

GLAUCO:

— Não, não há nenhum mais violento.

SÓCRATES:

— Por outro lado, o amor autêntico ama com sabedoria e medida a ordem e a beleza?

GLAUCO:

— Por certo.

SÓCRATES:

— Logo, a esse amor não se deve permitir que se associe com a insensatez ou com o que se aproxima do desregramento?

GLAUCO:

— Nada.

SÓCRATES:

— Portanto, a volúpia não se deve aproximar dele; não deve entrar no comércio do amante e da criança que se amam com amor verdadeiro.

PLATÃO

GLAUCO:

— Não, por Zeus, Sócrates, não deve se aproximar!

SÓCRATES:

— Por isso mesmo, decretaria como lei, no Estado que planejamos, que o amante possa adorar, visitar, abraçar o jovem como se fora um filho, objetivando um fim nobre, se conseguir convencê-lo; mas, quanto ao resto, deve ter com o objeto dos seus cuidados relações tais que nunca seja acusado de ir demasiadamente longe, se não quiser incorrer na censura de homem sem educação nem sentimento do belo.

GLAUCO:

— Sim.

SÓCRATES:

— Parece-lhe agora, como a mim parece, que a nossa discussão sobre a música chegou ao fim? Acabou onde devia acabar; com efeito, a música deve culminar no amor ao belo.

GLAUCO:

— Sou da mesma opinião.

SÓCRATES:

— Depois da música, é pela ginástica que é preciso educar os jovens.

GLAUCO:

— Sem dúvida.

SÓCRATES:

— É preciso que por ela se exercitem desde a infância e ao longo da vida. Para mim, não é o corpo, por muito bem constituído que seja, que, por virtude própria, torna pura a alma boa, mas, ao contrário, é a alma que, quando é boa, dá ao corpo, pela sua própria virtude, toda a perfeição de que ele é capaz. Que acha?

GLAUCO:

— O mesmo que você.

SÓCRATES:

— Se, depois de termos dado à alma todo o cuidado necessário, lhe confiássemos a tarefa de precisar o que se refere ao corpo, limitando-nos a indicar os modelos gerais, a fim de evitarmos longos discursos, não faríamos bem?

GLAUCO:

— Certamente.

SÓCRATES:

— Proibiremos a embriaguez aos nossos guerreiros, porque a um defensor da cidade, mais do que a qualquer outro, não é possível, estando embriagado, exercer seu mister.

GLAUCO:

— Seria ridículo que um guerreiro tivesse necessidade de ser defendido!

A REPÚBLICA

SÓCRATES:

— E que diremos a respeito da alimentação? Os nossos homens são os atletas da maior das disputas, não é assim?

GLAUCO:

— Sim.

SÓCRATES:

— É adequado para eles o regime dos atletas comuns?

GLAUCO:

— Talvez.

SÓCRATES:

— Mas é um regime que dá demasiada margem ao sono e expõe a saúde a muitos perigos. Não vês que esses atletas passam a vida a dormir e que, sempre que se afastam um pouco do regime que lhes foi prescrito, contraem graves doenças?

GLAUCO:

— Sim.

SÓCRATES:

— É necessário um regime mais apurado para os nossos atletas guerreiros, para que se mantenham, como os cães, sempre alerta, vejam e ouçam com a maior acuidade e, embora mudando frequentemente de bebida e comida, conservem uma excelente saúde.

GLAUCO:

— Sou da mesma opinião.

SÓCRATES:

— Pois a melhor ginástica não é irmã da música simples de que falávamos há pouco?

GLAUCO:

— Que quer dizer?

SÓCRATES:

— Que uma boa ginástica é simples, principalmente quando se destina a guerreiros.

GLAUCO:

— E em que consiste ela?

SÓCRATES:

— Pode-se aprendê-lo com Homero. Sabe que, quando faz os seus soldados comerem em campanha, não os farta de peixes, apesar de estarem próximos do mar, junto ao Helesponto, nem de carnes cozidas, mas apenas de carnes assadas, de preparação muito simples para os seus soldados. É mais fácil assar diretamente no fogo do que levar consigo utensílios de cozinha.

GLAUCO:

— Sim, com certeza.

PLATÃO

SÓCRATES:

— Não parece também que Homero mencione temperos. Os outros atletas não sabem que para se manter em boa forma devem evitar tudo isso?

GLAUCO:

— Sabem e evitam.

SÓCRATES:

— Se consideras os nossos preceitos acertados, com certeza não aprovas a mesa siracusana e os variados pratos sicilianos.

GLAUCO:

— Não.

SÓCRATES:

— Também não aprovará que homens que devem manter-se em boa forma tenham por amante uma jovem de Corinto?

GLAUCO:

— Não, por certo.

SÓCRATES:

— Nem que se entreguem às famosas delícias e doces de Ática?

GLAUCO:

— Naturalmente.

SÓCRATES:

— Se comparássemos tal alimentação e tal regime ao canto em que entram todos os tons e todos os ritmos, julgo que faríamos uma comparação correta.

GLAUCO:

— Sem dúvida.

SÓCRATES:

— Aqui, a variedade gera a desordem e o desregramento; ali, provoca a doença. Ao contrário, a simplicidade na música torna a alma moderada e na ginástica, o corpo saudável.

GLAUCO:

— Nada de mais certo.

SÓCRATES:

— Mas se num Estado se difundissem o desregramento e as doenças, não deveriam ser abertos muitos tribunais e ambulatórios? E deixariam de adquirir grande prestígio a jurisprudência e a medicina, quando homens livres passassem a se dedicar a elas em grande número e com paixão?

GLAUCO:

— Não poderia ser de outro modo.

SÓCRATES:

— Poderia haver prova maior num Estado de uma educação má e indecorosa que o fato de haver necessidade de peritos em jurisprudência e em medicina, não somente para os cidadãos mais simples e para os artesãos,

A REPÚBLICA

mas também para aqueles que se vangloriam de ter recebido uma educação liberal? Não lhe parece uma vergonhosa prova de incultura recorrer a uma justiça feita pelos outros, na qualidade de patrões e juízes, na falta da própria?

GLAUCO:

— Nada mais vergonhoso.

SÓCRATES:

— E não lhe parece ainda mais vergonhoso quando, não contentes com passarem a maior parte da vida nos tribunais a defender ou a propor processos, as pessoas se vangloriam, por vulgaridade, de ser hábeis em cometer a injustiça, em poder usar todos os subterfúgios, escapar de todas as maneiras e dobrar-se como o vime, para evitar o castigo? E isso por interesses mesquinhos e desprezíveis, porque não sabem quanto é mais belo e melhor ordenar a vida de modo a não ter necessidade de um juiz?

GLAUCO:

— Isso, isso é ainda mais vergonhoso.

SÓCRATES:

— E acaso será menos vergonhoso recorrer à arte do médico, não para feridas ou para alguma dessas doenças próprias das estações, mas porque, devido à preguiça e ao regime que descrevemos, fica-se cheio de emanações e vapores como um pântano, obrigando os discípulos de Esculápio a designar como doenças inchaços e catarros?

GLAUCO:

— De fato, há nomes de doenças novas e estranhas.

SÓCRATES:

— E desconhecidas, ao que parece, no tempo de Esculápio. O que me leva a supor que os seus filhos, em Troia, não censuraram a mulher que, para curar os ferimentos de Eurípio, obrigou-o a beber vinho de Prano misturado com farinha de cevada e queijo ralado, o que parece inflamatório, assim como não desaprovaram o remédio de Pátroclo.

GLAUCO:

— Estranho, entretanto, que se desse uma beberagem tão inusitada para um homem naquele estado.

SÓCRATES:

— Não achará estranho se refletir que a medicina atual, que segue as enfermidades passo a passo, não foi praticada pelos discípulos de Esculápio antes da época de Heródico. Heródico era treinador e criou uma mescla de ginástica com medicina, que serviu primeiro para atormentá-lo e, depois dele, a muitos outros.

GLAUCO:

— Como assim?

SÓCRATES:

— Procurou para si uma morte lenta. Porque, como a sua moléstia era mortal, seguiu-a passo a passo, sem conseguir, julgo eu, curá-la. Renunciando a qualquer outra ocupação, passou a vida se tratando, devorado de inquietação sempre que se afastava um pouco do regime habitual. Deste modo, se arrastou até a velhice.

PLATÃO

GLAUCO:

— Belo serviço prestou-lhe a sua arte!

SÓCRATES:

— Bem o merecia ele por não ter compreendido que, se Esculápio não ensinou esta espécie de medicina aos seus descendentes, não foi nem por ignorância nem por inexperiência, mas porque sabia que, numa cidade bem governada, cada um tem uma tarefa fixada que é obrigado a desempenhar e ninguém tem tempo para passar a vida doente e a tratar-se. Sentimos o ridículo deste abuso nos artesãos, mas não o sentimos nos ricos e nos que se consideram felizes.

GLAUCO:

— Como?

SÓCRATES:

— Quando um carpinteiro fica doente, pede ao médico que lhe dê um remédio que, por vomitório ou purga, evacue a sua doença ou então que lhe faça uma cauterização ou uma incisão que o liberte dela. Mas, se alguém lhe prescrever um longo regime, com ligaduras em volta da cabeça e o que se segue, diz logo que não tem tempo para estar doente, que não vê nenhuma vantagem em viver assim, ocupando-se unicamente da sua doença e desprezando o trabalho que tem diante de si. Em seguida, manda embora o médico e, retomando o regime habitual, recupera a saúde e vive exercendo o seu ofício; ou então, se o seu corpo não resiste à enfermidade, vem a morte libertá-lo.

GLAUCO:

— É essa a medicina que parece convir a tal homem.

SÓCRATES:

— Se tiver um ofício e não o exercer, não encontra nenhuma vantagem em viver?

GLAUCO:

— Evidentemente.

SÓCRATES:

— Ao passo que o rico, conforme dizemos, não tem trabalho de que não possa abster-se sem que a vida lhe seja insuportável.

GLAUCO:

— Assim é, de fato.

SÓCRATES:

— Não conheces a máxima de Focilides: deve-se praticar a virtude quando se tem com que viver?

GLAUCO:

— Penso que também se deve praticá-la mesmo antes de ter com que viver.

SÓCRATES:

— Não discutimos a verdade desta máxima. Vejamos por nós mesmos se o rico deve praticar a virtude e se lhe é impossível viver sem ela ou se a mania

A REPÚBLICA

de alimentar as doenças, que impede o carpinteiro e os outros artesãos de se entregarem ao seu ofício, não impede também o rico de cumprir o preceito de Focílides.

GLAUCO:

— Não há dúvida de que o impede, por Zeus! E nada talvez o impeça tanto como esse cuidado excessivo do corpo, que vai além do que admite a ginástica. É incômodo nos assuntos domésticos, nas expedições militares e nos empregos sedentários da cidade.

SÓCRATES:

— Mas o seu principal inconveniente está em tornar difícil qualquer estudo, qualquer reflexão ou meditação. Com efeito, temem-se sempre dores de cabeça e vertigens, que se imputam à filosofia; assim, esse cuidado, onde quer que se encontre, entra o exercício e a provação da virtude, porque faz que as pessoas continuem a julgar que estão doentes e não cessem de queixar-se da sua saúde.

GLAUCO:

— Isso é muito comum.

SÓCRATES:

— Esculápio sabia disso e foi para os homens que têm, pela natureza e o regime que seguem, uma boa constituição, mas sofrem de uma doença localizada, que ele inventou a medicina. Libertou-os das doenças mediante remédios e indicações, ordenando-lhes ao mesmo tempo que não mudassem em nada o seu regime habitual, a fim de não prejudicarem os negócios da cidade. Quanto aos indivíduos inteiramente minados pela doença, não tentou prolongar-lhes a miserável vida por meio de um lento tratamento de infusões e purgas e os pôs em condições de engendrar filhos destinados, provavelmente, a se parecer com eles. Não pensou que fosse necessário tratar um homem incapaz de viver no círculo de deveres que lhe é fixado, porque daí não é vantajoso nem para o doente, nem para a cidade.

GLAUCO:

— Considera Esculápio um político.

SÓCRATES:

— E seguramente o foi. Você não consegue notar que seus filhos em Troia se revelaram valorosos guerreiros e exerciam a medicina como acabei de dizer? Você não se lembra que de Menelau, atingido pela flecha de Píndaro, "sugaram o sangue da ferida e aplicaram medicamentos", mas não lhe prescreveram, como não o fizeram no caso de Eurípilo, o que deveria comer ou beber a seguir, porque aqueles remédios eram apropriados para curar homens que antes de serem feridos eram sadios e sóbrios, mesmo que por vezes lhe dessem uma beberagem medicamentosa. Eles acreditavam que a existência de um homem doentio e intemperante fosse inútil para ele e para os outros e que a medicina nem deveria existir para eles e não devessem ser tratados, mesmo que fossem mais ricos que Midas.

PLATÃO

GLAUCO:
— Você acha os filhos de Esculápio realmente inteligentes.

SÓCRATES:
— Eu não diria que não deva ser assim. Entretanto, os poetas trágicos e Píndaro têm parecer diverso e dizem que Esculápio era filho de Apolo, mas que por dinheiro se deixou convencer a curar um homem rico já gravemente enfermo e por essa culpa foi atingido por um raio. De acordo com quanto dissemos, não seríamos levados a acreditar em ambas as partes dessa afirmação, porquanto se era filho de um deus não podia ser ávido e se era ávido não podia ser filho de um deus.

GLAUCO:
— Tem total razão, mas no Estado não são necessários bons médicos? E os melhores não são exatamente aqueles que trataram muitíssimas pessoas, sadias e doentias, como os melhores juízes não são aqueles que tiveram de tratar com homens de todos os tipos?

SÓCRATES:
— Certamente que sim, mas nós necessitaríamos somente dos bons. Você sabe quais são, segundo meu ponto de vista?

GLAUCO:
— Se você disser, saberei.

SÓCRATES:
— Vou tentar. Mas na pergunta, você abrangeu dois problemas diferentes.

GLAUCO:
— Como assim?

SÓCRATES:
— Os médicos mais hábeis seriam aqueles que começaram a aprender a arte desde a infância, depararam-se com as doenças físicas mais graves e mais numerosas, também sofreram todo tipo de doenças e não são por natureza muito sadios. Com efeito, acho que não é pelo corpo que curam os corpos, do contrário, não seria possível que fossem ou tivessem sido doentes, mas curam o corpo pela alma; esta, porém, nada poderia curar se se tornasse ou já fosse doente.

GLAUCO:
— É verdade.

SÓCRATES:
— O juiz, meu amigo, ainda que tenha de governar a alma de outro pela sua, portanto, não deve ser educado desde a infância no meio de ânimos malvados e ter contatos negativos com esses, nem ter feito experiência de toda culpa de sorte a poder arguir com perspicácia as culpas de outro com base nas próprias, como acontece com as doenças físicas. Pelo contrário, é necessário que sua alma tenha permanecido, durante a juventude, inexperiente e isenta

A REPÚBLICA

de todo vício, distante dos maus hábitos, se quiser discernir de modo mais transparente o que é justo, com base em sua própria honestidade. Por isso, as pessoas honestas desde jovens se revelam ingênuas e se deixam enganar facilmente pelos desonestos, porque em si próprias não têm exemplos das mesmas paixões dos maus.

GLAUCO:

— A verdade é que se deixam seduzir amiúde.

SÓCRATES:

— Assim sendo, não convém que um juiz seja jovem, mas maduro. É preciso que tenha aprendido tarde o que é a injustiça, que a tenha conhecido sem alojá-la em sua alma, mas estudando-a longamente, como uma estranha, na alma dos outros, e que a ciência, e não a sua própria experiência, lhe faça sentir claramente o mal que ela constitui.

GLAUCO:

— Um homem assim seria o verdadeiro juiz.

SÓCRATES:

— E mais: seria o bom juiz tal como você pedia, dado que quem tem a alma boa é bom. Quanto ao homem hábil e desconfiado, que cometeu muitas injustiças e se julga esperto e sábio, dá provas, certamente, de consumada prudência quando trata com os seus semelhantes, porque se refere aos modelos dos vícios que alojava dentro de si; mas, quando se encontra com gente já muito avançada em idade, revela-se tolo, incrédulo a despropósito, ignorante do que é um caráter são, porque não possui este modelo dentro de si. Contudo, como trata mais com os perversos do que com os honestos, passa mais por sábio do que por ignorante aos seus olhos e aos dos outros.

GLAUCO:

— É verdade.

SÓCRATES:

— Não é, pois, neste homem que devemos procurar o juiz bom e sábio, mas no primeiro. Com efeito, a perversidade não poderia conhecer-se a si mesma e conhecer a virtude, ao passo que a virtude de uma natureza cultivada pela educação conseguirá, com o tempo, conhecer-se a si mesma e conhecer o vício. Em minha opinião, pois, a verdadeira prudência é própria do homem virtuoso e não do mau.

GLAUCO:

— Sou do seu parecer.

SÓCRATES:

— Por consequência, estabelecerá em nosso Estado, médicos e juízes tais como os descrevemos, para tratarem os cidadãos que são bem constituídos de corpo e alma; quanto aos outros, deixaremos morrer os que têm o corpo enfermiço; os que têm a alma perversa por natureza e incorrigível serão condenados à morte.

PLATÃO

GLAUCO:

— É o que de melhor há a fazer com tais pessoas para o bem da cidade.

SÓCRATES:

— É também evidente que os nossos jovens se precaverão de ter necessidade de juízes se cultivarem essa música simples que, dizíamos nós, engendra a temperança.

GLAUCO:

— Não há dúvida.

SÓCRATES:

— E, se seguir as mesmas regras da ginástica, o músico que a pratica conseguirá dispensar o médico, exceto nos casos de urgência?

GLAUCO:

— Creio que sim.

SÓCRATES:

— Nos exercícios e trabalhos, se propõe estimular a parte generosa da sua alma, de preferência a aumentar a sua força, e, como os outros atletas, não regulará a sua alimentação e os seus esforços com vista ao vigor corporal.

GLAUCO:

— Muito bem.

SÓCRATES:

— Mas você acreditaria, Glauco, que haveria quem se dedicasse à educação musical e física exatamente para aquilo que se julga ser sua finalidade, ou seja, para a educação da alma e do corpo, respectivamente?

GLAUCO:

— Por que me faz essa pergunta?

SÓCRATES:

— É que me parece que tanto uma como a outra foram criadas principalmente para a alma.

GLAUCO:

— Como assim?

SÓCRATES:

— Já notou, certamente, qual é a disposição de espírito dos que se entregam à ginástica durante toda a vida e não se interessam pela música? Ou dos que fazem o contrário?

GLAUCO:

— De que disposição fala?

SÓCRATES:

— Da rudeza e dureza de uns, da moleza e brandura dos outros.

GLAUCO:

— Já notei que aqueles que se entregam unicamente à ginástica contraem demasiada rudeza e que os que cultivam os omitiria a decência.

A REPÚBLICA

SÓCRATES:
— Entretanto, é o elemento generoso da sua natureza que provoca a rudeza; bem dirigido, tornar-se-ia coragem, mas, demasiado tenso, degenera em dureza e mau humor, como é natural.

GLAUCO:
— Assim me parece.

SÓCRATES:
— E a brandura não faz parte do caráter do filósofo? Demasiado frouxa, amolece-o mais do que o permitido, mas, dirigida, abranda-o e ordena-o.

GLAUCO:
— Perfeitamente.

SÓCRATES:
— E nós queremos que os nossos guerreiros reúnam estas duas características.

GLAUCO:
— Sem dúvida.

SÓCRATES:
— Não devemos, então, colocá-las em harmonia uma com a outra?

GLAUCO:
— Sem dúvida.

SÓCRATES:
— E a sua harmonia não torna a alma, ao mesmo tempo, moderada e corajosa?

GLAUCO:
— Certamente.

SÓCRATES:
— Ao passo que a sua desarmonia a torna covarde e grosseira?

GLAUCO:
— Sim.

SÓCRATES:
— Logo, quando um homem permite que a música o encante com o som da flauta e lhe derrame na alma, pelos ouvidos, essas harmonias suaves, moles e plangentes de que falávamos há pouco, passa a vida distraído, exultante de alegria pela beleza do canto: em primeiro lugar, suaviza o elemento irascível da sua alma, como o fogo amolece o ferro e o torna útil, de inútil e dum que era antes; mas, se continua a entregar-se ao encantamento, a sua coragem não tarda a dissolver-se e a fundir-se, até se reduzir a nada, até ser extraída, como um nervo, da sua alma, tornando-o um guerreiro sem vigor.

GLAUCO:
— Tem razão.

SÓCRATES:
— E, se recebeu da natureza uma alma débil e frouxa, este resultado não se faz esperar; mas se, ao contrário, nasceu ardente, o seu coração

PLATÃO

enfraquece-se, toma-se impressionável e predisposto a irritar-se e a acalmar-se. Em vez de corajoso, ei-lo irritável, colérico e cheio de mau humor. E quem se entrega inteiramente à ginástica e se alimenta abundantemente, deixando de lado a música e a filosofia, primeiramente, ciente de sua força física, não se enche de orgulho e de galhardia e não supera a si mesmo em coragem?

GLAUCO:

— Não há dúvida.

SÓCRATES:

— Mas, se não fizer outra coisa e não mantiver contato com a musa? Ainda que tivesse na alma certo desejo de aprender, como não participa em nenhuma ciência, em nenhuma pesquisa, em nenhuma discussão nem em nenhum exercício da música, esse desejo torna-se fraco, surdo e cego: não é despertado, nem cultivado, nem liberto dos grilhões das sensações.

GLAUCO:

— Assim é.

SÓCRATES:

— Ei-lo, pois, já feito inimigo da razão e das musas. Já não se serve do discurso para persuadir; alcança em tudo os seus fins pela violência e a selvageria, como um animal feroz, e vive no seio da ignorância e da grosseria, sem harmonia e sem graça.

GLAUCO:

— É perfeitamente exato.

SÓCRATES:

— Existem na alma dois elementos: a coragem e a sabedoria. Um deus deu aos homens duas artes: a música e a ginástica. Não as deu para a alma e para o corpo, a não ser acidentalmente, mas para aqueles dois elementos, a fim de que se harmonizem entre si, sendo estendidos ou soltos até ao ponto conveniente.

GLAUCO:

— Assim parece.

SÓCRATES:

— Aquele, pois, que associa com mais beleza a ginástica à música e, com mais tato, as aplica à sua alma, é músico perfeito e possui a ciência da harmonia muito mais do que aquele que afina entre si as cordas de um instrumento.

GLAUCO:

— E com toda a justiça, Sócrates.

SÓCRATES:

— Portanto, Glauco, precisaremos também no nosso Estado de um líder capaz de regular esta associação, se quisermos salvar a nossa constituição.

GLAUCO:

— Por certo que precisaremos, e muito.

A REPÚBLICA

SÓCRATES:

— Tal é o nosso plano geral de educação e disciplina da juventude. Seria inútil nos estendermos a respeito das danças dos nossos jovens, as suas caças, com ou sem cães as suas competições de ginástica e hípicas. É suficientemente claro que as regras a seguir nisso dependem das que já estabelecemos e não é difícil descobri-las.

GLAUCO:

— Certo que não.

SÓCRATES:

— E agora, que nos falta determinar? Não é a escolha dos cidadãos que devem mandar ou obedecer?

GLAUCO:

— Nada mais.

SÓCRATES:

— É claro também que os velhos deverão mandar e os jovens obedecer.

GLAUCO:

— Evidentemente.

SÓCRATES:

— É claro também que entre os velhos, devemos escolher os melhores.

GLAUCO:

— Certamente.

SÓCRATES:

— Quais são os melhores lavradores, senão os que mais entendem de agricultura?

GLAUCO:

— Perfeitamente.

SÓCRATES:

— Portanto, não é forçoso que os nossos chefes, visto que devem ser os melhores entre os guardiães da cidade, sejam os mais aptos a defendê-la?

GLAUCO:

— Sim.

SÓCRATES:

— Para tanto, não se exige inteligência, autoridade e dedicação à coisa pública?

GLAUCO:

— Com certeza.

SÓCRATES:

— Mas, em geral, cada qual não é dedicado àquilo que ama?

GLAUCO:

— Necessariamente.

SÓCRATES:

— Ora, um homem ama principalmente aquilo que julga ser do seu interesse, cujo êxito ou fracasso considera como seus.

PLATÃO

GLAUCO:

— É verdade.

SÓCRATES:

— Escolhamos, pois, entre os guardas os que, após um exame, nos parecerem que poderão fazer, durante toda a sua vida e com toda a boa vontade, o que considerarem proveitoso à cidade, sem nunca consentirem em agir em detrimento do Estado.

GLAUCO:

— São estes, com certeza, os que nos convêm.

SÓCRATES:

— Sou da opinião que é preciso observá-los em todas as idades, para ver se se mantêm fiéis a esta máxima e se, fascinados ou constrangidos, não abandonam nem esquecem a opinião que lhes impõe que trabalhem para o maior bem da cidade.

GLAUCO:

— Que entende por isso?

SÓCRATES:

— Creio que uma opinião sai do espírito voluntária ou involuntariamente. Sai voluntariamente a opinião falsa, quando se é iludido, involuntariamente toda a opinião verdadeira.

GLAUCO:

— Quanto à saída voluntária, compreendo; mas, quanto à involuntária, preciso de explicações.

SÓCRATES:

— Mas não percebe que os homens são involuntariamente privados dos bens e voluntariamente dos males? Ora, iludir-se quanto à verdade não é um mal, firmar-se na verdade não será um bem?

GLAUCO:

— Tem razão. Creio que é involuntariamente que se é privado da opinião verdadeira.

SÓCRATES:

— Por isso mesmo, só se é privado dela por roubo, alucinação ou violência.

GLAUCO:

— Mas ainda não o entendo!

SÓCRATES:

— Digo que se é roubado quando se é dissuadido ou se esquece, porque o tempo, num caso, e a razão, no outro, nos furtam a opinião sem que nos demos conta. Compreende agora?

GLAUCO:

— Compreendo.

SÓCRATES:

— Afirmo que se é vítima quando o desgosto ou a dor forçam a mudança de opinião.

A REPÚBLICA

GLAUCO:

— Também compreendo isso e é exato.

SÓCRATES:

— Portanto, acredito que se fica iludido quando se muda de opinião sob o encanto do prazer ou a opressão do medo.

GLAUCO:

— De fato, tudo o que nos engana parece seduzir-nos.

SÓCRATES:

— A nós, pois, cumpre procurar os melhores guardiões de sua própria convicção e o interesse do Estado deve ser a regra de suas vidas. É preciso treiná-los desde a infância, lançando-os nas ações em que se pode esquecê-la e ser enganado. Depois escolheremos aqueles que se lembram dela, que são difíceis de seduzir, e excluiremos os outros. Não é assim?

GLAUCO:

— Sim, por certo.

SÓCRATES:

— E também é preciso impor-lhes trabalhos, dores, combates, para que tenhamos certeza da sua constância.

GLAUCO:

— É verdade.

SÓCRATES:

— É preciso submetê-los a uma terceira espécie de engano e observá-los, como se faz com os potros que são conduzidos para os lados de onde provêm rumores e gritos, a fim de verificar se são assustadiços. Da mesma maneira, é preciso levá-los, ainda jovens, para provas terríveis e, a seguir, de novo para os prazeres, provando-os com mais cuidado do que se prova ouro ao fogo. Assim, ficaremos sabendo se sucumbem às dificuldades, se mantêm o decoro, se são bons defensores de si mesmos e da música que aprenderam, se em qualquer circunstância, respeitam o ritmo e a harmonia, enfim, se estão em condições de ser muito úteis a si próprios e ao Estado. Quem sair ileso das provas a que foi submetido sucessivamente a partir da infância, da juventude e da idade adulta, deve ser escolhido como chefe e defensor do Estado, merecendo honras em vida e, depois da morte, lhe erigiremos magnífico túmulo e outros monumentos para preservar sua memória. Quem assim não se comportar deve ser excluído. Segundo meu parecer, Glauco, assim deve ser feita a seleção e a entronização de nossos governantes e defensores. Falei, no entanto, de modo genérico, sem entrar em detalhes.

GLAUCO:

— Sou do mesmo parecer.

SÓCRATES:

— Portanto, para sermos tão precisos quanto possível, não convirá chamar, por um lado, guardas perfeitos aos que velam pelos inimigos de fora e os falsos

PLATÃO

amigos de dentro, a fim de tirarem a estes o desejo, àqueles o poder de fazer mal, e dar, por outro lado, aos jovens a que há pouco chamávamos guardas o nome de auxiliares e defensores da ideia dos chefes?

GLAUCO:

— Também assim penso.

SÓCRATES:

— De que arte nos valeremos agora para fazer acreditar numa nobre mentira uma daquelas que qualificamos de necessárias, principalmente aos chefes ou, pelo menos, aos outros cidadãos?

GLAUCO: SÓCRATES:

— Que mentira?

SÓCRATES:

— Não é nenhuma novidade e teve início na Fenícia. Refere-se a algo que já se passou em muitos lugares, como dizem os poetas e fizeram acreditar, mas que não aconteceu nos nossos dias, que talvez nunca venha a acontecer, e que exige muita eloquência persuasiva.

GLAUCO:

— Parece que hesita em falar!

SÓCRATES:

— Quando eu tiver falado, compreenderá que tenho motivos para hesitar.

GLAUCO:

— Mas fala sem temor.

SÓCRATES:

— Vou contá-la, mas não sei como encontrar coragem para falar e argumentos para tentar convencer os próprios governantes e os soldados, e depois o restante dos cidadãos. Resumindo, nossa maneira de educá-los e de instruí-los, todas as suas experiências eram como que sonhos, porque na realidade foram formados e educados, com suas armas e equipamentos, no seio da terra. Quando estavam totalmente modelados, sua mãe, a terra, os pôs no mundo. Por isso, agora devem valorizar a terra em que vivem e defendê-la como uma mãe e nutriz, e em caso de ataque, considerar os demais cidadãos como irmãos, também eles nascidos da terra.

GLAUCO:

— Não era sem razão que você hesitava em contar-nos esta mentira.

SÓCRATES:

— Claro que eu tinha razão! Escute agora o resto. Vocês cidadãos são todos irmãos, diremos a eles ao narrar esta história, mas a divindade que os criou misturou, no momento do nascimento, um pouco de ouro naqueles que dentre vocês estão em condições de governar. Por isso, estes são mais preciosos. Na formação dos defensores misturaram um pouco de prata e na formação dos agricultores e dos artesãos, ferro e bronze. Todos consanguíneos, vocês podem

A REPÚBLICA

gerar filhos quase totalmente semelhantes a vocês mesmos, mas em certos casos do ouro surge um descendente de prata e da prata, ao contrário, um descendente dourado, e assim por diante, de um metal a outro. Por isso, a divindade impõe aos governantes, em primeiríssimo lugar, vigiar e examinar com particular atenção as crianças para descobrir que metal teria sido misturado a suas almas. Se sua prole tem um pouco de ferro e de bronze, sem se deixar levar pela piedade, devem atribuir-lhe a condição de acordo com sua natureza e relegá-la à categoria dos artesãos e dos agricultores. Se, ao contrário, nascer destes um filho de ouro ou de prata, deve promovê-lo à categoria dos defensores ou guerreiros porque, segundo um oráculo, o Estado deverá perecer quando seus defensores forem de ferro ou de bronze. Você conhece algum meio para persuadi-los da verdade desta fábula?

GLAUCO:

— Nenhum para persuadir a geração de que fala; mas poderá persuadir os seus filhos, os seus descendentes e as gerações futuras.

SÓCRATES:

— E isso servirá para lhes inspirar ainda maior dedicação à pátria e aos seus concidadãos, dado que julgo compreender o que queres dizer. Portanto, a nossa invenção seguirá o caminho que a fama lhe indicar. Quanto a nós, armemos estes filhos da terra e vamos fazer avançar sob o comando dos seus líderes. Que se aproximem e escolham o ponto da cidade mais favorável para acampar, aquele em que estarão mais aptos a conter os cidadãos do interior, se houver alguns que recusem obedecer às leis, e repelir os ataques do exterior, se o inimigo, como o lobo, vier precipitar-se sobre o rebanho. Depois de terem erguido o acampamento e sacrificado a quem devem, que montem as tendas. Não é assim?

GLAUCO:

— Sem dúvida.

SÓCRATES:

— De tal maneira que possam protegê-los do frio e do calor.

GLAUCO:

— Suponho que você esteja se referindo às habitações.

SÓCRATES:

— Sim, mas de habitações de soldados, e não de homens de negócios.

GLAUCO:

— Que diferença faz entre umas e outras?

SÓCRATES:

— A coisa mais terrível e vergonhosa que os pastores podem fazer é treinar, para os ajudarem a cuidar do rebanho, cães que a intemperança, a fome ou qualquer hábito vicioso levariam a fazer mal aos carneiros e a se tornarem iguais aos lobos dos quais os deveriam proteger.

PLATÃO

GLAUCO:

— Nada mais terrível.

SÓCRATES:

— Nós devemos tomar todos os cuidados possíveis para que os nossos auxiliares não se comportem deste modo com os cidadãos, dado que são mais fortes do que eles, e não se tomem iguais aos senhores selvagens, em vez de permanecerem aliados, protetores e defensores?

GLAUCO:

— É essencial prevenir esses fatos.

SÓCRATES:

— E o melhor dos cuidados não consiste em dar a eles uma boa educação?

GLAUCO:

— Mas eles já a receberam.

SÓCRATES:

— Isto eu não me atreveria a afirmar, meu caro Glauco. Mas podemos dizer, que devem receber a boa educação, qualquer que seja, se quiserem possuir o que, melhor do que qualquer outra coisa, os tornará brandos entre si e para com aqueles sob sua guarda.

GLAUCO:

— Sem dúvida.

SÓCRATES:

— Além de tal educação, todo homem sensato reconhecerá que é preciso dar-lhes habitações e bens que não os impeçam de serem guardas tão perfeitos quanto possível e não os incitem a fazer mal aos seus concidadãos.

GLAUCO:

— E com razão.

SÓCRATES:

— Vê, pois, se, para serem assim, devem viver e instalar-se da maneira que vou dizer: primeiramente, nenhum deles possuirá nada em exclusivo, exceto os objetos de primeira necessidade; em seguida, nenhum terá habitação nem loja onde toda a gente possa entrar. Quanto à alimentação necessária a atletas guerreiros sóbrios e corajosos, recebê-la-ão dos outros cidadãos, como salário da guarda que asseguram, em quantidade suficiente para um ano, de modo a não sobrar e a não faltar. Farão as refeições juntos e viverão em comum como soldados em campanha. Quanto ao ouro e à prata, diremos a eles que têm sempre na alma os metais que receberam dos deuses, que não têm necessidade dos homens e que é ímpio macular a posse do ouro divino acrescentando-lhe o ouro mortal, porque muitos crimes foram cometidos pelo metal em forma de moeda do vulgo, ao passo que o deles é puro; que só a eles, entre os habitantes da cidade, não é permitido manipular e tocar ouro, nem ir a uma casa onde ele exista, nem usá-lo, nem beber em taças de prata ou ouro; que assim se salvarão

A REPÚBLICA

e salvarão a cidade. Ao contrário, logo que sejam proprietários de terra, casas e dinheiro, de guardas que eram transformar-se-ão em mercadores e lavradores e, de aliados, em déspotas inimigos dos outros cidadãos; passarão a vida a odiar e a ser odiados, a conspirar e a ser alvo de conspirações, receando muito mais os adversários de dentro do que os de fora e correndo a passos largos para a ruína, eles e o resto da cidade. Por todas estas razões, diremos que é preciso garantir aos guardas habitação e bens, como indiquei. Converteremos isto em lei ou não?

GLAUCO:

— Sim, com toda certeza.

Livro Quatro

A qui, Adimanto tomou a palavra.

— Que responderia, Sócrates, se lhe falassem que não torna esses homens muito felizes, e isso por culpa deles? Na verdade, a cidade lhes pertence e não desfrutam de nenhum de seus bens, como outros que possuem terras, constroem belas e grandes casas, mobiliando-as com magnificência, oferecem aos deuses sacrifícios domésticos, dão hospitalidade e, voltando ao que dizia há pouco, têm na sua posse ouro, prata e tudo o que, na opinião corrente, assegura a felicidade. Diria que os seus guerreiros foram instalados na cidade apenas como auxiliares assalariados, sem outra ocupação que não seja a de estar de guarda.

SÓCRATES:

— Sim, devendo acrescentar ainda que, diversamente dos demais, sua única compensação é a comida, de modo que, se quisessem empreender uma viagem particular, não deveriam, como também não poderiam pagar prostitutas nem gastar dinheiro de outras maneiras para se divertirem, como fazem aqueles que passam por felizes. Você poderia acrescentar esta queixa e muitas mais do mesmo tipo.

ADIMANTO:

— Acrescenta ao que eu disse!

SÓCRATES:

— Quer que lhe responda para a minha defesa?

A REPÚBLICA

ADIMANTO:

— Por certo.

SÓCRATES:

— Sem nos afastarmos do caminho que escolhemos, descobriremos, creio eu, o que convém responder. Diremos que não haveria nada de extraordinário no fato de os nossos guerreiros serem felicíssimos assim, que, aliás, ao fundarmos o Estado, não tínhamos em vista tornar uma única classe eminentemente feliz, mas, tanto quanto possível, todas. De fato, pensávamos que só num Estado assim encontraríamos a justiça e no Estado pior constituído, a injustiça: examinando uma e outra, poderíamos pronunciar-nos sobre o que procuramos há muito tempo. Com base em tal descoberta, poderíamos ter resolvido nosso velho problema. Segundo nosso parecer, estamos organizando um Estado próspero em seu todo, sem excetuar alguns cidadãos e tornar felizes somente esses. Logo depois, analisaríamos um Estado que seria o oposto do nosso. Se pintássemos uma estátua e alguém viesse a nos criticar porque não aplicamos as cores mais belas nas partes mais nobres do corpo (os olhos, que são a melhor parte do corpo, os pintamos de preto e não de púrpura), poderíamos responder corretamente a essa objeção, dizendo: "Meu caro amigo, não nos induza a pintar os olhos, sendo tão belos, de maneira a torná-los irreconhecíveis, como também as demais partes da estátua. Considere bem e observe se deixamos o conjunto com bela aparência, aplicando as cores certas em cada parte. Não nos force, portanto, a conferir aos defensores uma prosperidade tal que os torne bem outra coisa que não defensores. Mesmo os camponeses, se quiséssemos, poderíamos trajá-los com longas vestes, cobri-los de ouro e ordenar-lhes que cultivassem a terra quando achassem oportuno. Poderíamos deixar os oleiros sentados e deixá-los que comessem e bebessem à vontade, segundo o costume, junto ao fogo e abandonassem a roda. Assim, poderíamos fazer concessões sucessivamente a todos para que no Estado inteiro reinasse grande felicidade. Não nos dirija, portanto, esta objeção, porquanto, se lhe dermos ouvidos, o camponês não seria mais camponês, o oleiro não seria mais oleiro e ninguém mais guardaria sua função indispensável para a organização do Estado. De resto, haveria outras classes que não implicariam em desajustes, se saíssem de suas funções, como ocorreria com o sapateiro se fizesse mal seu serviço ou se se corrompesse ou se o fosse só na aparência. Mas se o fossem somente na aparência os guardiões das leis e do Estado, eles levariam sem dúvida à ruína o Estado inteiro, porque só eles podem governá-lo bem e torná-lo próspero." Se, portanto, os tornamos realmente incapazes de prejudicar ao Estado, enquanto nosso opositor, que sejam como camponeses em festa em vez de camponeses ativos, evidentemente visa a qualquer coisa e não a criar um Estado. Torna-se necessário, portanto, considerar a finalidade pela qual se instituem os guardiões. Seria para sua maior felicidade ou para a prosperidade comum, sobretudo do Estado em seu conjunto? Em tal

PLATÃO

caso, convém obrigar estes auxiliares e defensores a obedecer e a empenhar-se em cumprir do melhor modo suas funções. O mesmo critério vale para todos os outros e assim o Estado, como um todo, se tornará mais forte e será bem governado, o que permitirá que cada classe possa participar da felicidade que deverá corresponder à natureza de cada função.

ADIMANTO:

— Parece sensato.

SÓCRATES:

— Acredita ser sensato comparar a seguinte observação com as precedentes?

ADIMANTO:

— Qual?

SÓCRATES:

— Pensa nos outros artesãos e vê se não é isso que os desacredita e corrompe também.

ADIMANTO:

— Que é que os desacredita e corrompe?

SÓCRATES:

— A riqueza e a pobreza.

ADIMANTO:

— De que maneira?

SÓCRATES:

— Ouve. Achas que o oleiro, tendo enriquecido, irá querer continuar a ocupar-se do seu ofício?

ADIMANTO:

— Acho que não.

SÓCRATES:

— Não se tornará, dia após dia, mais preguiçoso e negligente?

ADIMANTO:

— Sem dúvida.

SÓCRATES:

— E, por conseguinte, pior oleiro?

ADIMANTO:

— Com certeza.

SÓCRATES:

— Se a pobreza o impede de arranjar ferramentas, ou qualquer outro dos objetos necessários à sua arte, o seu trabalho não sofrerá com isso? Não fará dos seus filhos e aprendizes maus operários?

ADIMANTO:

— É inevitável

SÓCRATES:

— Assim sendo, tanto a pobreza quanto a riqueza prejudicam as artes e os artesãos.

A REPÚBLICA

ADIMANTO:

— Parece que sim

SÓCRATES:

— São, pois, duas outras coisas sobre as quais os guardas devem velar muito atentamente a fim de não penetrarem na cidade sem o seu conhecimento.

ADIMANTO:

— Quais são?

SÓCRATES:

— A riqueza e a pobreza, pois uma engendra o luxo, a preguiça e o gosto pelas novidades; a outra, a baixeza e a maldade e, da mesma forma, o gosto pelas novidades.

ADIMANTO:

— Sem dúvida. Contudo, Sócrates, considera isto: como é que a nossa cidade, não possuindo riquezas, estará em condições de fazer a guerra, mormente se for obrigada a lutar contra uma cidade rica e poderosa?

SÓCRATES:

— Claro que a luta contra uma cidade assim é difícil, mas é mais fácil contra duas de igual força.

ADIMANTO:

— Que quer dizer com isso?

SÓCRATES:

— Em primeiro lugar, se houver luta corporal, os nossos atletas guerreiros não terão de combater homens ricos?

ADIMANTO:

— Sim.

SÓCRATES:

— Mas, Adimanto, não crê que um lutador treinado da melhor maneira possível é capaz de enfrentar facilmente dois lutadores ricos e demasiadamente alimentados?

ADIMANTO:

— Talvez não, se tiver de lutar contra os dois ao mesmo tempo.

SÓCRATES:

— Nem mesmo se ele conseguisse fugir do primeiro, e depois, virando-se, atacar o que o persegue e repetir muitas vezes esta manobra, debaixo de sol e grande calor? Um homem assim não venceria até mais de dois adversários?

ADIMANTO:

— Não seria muito de admirar se o fizesse.

SÓCRATES:

— E não crê que os ricos conhecem melhor a ciência e a prática da luta do que as da guerra?

PLATÃO

ADIMANTO:

— Não duvido.

SÓCRATES:

— Logo, acredito que os nossos atletas lutarão facilmente contra homens duas e três vezes mais numerosos.

ADIMANTO:

— Parece-me que tem razão.

SÓCRATES:

— Imagina agora que mandassem uma embaixada a outra cidade para dizer, o que seria verdade: "O ouro e a prata não são usados entre nós; não temos o direito de possuí-los, mas vocês têm esse direito. Combata conosco e terá os bens do inimigo". Acredita que haveria pessoas que, depois de ouvirem estas palavras, preferissem fazer a guerra a cães sólidos e vigorosos, em vez de a fazerem, aliando-se a esses cães, a ovelhas gordas e tenras?

ADIMANTO:

— Penso que não. Mas, se numa única cidade se acumulam as riquezas das outras, é de temer que isso constitua um perigo para a cidade que não é rica.

SÓCRATES:

— Que ingênuo que é em acreditar que outra cidade diferente da que fundamos merece tal nome!

ADIMANTO:

— E por que não?

SÓCRATES:

— As outras cidades merecem um nome mais genérico. De fato, cada uma delas compreende, como se diz num tipo de jogo, não uma, mas muitas cidades. Há, no entanto, pelo menos duas, a dos pobres e a dos ricos, e em cada uma delas estão incluídas muitas outras. Você se enganaria totalmente se as considerasse como um único Estado. Se, ao contrário, você as tratar como se fossem muitos Estados, dando a uns o dinheiro, o poder e as pessoas dos outros, teria sempre muitos aliados e poucos inimigos. E seu Estado, enquanto mantiver o sábio governo que acabamos de instituir, se tornaria poderosíssimo, não na aparência, isso jamais! Mas na substância, mesmo que dispusesse somente de um milheiro de defensores, porquanto uma única cidade tão grande não será encontrada facilmente nem entre os gregos nem entre os bárbaros, ainda que aparentemente existem várias muito maiores que a nossa. Pensa o contrário?

ADIMANTO:

— Certo que não.

SÓCRATES:

— Porventura, não seria este o limite que os nossos magistrados podem dar ao desenvolvimento da cidade, além do qual não deveria estender-se?

ADIMANTO:

— Qual é esse limite?

A REPÚBLICA

SÓCRATES:

— A meu ver, é este: até o ponto em que, aumentada, conserva a sua unidade, a cidade pode estender-se, mas não para além disso.

ADIMANTO:

— Muito bem.

SÓCRATES:

— Assim, recomendaremos também aos guardas que zelem com o maior cuidado para que a cidade não seja nem pequena nem grande, mas para que seja de proporções suficientes, conservando, ao mesmo tempo, a sua unidade.

ADIMANTO:

— E com isto não lhes recomendarão nada muito difícil.

SÓCRATES:

— Menos difícil ainda é a recomendação que mencionamos há pouco, quando dissemos que era preciso relegar para as outras classes a criança medíocre nascida dos guardas e elevar à condição de guarda a criança bem-dotada nascida nas outras classes. Isto tinha o propósito de mostrar que também se deve confiar aos outros cidadãos a função para a qual estão naturalmente aptos, e só essa, a fim de que cada um, ocupando-se da sua tarefa própria, seja uno e não múltiplo, e assim a cidade se desenvolva, permanecendo una, e não se tornando múltipla.

ADIMANTO:

— Com efeito, trata-se de uma questão menos importante que aquela!

SÓCRATES:

— As nossas prescrições, caro Adimanto, não são, como poderia julgar, numerosas e importantes. São todas simples com a condição de se observar apenas um ponto, único de importância, ou melhor, o único suficiente.

ADIMANTO:

— Qual é?

SÓCRATES:

— A cultura e a educação. De fato, se nossos cidadãos, graças a uma boa cultura se tornarem homens equilibrados, saberiam discernir facilmente todos esses problemas, bem como os outros de que não tratamos agora. Por exemplo, a posse das mulheres, o matrimônio e a procriação, coisas que, segundo o provérbio, devem quanto possível ser comuns entre amigos.

ADIMANTO:

— Será ótimo.

SÓCRATES:

— Sem dúvida, um Estado que tivesse começado bem, iria crescer como um círculo. Um bom sistema de educação e de cultura formaria indivíduos de boa

PLATÃO

índole e esses, por sua vez, fiéis ao sistema cultural, se tornariam ainda melhores que seus predecessores, sobretudo no que se refere à procriação, como ocorre também entre os outros animais.

ADIMANTO:

— Lógico.

SÓCRATES:

— Ao passo que, se as crianças começarem a jogar de modo correto e depois, ao contrário daqueles educados erroneamente, tiverem assimilado a disciplina que infunde a musica, esse sentido de disciplina os acompanhará para sempre e crescerá, restabelecendo tudo o que do antigo Estado tivesse algum dia sido arruinado.

ADIMANTO:

— É verdade.

SÓCRATES:

— E estes haverão de recuperar aquelas pequenas regras, aparentemente irrelevantes, que haviam sido deixadas de lado por seus predecessores.

SÓCRATES:

— Mais uma razão, pois, como dizíamos no começo, para que os nossos jovens devam participar de jogos mais legítimos? Se os seus jogos são desregrados eles também o serão e não poderão tornar-se quando adultos, homens obedientes às leis e virtuosos.

ADIMANTO:

— Sem dúvida.

SÓCRATES:

— Ao passo que, quando as crianças jogam honestamente desde o começo, a ordem, por meio da música, penetra nelas e, ao contrário do que acontece no caso que citava, acompanha-os por toda a parte, aumenta-lhes a força e revigora na cidade o que nela estiver em declínio.

ADIMANTO:

— É a pura verdade.

SÓCRATES:

— E também descobrem essas regras que parecem de pouca importância e que os seus predecessores deixaram cair em desuso.

ADIMANTO:

— Quais são elas?

SÓCRATES:

— Por exemplo, as que ordenam aos jovens que respeitem o silêncio, quando convém, em presença dos anciãos; que os ajudem a sentar-se, que se levantem para lhes cederem o lugar, que rodeiem os pais de cuidados; e as que respeitam ao corte dos cabelos, às roupas, ao calçado, ao aspecto exterior do corpo e outras coisas semelhantes. Não é assim que descobrirão estas regras?

A REPÚBLICA

ADIMANTO:

— Creio que sim.

SÓCRATES:

— Tolice seria, pois, legislar sobre estas matérias, dado que os decretos promulgados, orais ou escritos, não teriam efeito e não poderiam ser cumpridos.

ADIMANTO:

— E como o poderiam ser, então?

SÓCRATES:

— O impulso dado pela educação, Adimanto, determina tudo o que se segue. Por isso, o semelhante não apela sempre para o seu semelhante?

ADIMANTO:

— Sim.

SÓCRATES:

— Poderíamos dizer que, no fim, este impulso conduz a um grande e perfeito resultado, seja para o bem ou para o mal.

ADIMANTO:

— Sem dúvida.

SÓCRATES:

— Tal a razão pela qual não irei mais longe e não empreenderei legislar acerca disso.

ADIMANTO:

— Tem razão.

SÓCRATES:

— Mas agora, em nome dos deuses, que faremos no que concerne aos negócios de agora, aos contratos que os cidadãos das diversas classes aí celebram entre si e os contratos de mão de obra? Que faremos no que concerne às injúrias, às violências, à apresentação das solicitações, à organização dos juízes, à instituição e ao pagamento das taxas que poderiam ser necessárias sobre os mercados e nos portos e, em geral, à regulamentação do mercado, da cidade, do porto e do resto? Ousaremos legislar sobre tudo isto?

ADIMANTO:

— Não convém fazer tais prescrições a pessoas honradas; elas mesmas descobrirão facilmente a maior parte das regras que é preciso estabelecer nessas matérias.

SÓCRATES:

— Sim, meu amigo, se Deus lhes conceder manter intactas as leis que enumeramos mais acima.

ADIMANTO:

— Do contrário, todos passarão a vida a fazer um grande número de tais regras e a reformá-las, na suposição de que chegarão à melhor.

SÓCRATES:

— Equivale a dizer que viverão como esses doentes que a intemperança impede de abandonar um mau regime.

PLATÃO

ADIMANTO:

— Exatamente.

SÓCRATES:

— Essas pessoas passam o tempo de forma encantadora: tratando-se, não chegam a nada, exceto a complicar e a agravar as suas doenças; e esperam, sempre que se lhes aconselha um remédio, que graças a ele se tornarão saudáveis.

ADIMANTO:

— É a doença desses doentes.

SÓCRATES:

— E não é um traço engraçado deles o fato de considerarem seu pior inimigo aquele que lhes diz a verdade, isto é, que, enquanto não renunciarem a embriagar-se, a se encher de comida, a entregar-se à libertinagem e à preguiça, nem remédios, nem cautérios, nem simpatias, nem amuletos, nem outras coisas do mesmo gênero lhes servirão de nada?

ADIMANTO:

— Na verdade, esse traço não me parece nada engraçado, dado que não existe graça em irritar-se contra quem dá bons conselhos.

SÓCRATES:

— Pelo que vejo, não és um admirador de tais homens.

ADIMANTO:

— Juro que não, por Zeus!

SÓCRATES:

— Logo, nem tampouco aprovarás toda a cidade que se comporta como acabamos de dizer. Com efeito, não te parece que fazem a mesma coisa que esses doentes as cidades malgovernadas que proíbem os cidadãos, sob pena de morte, de tocar no conjunto da sua constituição, ao passo que aquele que serve esses cidadãos da maneira mais agradável e os lisonjeia, empenhado em antecipar-se, em prever os seus desejos, e hábil a satisfazê-los, é tratado como homem virtuoso, sábio profundo e honrado por elas?

ADIMANTO:

— Sim, elas fazem precisamente o mesmo e de modo algum as aprovo.

SÓCRATES:

— Que dizer, então, dos que consentem, que se apressam até a servir tais cidades? Não admira a sua coragem e complacência?

ADIMANTO:

— Sim, decerto, exceto os que se deixam enganar e se julgam políticos autênticos porque são louvados pela multidão.

SÓCRATES:

— Que me diz? Não desculpa esses homens? Acha que uma pessoa que não sabe medir, a quem outras pessoas no mesmo caso diriam que tem quatro côvados, poderia evitar pensar que é essa a sua medida?

A REPÚBLICA

ADIMANTO:

— Não creio.

SÓCRATES:

— Não se indigne com eles, pois esses homens são os mais encantadores do mundo! Fazem leis sobre os assuntos que enumeramos há pouco e reformam-nas, supondo que conseguirão pôr fim às fraudes que se cometem nos contratos e nos negócios de que ainda agora falávamos: não sabem que, na realidade, cortam as cabeças de uma hidra.

ADIMANTO:

— De fato, não fazem outra coisa.

SÓCRATES:

— Eu não creio que, numa cidade mal ou bem governada, o verdadeiro legislador devesse se preocupar com este tipo de leis: no primeiro caso, porque são inúteis e de nenhum efeito; no segundo, porque qualquer pessoa descobrirá uma parte e a outra derivará das instituições já estabelecidas.

ADIMANTO:

— Que outras leis, pois, nos falta estabelecer?

SÓCRATES:

— Nenhuma. Mas a Apolo, ao deus de Delfos, falta fazer as maiores, as mais belas e as primeiras das leis.

ADIMANTO:

— Quais?

SÓCRATES:

— Aquelas que se referem à construção de templos, aos sacrifícios, ao culto dos deuses, dos gênios e dos heróis, aos túmulos dos mortos e aos cerimoniais que é necessário tributar-lhes em sua propiciação. Na realidade, porque nós ignoramos tais coisas e, ao fundar um Estado, não seria prudente confiar em ninguém nem recorrer a um intérprete estrangeiro. De fato, esta divindade é o intérprete tradicional para todos os homens nessas questões e exerce sua função ficando sentada no centro do mundo, sobre o umbigo da terra.

ADIMANTO:

— Assim faremos.

SÓCRATES:

— Mas onde, em meio a tudo isso, está a justiça? Filho de Ariston, diga-me onde. Agora que nossa cidade está habitável. Arranja onde quiseres uma luz suficiente, chama seu irmão, Polemarco e os outros e considera se nos é possível ver onde reside nela a justiça, onde a injustiça, em que diferem uma da outra e qual das duas deve possuir quem quiser ser feliz, quer escape ou não aos olhos dos deuses e dos homens.

GLAUCO:

— E como se não dissesses nada! Com efeito, prometeste-nos que serias responsável por essa pesquisa, pretendendo que seria ímpio não ajudar a justiça por todos os meios ao seu alcance.

PLATÃO

SÓCRATES:

— É verdade que fiz a promessa a que aludiu. Vou cumprir, mas precisa me auxiliar.

GLAUCO:

— Assim o faremos.

SÓCRATES:

— Espero que deste modo encontremos o que procuramos. Se a nossa cidade foi bem fundada, creio que nosso Estado é perfeito.

GLAUCO:

— Necessariamente.

SÓCRATES:

— Claro, pois é evidente que é sábia, corajosa, ponderada e justa.

GLAUCO:

— Evidente.

SÓCRATES:

— Logo, qualquer que seja a virtude que encontrarmos nela, as virtudes restantes serão as que nos falta descobrir.

GLAUCO:

— Sem dúvida.

SÓCRATES:

— Se de quatro coisas procurássemos uma, seja em que assunto for, e esta se nos apresentasse no começo, saberíamos o suficiente acerca dela; mas, se tivéssemos primeiramente conhecimento das outras três, por isso mesmo conheceríamos a coisa procurada, porque é evidente que não seria senão a coisa restante.

GLAUCO:

— Tem razão.

SÓCRATES:

— Logo, visto que os objetos da nossa pesquisa são em número de quatro, não devemos adotar este método?

GLAUCO:

— De pleno acordo.

SÓCRATES:

— Evidentemente, no caso que nos ocupa, creio que é a sabedoria a primeira que se vê; mas noto que a seu respeito surge um fato singular.

GLAUCO:

— Qual?

SÓCRATES:

— A cidade que fundamos parece-me de fato sábia, sendo que é prudente nas suas deliberações. Não acha?

GLAUCO:

— Sim.

A REPÚBLICA

SÓCRATES:

— E, evidentemente, a prudência nas deliberações é uma espécie de ciência; de fato, não é por ignorância, mas por ciência, que se delibera bem.

GLAUCO:

— Claro.

SÓCRATES:

— Mas há em nossa cidade ciência de toda espécie.

GLAUCO:

— Sem dúvida.

SÓCRATES:

— É pela ciência dos carpinteiros que se pode dizer que a cidade é sábia e prudente nas suas deliberações?

GLAUCO:

— De modo algum. Tal ciência fará dizer que ela é hábil na arte da carpintaria.

SÓCRATES:

— Logo, não é por que delibera com sabedoria sobre a melhor maneira de realizar as obras de carpintaria que a cidade deve ser considerada sábia?

GLAUCO:

— Por certo que não!

SÓCRATES:

— Será pela sua ciência em obras de bronze ou outros metais?

GLAUCO:

— Por nenhuma dessas ciências.

SÓCRATES:

— E também não pela da produção dos frutos da terra, por que isto corresponde à agricultura?

GLAUCO:

— Assim também me parece.

SÓCRATES:

— Há, porventura, na cidade que acabamos de fundar, uma ciência que reside em certos cidadãos, pela qual essa cidade delibera não sobre uma das partes que a compõem, mas sobre o seu próprio conjunto, para conhecer a melhor maneira de se comportar em relação a si mesma e às outras cidades?

GLAUCO:

— Sem dúvida que há.

SÓCRATES:

— Qual é a ciência? E em que cidadãos se encontram?

GLAUCO:

— É a que tem por objeto a conservação do Estado e encontra-se nos magistrados a que há pouco chamávamos de guardiães perfeitos.

PLATÃO

SÓCRATES:

— E, em virtude dessa ciência, como consideras a cidade?

GLAUCO:

— Considero-a prudente nas suas deliberações e verdadeiramente sábia.

SÓCRATES:

— Mas quais são os que, na tua opinião, se encontram em maior número na cidade: os ferreiros ou os verdadeiros guardiães?

GLAUCO:

— Os ferreiros.

SÓCRATES:

— Logo, de todos os organismos que tiram o nome da profissão que exercem, o dos magistrados será o menos numeroso?

GLAUCO:

— Sim.

SÓCRATES:

— Por isso, é na classe menos numerosa e na ciência que nela reside, é naqueles que lideram e governam toda a cidade, fundada segundo a natureza, deve ser sábia; e os homens desta raça são naturalmente muito raros e a eles competem participar na ciência que, a única entre as ciências, merece o nome de sabedoria.

GLAUCO:

— Não há dúvida.

SÓCRATES:

— Descobrimos assim uma das quatro virtudes procuradas e a parte da cidade em que reside.

GLAUCO:

— A mim, pelo menos parece que a descobrimos de maneira satisfatória.

SÓCRATES:

— Quanto à coragem e à parte da cidade em que reside, parte por causa da qual a cidade é considerada corajosa, não é difícil vê-las.

GLAUCO:

— Como assim?

SÓCRATES:

— Ora, eu disse, todo aquele que chama qualquer Estado de corajoso ou covarde, estará pensando na parte que luta e sai para guerra em nome do Estado. O resto dos cidadãos pode ser corajoso ou covarde, mas sua coragem ou covardia não terá, como eu concebo, o efeito de tornar a cidade uma ou outra.

GLAUCO:

— Certamente não.

SÓCRATES:

— Por isso, não pense que os outros cidadãos, covardes ou corajosos, tenham o poder de dar à cidade outro desses caracteres.

A REPÚBLICA

GLAUCO:

— Com efeito, não o têm.

SÓCRATES:

— Portanto, nossa cidade será corajosa por uma parte dela própria e porque possui nessa parte a força de conservar constantemente intacta a sua opinião sobre as coisas a temer, isto é: as que, em número e natureza, o legislador designou na educação. Ou não é a isto que chamas coragem?

GLAUCO:

— Não compreendi muito bem o que disse.

SÓCRATES:

— Eu disse que a coragem é uma espécie de salvaguarda.

GLAUCO:

— Que espécie de salvaguarda?

SÓCRATES:

— A da opinião que a lei fez nascer em nós, por intermédio da educação, a respeito das coisas a temer, o seu número e a sua natureza. E eu entendia por salvaguarda constante desta opinião o fato de alguém a manter a salvo no meio das dores e prazeres, dos desejos e temores, e de não a abandonar. Vou explicar isto com uma comparação, se quiser.

GLAUCO:

— Claro que quero.

SÓCRATES:

— Sabe que os tintureiros, quando querem tingir a lã de púrpura, começam por escolher uma só espécie de lã, a branca; em seguida, preparam-na, sujeitam-na a um longo tratamento, para que adquira o melhor possível o brilho da cor; por último, mergulham-na na tinta. E o que se tinge desta maneira é indelével. A lavagem, feita com ou sem dissolventes, não lhe desbota a cor. Ao contrário, bem sabes o que acontece quando não se procede assim, quando se tingem lãs de outra cor ou mesmo lã branca sem prepará-la.

GLAUCO:

— Sei que a cor desbota e se torna feia.

SÓCRATES:

— Concorda, então, que procedemos, na medida das nossas forças, a uma operação semelhante, ao escolhermos os guerreiros e ao educá-los na música e na ginástica. Não pense que foi outra a nossa intenção: estávamos empenhados em que tivessem o melhor conhecimento possível das leis, a fim de que, graças à sua natureza e a uma educação apropriada, tivessem, sobre as coisas a temer e o resto, uma opinião indelével, que não pudesse ser apagada por esses dissolventes terríveis que são o prazer — mais poderoso na sua ação do que qualquer álcali ou lixívia —, a dor, o medo e o desejo — mais poderosos que qualquer solvente.

PLATÃO

É esta força que salvaguarda a opinião reta e legítima, no que diz respeito às coisas que são ou não são de recear, que eu invoco, que eu considero coragem, se nada tem a objetar.

GLAUCO:

— Eu não sei o que dizer, pois me parece que, se a opinião sobre essas mesmas coisas não for fruto da educação, se for selvagem ou servil, não a considerará estável e dará outro nome.

SÓCRATES:

— Tem muita razão.

GLAUCO:

— Aceito, então, a tua definição da coragem.

SÓCRATES:

— Ao menos aceita-a como a da coragem política, e terá razão. Mas sobre este ponto, se quiser, discutiremos melhor em outra oportunidade; agora, não é a coragem que procuramos, mas a justiça. Ainda nos falta descobrir duas virtudes na cidade, a temperança e o objeto de toda a nossa pesquisa, a justiça.

GLAUCO:

— Perfeitamente.

SÓCRATES:

— Que faríamos para encontrar a justiça sem nos ocuparmos da temperança?

GLAUCO:

— Não sei, mas gostaria que ela não se apresentasse antes de examinarmos a temperança. Se quer me agradar, começa por analisar esta última.

SÓCRATES:

— É o que passo a fazer. Em verdade, ela se assemelha, mais do que as virtudes precedentes, a um acordo e a uma harmonia.

GLAUCO:

— Como assim?

SÓCRATES:

— A temperança outra coisa não é que um domínio que se exerce sobre certos prazeres e paixões, como o indica — de uma forma que não considero exagerada — a expressão comum "senhor de si mesmo" e outras semelhantes, que são, por assim dizer, vestígios desta virtude. Não lhe parece?

GLAUCO:

— Certamente.

SÓCRATES:

— Mas a expressão "senhor de si mesmo" não é ridícula? Aquele que é senhor de si mesmo é também, acredito, escravo de si mesmo, e aquele que é escravo, é também senhor, porque ambas as expressões se referem à mesma pessoa.

GLAUCO:

— Não há dúvida.

A REPÚBLICA

SÓCRATES:

— Esta expressão parece-me querer dizer que existem duas partes na alma humana: uma superior em qualidade e outra inferior; quando a superior comanda a inferior, diz-se que é o homem senhor de si mesmo — o que é, sem dúvida, um elogio; mas quando, devido a uma má educação ou a uma má frequência, a parte superior, que é menor, é dominada pela massa dos elementos que compõem a inferior, censura-se este domínio como vergonhoso e diz que o homem em semelhante estado é escravo de si mesmo e corrupto.

GLAUCO:

— Parece-me sensata essa explicação.

SÓCRATES:

— Atenta agora para a nossa jovem cidade; verá uma dessas condições realizada e dirá que é com razão que se chama senhora de si mesma, admitindo que se deve chamar moderado e senhor de si mesmo a tudo aquilo em que a parte superior comanda a inferior.

GLAUCO:

— Atento e vejo que fala a verdade.

SÓCRATES:

— É claro que também descobrirás nela, em grande número e feitio, paixões, prazeres e dores, sobretudo nas crianças, nas mulheres, nos escravos e na turba de homens de baixa condição que são considerados livres.

GLAUCO:

— Sim, sem dúvida.

SÓCRATES:

— Porém, quanto aos sentimentos simples e moderados que o raciocínio dirige e que acompanham a inteligência e a reta opinião, só os encontrarás em raras pessoas, aquelas que, dotadas de excelente caráter, foram formadas por urna excelente educação.

GLAUCO:

— É verdade.

SÓCRATES:

— Não percebes também que, na sua cidade, os desejos da turba dos homens de baixa condição são dominados pelos desejos e pela sabedoria do número menor dos homens virtuosos?

GLAUCO:

— Percebo.

SÓCRATES:

— Se é possível dizer de uma cidade que é senhora dos seus prazeres, das suas paixões e de si mesma, é desta que é preciso dizer.

GLAUCO:

— Não há dúvida.

PLATÃO

SÓCRATES:

— E, por isso mesmo, pode-se concluir que ela possui temperança, não?

GLAUCO:

— Com toda a certeza.

SÓCRATES:

— E se, em qualquer outra cidade, os governantes têm a mesma opinião a respeito dos que devem mandar, na nossa cidade também residirá esse acordo, não é assim?

GLAUCO:

— Claro.

SÓCRATES:

— Ótimo! E quando os cidadãos alojam tais disposições, em quem diria que se encontra a moderação: nos governantes ou nos governados?

GLAUCO:

— Em uns e em outros.

SÓCRATES:

— Vê que era bem fundada nossa conjectura, quando dizíamos que a moderação se assemelha a uma harmonia.

GLAUCO:

— Por que razão?

SÓCRATES:

— Porque não se dá com ela o mesmo que com a coragem e a sabedoria, que, residindo respectivamente numa parte da cidade, tornam esta corajosa e sábia. A moderação não atua assim: espalhada no conjunto do Estado, põe em uníssono da oitava os mais fracos, os mais fortes e os intermédios, sob a relação da sabedoria, se quiser, da força, se também quiser, do número, das riquezas ou de qualquer outra coisa semelhante. De sorte que podemos dizer, com toda a razão, que a moderação consiste nessa concórdia, harmonia natural entre o superior e o inferior quanto à questão de saber quem deve mandar, tanto na cidade como no indivíduo.

GLAUCO:

— Estou de pleno acordo contigo.

SÓCRATES:

— Temos assim três virtudes que foram descobertas na nossa cidade: sabedoria, coragem e moderação para os chefes; coragem e moderação para os guardas; moderação para o povo. No que diz respeito à quarta, pela qual esta cidade também participa na virtude, que poderá ser? É evidente que é a justiça.

GLAUCO:

— É evidente.

SÓCRATES:

— Agora, Glauco, como caçadores, precisamos nos colocar em círculo em volta do matagal e evitar que a justiça fuja e se esvaia diante dos nossos olhos.

A REPÚBLICA

Não tem dúvida que ela está aqui, em qualquer parte. Portanto, olha, esforça-te por procurá-la; talvez seja o primeiro a vê-la e então avise-me.

GLAUCO:

— Bem que gostaria! Mas, se me tomar como seguidor, capaz de descobrir o que se lhe assinala, poderá utilizar muito melhor as minhas forças.

SÓCRATES:

— Siga-me, mas, antes, invoca comigo a ajuda dos deuses.

GLAUCO:

— É o que vou fazer. Só lhe peço que me sirva de guia.

SÓCRATES:

— Claro que sim. O local está oculto e é de difícil acesso; é escuro e cheio de obstáculos, mas precisamos avançar.

GLAUCO:

— Sim, precisamos avançar.

SÓCRATES:

— Depois de ter observado por algum tempo. É provável que estejamos na boa pista, Glauco; creio que a caça não nos escapará.

GLAUCO:

— Boa notícia!

SÓCRATES:

— Na verdade, eu e você somos bem pouco perspicazes!

GLAUCO:

— Por que diz isso?

SÓCRATES:

— Porque já faz muito tempo, desde o início desta conversa, que o objeto da nossa pesquisa parece rolar aos nossos pés e nós, grandes tolos, não o vimos! Como as pessoas que procuram às vezes o que têm nas mãos, em vez de olharmos para o que estava adiante de nós, examinávamos um ponto distante; foi talvez por isso que o nosso objeto fugiu de nós.

GLAUCO:

— Que quer dizer?

SÓCRATES:

— Digo que há muito que falamos da justiça sem disso nos darmos conta.

GLAUCO:

— Longo preâmbulo para quem anseia escutar!

SÓCRATES:

— Agora, pois, vê se tenho razão. O princípio que estabelecemos de início, ao fundarmos a cidade, e que devia ser sempre observado, esse princípio ou uma das suas formas é, creio, a justiça. Nós estabelecemos, e repetimos muitas vezes, que cada um deve ocupar-se na cidade apenas de uma tarefa, aquela para a qual é mais apto por natureza.

PLATÃO

GLAUCO:

— Foi o que estabelecemos.

SÓCRATES:

— Mais ainda: que a justiça consiste em fazer o seu próprio trabalho e não interferir no dos outros. Muitos disseram isso e nós próprios dissemos muitas vezes.

GLAUCO:

— Efetivamente, dissemos.

SÓCRATES:

— Assim, esse princípio que ordena a cada um que desempenhe a sua função própria poderia ser, de certo modo, a justiça. Sabes o que me leva a pensar assim?

GLAUCO:

— Diga.

SÓCRATES:

— Parece-me que, na cidade, o complemento das virtudes que examinamos, moderação, coragem e sabedoria, é esse elemento que deu a todas o poder de nascerem e, após o nascimento, as preserva na medida em que está presente. Ora, dissemos que a justiça seria o complemento das virtudes procuradas, se descobríssemos as outras três.

GLAUCO:

— Assim deve ser.

SÓCRATES:

— Se fosse necessário decidir qual dessas virtudes é a que, pela sua presença, contribui em maior dose para a perfeição da cidade, seria difícil dizer se é a conformidade de opinião entre os governantes e os governados ou, nos guerreiros, a salvaguarda da opinião legítima a respeito das coisas que se deve ou não temer; ou a sabedoria e a vigilância entre os que governam ou se o que contribui, sobretudo, para essa perfeição é a presença, na criança, na mulher, no escravo, no homem livre, no artesão, no governante e no governado, dessa virtude pela qual cada um se ocupa da sua tarefa própria e não interfere na dos outros.

GLAUCO:

— Difícil, por certo, decidir tal questão.

SÓCRATES:

— Assim, ao que me parece, a virtude que mantém cada cidadão nos limites da sua própria tarefa concorre, para a virtude de uma cidade, com a sabedoria, a moderação e a coragem dessa cidade.

GLAUCO:

— Não há dúvida.

SÓCRATES:

— Mas não dirá que é a justiça essa força que concorre com as outras para a virtude de uma cidade?

A REPÚBLICA

GLAUCO:

— Sim, por certo.

SÓCRATES:

— Examine ainda a questão da seguinte maneira, para ver se a sua opinião continua a ser a mesma: você encarregará os magistrados de julgar os processos?

GLAUCO:

— Certamente.

SÓCRATES:

— E eles procurarão outra felicidade que não seja esta: impedir que cada parte fique com os bens da outra, ou seja, privada dos seus?

GLAUCO:

— Não, nenhuma outra finalidade.

SÓCRATES:

— E isso é justo?

GLAUCO:

— Sem dúvida.

SÓCRATES:

— Mais uma prova de que a justiça significa guardar apenas os bens que nos pertencem e em exercer unicamente a função que nos é própria.

GLAUCO:

— Perfeitamente.

SÓCRATES:

— Nesse caso, vejamos se pensa igual a mim. Se um carpinteiro resolver exercer o ofício de sapateiro ou um sapateiro o de carpinteiro e trocarem entre si as ferramentas ou os respectivos salários — ou se um mesmo homem exercesse a um só tempo estes dois ofícios e se todas as mudanças possíveis, exceto aquela que vou dizer, se produzirem —, crês que com isto possam advir muitos danos à cidade?

GLAUCO:

— Não, por certo.

SÓCRATES:

— Se, por outro lado, um homem que a natureza predispôs para ser artesão ou a exercer qualquer outra atividade lucrativa, orgulhoso de sua riqueza, do grande número das suas relações, da força ou de outra vantagem semelhante, tenta elevar-se à categoria de guerreiro, ou um guerreiro à categoria de magistrado, sem que ambos possuam aptidão para tal, ou se um mesmo homem procura desempenhar todas estas funções ao mesmo tempo, crês, como eu, que estas mudanças e esta confusão provocam a ruína da cidade?

GLAUCO:

— Infalivelmente.

PLATÃO

SÓCRATES:

— A confusão entre essas três classes acarreta para a cidade o máximo da deterioração e, com toda a razão, pode-se considerar esta desordem o maior dos malefícios.

GLAUCO:

— Sem dúvida.

SÓCRATES:

— Então, não é a injustiça o maior malefício que se pode cometer contra a cidade?

GLAUCO:

— Sim, é.

SÓCRATES:

— Logo, é nisso que consiste a injustiça. Ao contrário, quando a classe dos homens de negócios, a dos guerreiros e a dos magistrados exerce a sua função própria e só se ocupam dessa função, não é o inverso da injustiça e o que torna a cidade justa?

GLAUCO:

— Acredito que não pode ser de outra maneira.

SÓCRATES:

— Não afirmemos ainda categoricamente; porém, se reconhecermos que esta concepção, se aplicada a cada homem em particular, é também a justiça, então receberá a nossa aprovação. Do contrário, dirigiremos a nossa análise para outra direção. Agora, completemos esta investigação que, conforme pensávamos, nos devia permitir divisar mais facilmente a justiça do homem, se tentássemos primeiramente descobri-la em algum modelo mais amplo que a contivesse. Pareceu-nos que esse indivíduo era a cidade; por isso, fundamos uma tão perfeita quanto possível, sabendo muito bem que a justiça se encontraria numa cidade bem governada. Vamos transladar agora para o indivíduo o que encontramos na cidade e, se concluirmos que a justiça é isso, tanto melhor. Contudo, se descobrirmos que a justiça é outra coisa no indivíduo, voltaremos a atenção para a cidade. Pode ser que, comparando estas concepções e pondo-as em contato uma com a outra, façamos brotar a justiça como o fogo de uma pederneira; em seguida, quando ela se tiver tornado evidente, fixá-la-emos em nossas almas.

GLAUCO:

— É o que se denomina proceder com método. É assim que é preciso agir.

SÓCRATES:

— Quando duas coisas, uma maior, outra menor, possuem o mesmo nome, são elas diferentes, enquanto possuem o mesmo nome, ou semelhantes?

GLAUCO:

— Semelhantes.

A REPÚBLICA

SÓCRATES:

— Assim sendo, o homem justo, enquanto justo, não será diferente da cidade justa, mas semelhante a ela.

GLAUCO:

— Sem dúvida.

SÓCRATES:

— Ora, a cidade foi por nós considerada justa quando cada uma de suas classes se ocupava de sua tarefa específica; por outro lado, nós a consideramos moderada, corajosa e sábia pelas disposições e as qualidades dessas mesmas classes.

GLAUCO:

— É verdade.

SÓCRATES:

— Portanto, meu amigo, consideraremos da mesma forma o indivíduo, quando a sua alma encerra essas mesmas partes que correspondem às três classes do Estado.

GLAUCO:

— É absolutamente necessário.

SÓCRATES:

— Estamos, então, meu amigo, às voltas com uma questão embaraçosa em relação à alma: saber se ela tem ou não em si mesma estas três partes.

GLAUCO:

— A mim não parece embaraçosa. Talvez, Sócrates, o provérbio tenha razão ao afirmar que as coisas belas são difíceis.

SÓCRATES:

— Sou do mesmo parecer. Mas quero que conheça perfeitamente, Glauco, a minha opinião: pelos métodos que empregamos nesta discussão nunca atingiríamos o objetivo da nossa pesquisa, pois o caminho é outro, mais longo e complicado. Contudo, talvez cheguemos a resultados a respeito do que dissemos e analisamos até agora.

GLAUCO:

— Não devemos contentar-nos com isso? Quanto a mim, é o que basta.

SÓCRATES:

— Também a mim basta.

GLAUCO:

— Não desanimes, então, e continua em tua análise.

SÓCRATES:

— É preciso convir que, em cada um de nós, se encontram as mesmas formas e os mesmos caracteres que na cidade. Pois é a partir daí que passam para ela. De fato, seria ridículo acreditar que o caráter irascível de certas cidades não se origina nos cidadãos com fama de o possuírem, como os trácios,

PLATÃO

os citas e quase todos os povos do norte; ou que não acontece a mesma coisa com o amor ao conhecimento, que se poderia atribuir especialmente aos habitantes do nosso país, ou com o amor às riquezas, que se atribui, sobretudo aos fenícios e aos egípcios.

GLAUCO:

— Não há dúvida.

SÓCRATES:

— É assim que as coisas acontecem e não é difícil entender.

GLAUCO:

— Claro que não.

SÓCRATES:

— Difícil, sim, será decidir se é pelo mesmo elemento que realizamos cada uma das nossas ações ou determinada ação por um dos três elementos; se julgamos por um, nos irritamos por outro, desejamos por um terceiro os prazeres da comida, da reprodução e todos os da nossa família, ou então, se a alma inteira intervém em cada uma dessas operações, quando somos chamados a realizá-las. Isto é que será difícil de determinar satisfatoriamente.

GLAUCO:

— Também creio.

SÓCRATES:

— Procuremos determinar desta maneira se esses elementos são idênticos entre si ou diferentes.

GLAUCO:

— De que maneira?

SÓCRATES:

— É evidente que o mesmo sujeito, ao mesmo tempo e a respeito do mesmo objeto, não é capaz de produzir ou experimentar efeitos contrários. De maneira que, se descobrirmos aqui contrários, saberemos que há, não um, mas vários elementos.

GLAUCO:

— Que seja.

SÓCRATES:

— Ouve, pois, o que vou dizer.

GLAUCO:

— Fala.

SÓCRATES:

— É possível que a mesma coisa esteja ao mesmo tempo imóvel e em movimento, na mesma das suas partes?

GLAUCO:

— De jeito nenhum.

SÓCRATES:

— Certifiquemos ainda mais, para que não surjam dúvidas à medida que avançamos. Se alguém afirmasse que um homem que só consegue mexer os

A REPÚBLICA

braços e a cabeça está ao mesmo tempo imóvel e em movimento, julgo que diríamos que não devemos exprimir-nos assim, mas dizer que uma parte do seu corpo está imóvel e a outra em movimento.

— Não é assim?

GLAUCO:

— Perfeitamente.

SÓCRATES:

— Mas, se o nosso interlocutor afirmasse que o pião está completamente imóvel e em movimento quando gira retido no mesmo lugar por sua ponta, ou que se dá o mesmo com qualquer outro objeto que se move em círculo em torno de um ponto fixo, por certo que não o admitiríamos. Diríamos que não é nas mesmas partes que tais objetos estão em repouso e em movimento; diríamos que têm um eixo e uma circunferência, que em relação ao eixo estão imóveis — pois o eixo não se inclina para nenhum dos lados — e que relativamente à circunferência se movem circularmente; mas quando o corpo em movimento inclina com ele a linha de eixo para a direita ou para a esquerda, para a frente ou para trás, então não está absolutamente imóvel.

GLAUCO:

— Seria uma resposta perfeita.

SÓCRATES:

— Então, não nos deixaremos perturbar por tais objeções, assim como não deixaremos que nos convençam de que o mesmo sujeito, nas mesmas partes e relativamente ao mesmo objeto, experimenta ou produz, ao mesmo tempo, duas coisas opostas.

GLAUCO:

— Quanto a mim, sem dúvida que não me deixarei convencer.

SÓCRATES:

— Entretanto, para não sermos obrigados a perder tempo analisando todas as objeções semelhantes e certificando-nos da sua falsidade, consideremos o nosso princípio verdadeiro e sigamos em frente, depois de termos admitido que, se alguma vez ele se mostra falso, todas as conclusões a que tivermos chegado serão nulas.

GLAUCO:

— É isso mesmo o que devemos fazer.

SÓCRATES:

— Dize-me agora: aprovar e desaprovar, desejar uma coisa e recusá-la, chamar a si e repelir, são ações contrárias entre si, quer se trate de atos, quer de estados, já que isso não implica em nenhuma diferença?

GLAUCO:

— Obviamente que são contrárias.

PLATÃO

SÓCRATES:

— Colocará a sede, a fome, os apetites em geral e também o desejo e a vontade na primeira classe desses contrários que acabamos de mencionar? Por exemplo, não dirá que a alma daquele que deseja busca o objeto desejado ou atrai a si o que gostaria de possuir, ou ainda, à medida que pretende que uma coisa lhe seja dada, responde a si mesma, como se alguém a interrogasse, que aprova essa coisa, devido ao desejo que tem de obtê-la?

GLAUCO:

— Direi.

SÓCRATES:

— Mas, não consentir, não querer, não desejar, não é o mesmo que repelir, afastar de si? E não são estes estados da alma contrários aos precedentes?

GLAUCO:

— Sem dúvida.

SÓCRATES:

— Então, não diremos que temos certos desejos, como a sede e a fome, que são os mais fortes de todos?

GLAUCO:

— Sim, diremos.

SÓCRATES:

— Um visa a bebida e o outro, a comida.

GLAUCO:

— Claro!

SÓCRATES:

— A sede, como tal, pode ser algo mais do que o mero desejo de beber? Por exemplo, é sede de bebida quente ou fria, em grande ou pequena quantidade, enfim, de um determinado tipo de bebida? Ou é o calor que, somado à sede, provoca o desejo de beber frio; ou o frio, o de beber quente. Mas a sede, em si mesma, é apenas o desejo do objeto natural, a bebida, como a fome é o desejo de comida?

GLAUCO:

— É verdade. Cada desejo considerado em si mesmo não é senão desejo do objeto natural, correspondendo àquilo que se lhe acrescenta a esta ou aquela qualidade desse objeto.

SÓCRATES:

— E que não venham, pois, a nos objetar dizendo que ninguém deseja a bebida, mas a boa bebida, nem a comida, mas a boa comida, sendo que todos os homens desejam as boas coisas; e se a sede é desejo, tem por objetivo uma boa coisa, seja essa coisa qual for, bebida ou outra. O mesmo acontece com os outros desejos.

A REPÚBLICA

GLAUCO:

— Entretanto, essa objeção parece ter certa importância.

SÓCRATES:

— Porém, com certeza, todo objeto relacionado com outros, considerado numa das suas qualidades, está, julgo eu, relacionado com esse objeto; considerado em si mesmo, está relacionado somente consigo mesmo.

GLAUCO:

— Não te compreendo.

SÓCRATES:

— Não compreendes que o que é maior o é somente em relação a outra coisa menor?

GLAUCO:

— Isso eu compreendo.

SÓCRATES:

— E o que é muito maior o é somente em relação ao que é muito menor?

GLAUCO:

— Sim.

SÓCRATES:

— E que se é ou será maior, é porque tem relação com algo que foi menor ou que o será?

GLAUCO:

— Não há dúvida.

SÓCRATES:

— Da mesma maneira, quanto ao mais em relação ao menos, quanto ao dobro em relação à metade, ao mais pesado em relação ao mais leve, ao mais rápido em relação ao mais lento, ao quente em relação ao frio e quanto a todas as outras coisas semelhantes, não se dá o mesmo?

GLAUCO:

— Perfeitamente.

SÓCRATES:

— E o mesmo princípio não vale para as ciências? A ciência considerada em si mesma tem por objetivo o que é passível de ser conhecido; mas uma determinada ciência tem por objeto um conhecimento específico. Explico-me: quando nasceu a ciência de construir casas, não foi diferenciada das outras com a denominação de arquitetura?

GLAUCO:

— É verdade.

SÓCRATES:

— Foi diferenciada porque não era parecida com nenhuma outra ciência?

GLAUCO:

— Sim.

PLATÃO

SÓCRATES:

— E isso não aconteceu porque possui um objeto determinado? E não ocorre a mesma coisa com todas as outras artes e todas as outras ciências?

GLAUCO:

— Ocorre.

SÓCRATES:

— Se agora me compreendeste, reconhecerás que era isso o que eu queria dizer: todo objeto relacionado com outros, considerado em si mesmo, relaciona-se apenas consigo mesmo, considerado numa das suas qualidades em relação a esse objeto. Aliás, não afirmo que o que está relacionado com esse objeto seja semelhante a esse objeto, que, por exemplo, a ciência da saúde e da doença sejam sã ou malsã e a ciência do bem e do mal, boa ou má. Mas, quando a ciência deixa de ser ciência do conhecível em si mesma, porém de determinado objeto, adquire uma determinação e, por isso, já não é denominada simplesmente ciência, mas ciência médica, caracterizando-se pelo seu objeto particular.

GLAUCO:

— Compreendo o teu raciocínio e o considero exato.

SÓCRATES:

— E não situarás a sede, pela sua natureza, na classe das coisas relacionadas com outras?

GLAUCO:

— Eu a situarei relacionada com a bebida.

SÓCRATES:

— Assim, determinada sede relaciona-se com determinada bebida; mas a sede em si mesma não se relaciona com uma bebida em grande ou em pequena quantidade, boa ou má, numa palavra, com uma espécie particular de bebida. A sede em si mesma relaciona-se, por natureza, com a própria bebida.

GLAUCO:

— Perfeito.

SÓCRATES:

— Logo, a alma daquele que tem sede não quer senão beber; é isso o que deseja e a que se predispõe.

GLAUCO:

— Evidentemente.

SÓCRATES:

— Quando, pois, alguém se predispõe a beber e algo o faz retroceder, trata-se de um princípio diferente do que provoca a sede e o impele cegamente a beber. Porque reconhecemos que o mesmo princípio não pode provocar ao mesmo tempo efeitos contrários.

GLAUCO:

— Certamente que não.

A REPÚBLICA

SÓCRATES:

— De maneira semelhante, creio que seria errado afirmar que as mãos do arqueiro esticam e largam o arco ao mesmo tempo; mas pode-se dizer que uma das mãos o estica e a outra o larga.

GLAUCO:

— Com certeza.

SÓCRATES:

— E às vezes não se encontram pessoas que, embora tendo sede, se recusam a beber?

GLAUCO:

— Sim, amiúde e em grande número.

SÓCRATES:

— Que diremos de tais pessoas senão que existe em sua alma um princípio que as manda beber e outro que as proíbe, sendo este último mais forte que o primeiro?

GLAUCO:

— É o que penso.

SÓCRATES:

— O princípio que as inibe de beber se origina da razão? Aquele que o impele e lhe governa a alma é provocado por disposições doentias?

GLAUCO:

— Evidentemente.

SÓCRATES:

— Com razão, pois, não estaremos equivocados ao considerar que se trata de dois elementos diferentes entre si e ao denominar aquele pelo qual a alma raciocina seu elemento racional e aquele por causa do qual ela ama, tem fome, tem sede e se atira com ímpeto a todos os outros desejos o seu elemento irracional, que desperta a concupiscência, amigo de certas satisfações e de certos prazeres.

GLAUCO:

— Não estaremos equivocados ao pensar assim.

SÓCRATES:

— Admitamos então que distinguimos estes dois elementos na alma; mas a cólera, com o concurso da qual nos indignamos, constitui um terceiro elemento ou é da mesma natureza que um dos outros dois, e de qual deles?

GLAUCO:

— Creio que da mesma natureza que o segundo, o que desperta a concupiscência.

SÓCRATES:

— Também creio, porque ouvi contar que Leôncios, filho de Aglaion, ao voltar um dia do Pireu, seguia pela parte exterior da muralha setentrional quando viu cadáveres estendidos perto do carrasco; ao mesmo tempo que um grande

PLATÃO

desejo de observá-los, sentiu repugnância e afastou-se; durante alguns instantes lutou consigo e escondeu o rosto com as mãos; mas, por fim, dominado pelo desejo, arregalou os olhos e, correndo na direção dos cadáveres, gritou: "Aí tendes, maus gênios, fartai-vos deste belo espetáculo!"

GLAUCO:

— Eu também ouvi contar isso.

SÓCRATES:

— Esta história mostra que às vezes a cólera luta contra os desejos e, por isso, diferencia-se deles.

GLAUCO:

— Sim, é verdade.

SÓCRATES:

— Observamos também, em muitas outras ocasiões, que quando um homem é arrastado à força pelos desejos, apesar da razão, se revolta contra o que lhe faz violência e que, nesta batalha entre dois princípios, a cólera coloca-se como aliada ao lado da razão. Mas para os apaixonados ou espirituosos se entregam aos desejos quando a razão decide que ela não deve se opor, eu acredito que você nunca observou isso ocorrendo em si mesmo, como eu deveria imaginar, em qualquer outra pessoa?

GLAUCO:

— Certamente que não!

SÓCRATES:

— Mas quando um homem admite estar errado, não é menos capaz, quanto mais nobre for, de se exaltar, suportando a fome, o frio ou qualquer outro desconforto, contra aquele que, conforme acredita, o faz sofrer justamente? Por outras palavras, não se recusa a descarregar a sua cólera sobre aquele que o trata assim?

GLAUCO:

— É a pura verdade.

SÓCRATES:

— Quando, porém, se julga vítima de uma injustiça, não é então que se inflama, se irrita, combate do lado que lhe parece justo — mesmo que sofra fome, frio e todas as provações do gênero — e, firme em suas convicções, triunfa, sem se desviar desses sentimentos generosos antes de ter realizado o seu propósito, até que se vingu,e ou sucumba, ou que, à maneira do pastor que acalma seu cão, a razão o acalme e sossegue?

GLAUCO:

— Essa comparação é inteiramente exata. Por isso é que decidimos que na nossa cidade os guerreiros ficariam sujeitos aos magistrados como os cães aos seus pastores.

SÓCRATES:

— Compreende perfeitamente o que quero dizer; mas lhe peço que faça ainda outra reflexão.

A REPÚBLICA

GLAUCO:

— Qual?

SÓCRATES:

— E que, ao contrário do que pensávamos há pouco, a cólera nos aparece agora bem diferente. Efetivamente, há pouco pensávamos que ela se ligava a um elemento que gera a concupiscência, ao passo que agora afirmamos que quando uma sedição se ergue na alma, é a cólera que pega em armas a favor da razão.

GLAUCO:

— Com certeza.

SÓCRATES:

— É, porém, diferente da razão ou de uma das suas formas, de modo que não haveria três elementos na alma, mas apenas dois: o racional e o concupiscível? Ou então, assim como três classes compunham a cidade — mercadores, guerreiros e magistrados —, assim também, na alma, o impulso irascível constitui um terceiro elemento, aliado natural da razão, a menos que uma má educação o tenha corrompido?

GLAUCO:

— Existe necessariamente um terceiro elemento.

SÓCRATES:

— Sim, sem dúvida, que se revela distinto do elemento racional, como se revelou distinto do concupiscente

GLAUCO:

— Isso não é difícil de reconhecer. Com efeito, pode-se observá-lo nas crianças: desde o nascimento estão sujeitas à cólera, mas algumas parece que nunca recebem a razão e a maioria recebe tarde.

SÓCRATES:

— Por Zeus, você falou muito bem! Isso se comprova também pelo que se constata nos animais. Além disso, há um testemunho de Homero que já recordamos: "Batendo no peito, repreendeu seu coração." Nesse verso, o poeta representou, de fato, com clareza dois princípios diversos, um censurando o outro. A razão que reflete sobre o melhor e o pior e a censura a ira irracional que é repreendida por ela.

GLAUCO:

— Muito bem dito.

SÓCRATES:

— Chegamos finalmente, por meio de muitas dificuldades, a praticamente estabelecer que na alma de todo homem subsistem as mesmas partes que compõem um Estado, dispostas na mesma hierarquia.

GLAUCO:

— Sim.

PLATÃO

SÓCRATES:

— Não é inevitável que o indivíduo seja sábio como o Estado e pela mesma razão?

GLAUCO:

— Por certo.

SÓCRATES:

— E que, se o indivíduo é corajoso, também o Estado o seja pela mesma razão e da mesma maneira e ainda que em cada virtude o indivíduo e o Estado procedam do mesmo modo concorda?

GLAUCO:

— Sim.

SÓCRATES:

— Então, amigo Glauco, afirmaremos que a justiça tem no indivíduo o mesmo caráter que na cidade

GLAUCO:

— Concordo também com isso.

SÓCRATES:

— Não nos esquecemos, contudo, de sublinhar que o Estado é justo porque cada uma das três classes que o compõem cumpre sua própria função.

GLAUCO:

— Não me parece que o tenhamos esquecido.

SÓCRATES:

— Torna-se necessário, pois, relembrar que também cada um de nós será justo e exercerá a própria função quando cada uma de nossas faculdades exercer a própria função.

GLAUCO:

— Sim, precisamos nos lembrar disso.

SÓCRATES:

— Portanto, não compete à razão mandar, por ser sábia e possuir a responsabilidade de velar pela alma, e à cólera obedecer à razão e defendê-la?

GLAUCO:

— Sim, com certeza.

SÓCRATES:

— Mas não é, como afirmamos, um misto de música e ginástica que conciliará estas partes, fortificando e alimentando uma delas com belos discursos e com os conhecimentos científicos, acalmando, abrandando a outra pela harmonia e pelo ritmo?

GLAUCO:

— Sem dúvida.

SÓCRATES:

— É estas duas partes assim educadas, realmente adestradas e instruídas para desempenhar o seu papel, dominarão e conterão o elemento concupiscen-

A REPÚBLICA

te, que ocupa o maior espaço na alma e que, por natureza, é insaciável; irão vigiá-lo para evitar que, saciando-se dos prazeres do corpo, se desenvolva, revigore e, em vez de se ocupar da sua tarefa, busque subjugá-los e dominá-los — o que não convém a um elemento da sua espécie — e subverta toda a vida da alma.

GLAUCO:

— Com toda a certeza.

SÓCRATES:

— E nos defenderão melhor dos inimigos externos, com toda a alma e todo o corpo, a primeira decidindo, o segundo lutando sob as ordens da primeira e executando corajosamente os projetos elaborados por esta.

GLAUCO:

— Perfeitamente.

SÓCRATES:

— Denominamos corajoso, pois, um homem levando em consideração o lado irascível de sua alma, quando esta parte salvaguarda, através de sofrimentos e prazeres, as deliberações a respeito do que se deve ou não recear.

GLAUCO:

— É verdade.

SÓCRATES:

— E por nós denominado sábio levando em consideração essa pequena parte dele mesmo que governa e enuncia estas deliberações, parte que possui também o conhecimento do que é proveitoso a cada um dos três elementos da alma e a todos em conjunto.

GLAUCO:

— Estou de acordo.

SÓCRATES:

— Mas nós não o denominamos moderado por causa da amizade e harmonia que existe entre o elemento que manda e os que lhe obedecem, quando estes últimos concordam em que a razão deve governar e não há revolta contra ela?

GLAUCO:

— Não há dúvida de que a moderação não é diferente na cidade e no indivíduo.

SÓCRATES:

— Portanto, o indivíduo será justo pelo motivo e da maneira que tantas vezes afirmamos.

GLAUCO:

— Necessariamente.

SÓCRATES:

— Mas será que a justiça se enfraqueceu a ponto de nos parecer diferente do que era na cidade?

GLAUCO:

— Não acredito.

PLATÃO

SÓCRATES:

— Se ainda subsistisse alguma dúvida em nossa alma, poderíamos suprimi-la totalmente comparando a nossa definição da justiça com as noções comuns.

GLAUCO:

— Quais?

SÓCRATES:

— Suponhamos que precisássemos decidir a respeito da nossa cidade e do homem que, por natureza e educação, é semelhante a ela, será possível acreditar que este homem, tendo recebido um depósito de ouro ou prata, o tenha desviado em proveito próprio? E você crê que alguém o julgaria mais capaz de semelhante ação do que aqueles que não lhe são semelhantes?

GLAUCO:

— Não creio.

SÓCRATES:

— Mas esse homem não será igualmente incapaz de cometer sacrilégio, furto e traição, tanto particularmente, em relação aos amigos, como publicamente, em relação à sua cidade?

GLAUCO:

— Será incapaz.

SÓCRATES:

— E, logicamente, de forma alguma faltará à sua palavra, quer se trate de juramentos, quer de outras promessas.

GLAUCO:

— Por certo.

SÓCRATES:

— E quanto ao adultério, ao desrespeito aos pais e à falta de piedade em relação aos deuses, combinam mais com os outros do que com ele?

GLAUCO:

— Mais aos outros, naturalmente.

SÓCRATES:

— E a causa de tudo isso não reside no fato de que cada elemento de sua alma desempenha a sua tarefa específica, tanto para mandar, quanto para obedecer?

GLAUCO:

— Não pode ser outra coisa.

SÓCRATES:

— E ainda te perguntas se a justiça é algo diferente do poder que produz homens e cidades assim?

GLAUCO:

— Certamente que não.

A REPÚBLICA

SÓCRATES:

— Aqui está, portanto, perfeitamente realizado o nosso sonho, a respeito do qual declarávamos ter dúvidas, a saber, que seria bastante provável que, logo que iniciássemos a fundação da cidade, nos depararíamos com determinado princípio e modelo da justiça.

GLAUCO:

— Assim é, de fato.

SÓCRATES:

— Portanto, meu amado Glauco, quando exigíamos que o sapateiro, o carpinteiro ou qualquer outro artesão exercesse bem seu ofício sem intrometer-se em outras atividades, estávamos estabelecendo sem querer uma imagem da justiça.

GLAUCO:

— Aparentemente.

SÓCRATES:

— Com efeito, a justiça se parece perfeitamente com esta imagem, com a única diferença de que ela não governa os assuntos externos do homem, mas apenas seus assuntos internos, seu ser verdadeiro, não deixando que nenhum dos elementos da alma exerça uma tarefa que não lhe é específica, nem que os outros elementos usurpem mutuamente suas respectivas funções. Ela pretende que o homem coloque em perfeita ordem os seus reais problemas domésticos, que assuma o comando de si mesmo, se discipline e conquiste a sua própria amizade; que institua um acordo perfeito entre os três elementos da sua alma, assim como entre os três tons extremos de uma harmonia — o mais agudo, o mais grave, o médio, e os intermédios, se os houver —, e que, ligando-os uns aos outros, se transforme, de múltiplo que era, em uno, moderado e harmonioso; que somente então se preocupe, se precisar se preocupar, em obter riquezas, em cuidar do corpo, em exercer sua atividade na política ou nos assuntos privados, e que em todas essas ocasiões considere justa e honesta a ação que salvaguarda e contribui para completar a ordem que implantou em si mesmo, e sábia a ciência que governa essa ação; que, ao contrário, considere injusta a ação que destrói essa ordem, e ignorante a opinião que governa esta última ação.

GLAUCO:

— Tudo isso é a mais pura verdade, meu caro Sócrates.

SÓCRATES:

— Que seja. Agora, se afirmássemos que descobrimos o que é o homem justo, a cidade justa, e em que consiste a justiça em um e na outra, creio que não nos enganaríamos em demasia.

GLAUCO:

— Por certo que não.

SÓCRATES:

— Vamos, então, afirmá-lo?

PLATÃO

GLAUCO:

— Sim.

SÓCRATES:

— Certo. Resta-nos, julgo eu, analisar a injustiça.

GLAUCO:

— Claro que sim.

SÓCRATES:

— Pode a injustiça ser outra coisa que não uma sublevação dos três elementos da alma, uma confusão, uma usurpação das suas respectivas tarefas, a revolta de uma parte contra o todo para conquistar uma autoridade à qual não tem direito, visto que a sua natureza a destina a obedecer àquela que foi gerada para governar? E daí, afirmamos nós, é dessa perturbação e dessa desordem que se origina a injustiça, a intemperança, a covardia, a ignorância, enfim, todos os vícios.

GLAUCO:

— Com toda a certeza.

SÓCRATES:

— E dado que conhecemos a natureza da injustiça e da justiça, já percebemos com clareza em que consistem a ação injusta e a ação justa.

GLAUCO:

— Como assim?

SÓCRATES:

— Porque elas não diferem das coisas sãs e das nocivas; o que estas significam para o corpo, elas significam para a alma.

GLAUCO:

— Em que sentido?

SÓCRATES:

— As coisas sãs engendram a saúde e as nocivas, a enfermidade.

GLAUCO:

— Assim é.

SÓCRATES:

— Da mesma forma, as ações justas não originam a justiça e as injustas, a injustiça?

GLAUCO:

— Sim.

SÓCRATES:

— Engendrar a saúde é estabelecer, conforme a natureza, as relações de comando e submissão entre os diferentes elementos do corpo; engendrar a doença é permitir-lhes comandar ou ser comandados um pelo outro ao arrepio da natureza.

GLAUCO:

— Isso está claro.

SÓCRATES:

— Pela mesma razão, engendrar a justiça não significa estabelecer, conforme a natureza, as relações de comando e submissão entre os diferentes elemen-

A REPÚBLICA

tos da alma? E engendrar a injustiça não significa permitir-lhes comandar ou ser comandados um pelo outro ao arrepio da natureza?

GLAUCO:

— Sem dúvida.

SÓCRATES:

— Consequentemente, a virtude significa, julgo eu, saúde, beleza, boa disposição de ânimo; e o vício, ao contrário, significa doença, feiura, fraqueza.

GLAUCO:

— Assim é.

SÓCRATES:

— Mas as boas ações não levam à virtude e as más, ao vício?

GLAUCO:

— Necessariamente.

SÓCRATES:

— Agora, só nos resta analisar se é conveniente agirmos com justiça, dedicarmo-nos ao que é honesto e justo, sejamos ou não reconhecidos como tais, ou praticarmos a injustiça e sermos injustos, mesmo que não sejamos castigados e o castigo não nos torne melhores.

GLAUCO:

— Mas, Sócrates, julgo essa análise ridícula. Se a vida parece insuportável quando acontece a ruína do corpo, mesmo com todos os prazeres da mesa, com toda a riqueza e todo o poder possíveis, com maior razão é quando o seu princípio é alterado e corrompido, mesmo que se tenha o poder de fazer tudo o que se quer, salvo evitar o vício e a injustiça e praticar a justiça e a virtude. Isto é, se as coisas forem exatamente da maneira como as descrevemos.

SÓCRATES:

— Esta análise seria de fato ridícula. No entanto, uma vez que alcançamos um ponto de onde podemos divisar com a maior clareza que é essa a verdade, não devemos desanimar.

GLAUCO:

— Não, por Zeus, jamais devemos desanimar!

SÓCRATES:

— Aproxima-te, pois, para descobrires sob quantas formas se apresenta o vício. Ao menos, aquelas que, em meu julgamento, merecem a nossa atenção.

GLAUCO:

— Estou a seguir-te, mostre-as.

SÓCRATES:

— Muito bem! Olhando as coisas do ponto de observação em que nos encontramos, pois foi aqui que a discussão nos trouxe, parece-me que existe uma única forma da virtude e que as formas do vício são numerosas, embora apenas quatro mereçam ser aqui analisadas.

PLATÃO

GLAUCO:
— Que queres dizer?
SÓCRATES:
— Que talvez existam tantas espécies de almas quantas forem as diversas formas de governo.
GLAUCO:
— E quantas são?
SÓCRATES:
— Cinco espécies de formas de governo e cinco espécies de almas.
GLAUCO:
— Indica-as, então.
SÓCRATES:
— A forma de governo que nós expusemos é uma delas, apesar de que seja possível designá-la por dois nomes. Pois, se entre os magistrados há um homem que se sobrepõe aos outros, chamamos esta forma de monarquia; se a autoridade é compartilhada por vários homens, chamamos de aristocracia.
GLAUCO:
— Exatamente.
SÓCRATES:
— Mesmo assim, afirmo que se trata de uma única espécie de constituição. Pois, quer o mando esteja nas mãos de um só homem, quer nas de vários, isto não altera as leis fundamentais da cidade, se estiverem vigorando os princípios de educação e de instrução que nós descrevemos.
GLAUCO:
— Totalmente coerente.

Livro Cinco

SÓCRATES:

— Considero tal forma de governo boa e correta, quer para o Estado, quer para o homem; e considero as outras más e transviadas — se aquela for correta —, quer tenham por objetivo o governo das cidades ou a organização do caráter no indivíduo. Estas constituições representam quatro espécies de vícios.

GLAUCO:

— Quais?

Eu ia apresentá-las pela ordem em que acredito que se formam, quando Polemarco, que se encontrava sentado atrás de Adimanto, agarrou este último pelo ombro, puxou-o pela túnica e, inclinando-se, falou-lhe em voz baixa algumas palavras das quais só foi possível ouvir o seguinte:

POLEMARCO:

— Vamos permitir que ele prossiga?

ADIMANTO:

— De jeito nenhum!

SÓCRATES:

— A quem você não quer permitir que prossiga?

ADIMANTO:

— Só pode ser você.

SÓCRATES:

— E por que motivo?

PLATÃO

ADIMANTO:

— Porque está parecendo que perde o ânimo, ocultando-nos uma parte importante do assunto, para não ser obrigado a estudá-la, e que imagina poder escapar dizendo levianamente que, a respeito das mulheres e das crianças, todos julgariam evidente que houvesse comunidade entre os amigos.

SÓCRATES:

— Por acaso eu não o disse, e com razão, Adimanto?

ADIMANTO:

— Sim, certamente. Mas essa razão, como todo o resto, necessita de explicações. Que caráter terá essa comunidade? Pois há muitas possíveis. É necessário esclarecer qual é aquela a que te queres referir. Faz muito tempo que aguardamos que nos fales acerca da procriação dos filhos — como se processará e como, após o nascimento, eles deverão ser educados — e que expliques sobre a comunidade das mulheres e das crianças a que te referes. Porque estamos convencidos de que a resolução que será tomada a esse respeito acarretará importantes consequências. Agora, que passa a examinar outra forma de governo sem nos ter esclarecido satisfatoriamente sobre estas questões, decidimos não o deixar prosseguir antes que tenhas explicado tudo isto, da mesma forma que procedeu com os outros assuntos.

GLAUCO:

— Eu também estou de acordo com eles.

TRASÍMACO:

— Como vê, Sócrates, é uma decisão unânime.

SÓCRATES:

— Que discussão pretende levantar novamente a respeito do governo? Considerava-me satisfeito por terminar e feliz por você estar satisfeito com o que eu disse há pouco. Ao levantar essas questões, desconhece que grande número de discussões incita! Eu percebi isso e o evitei há instantes, temendo que fosse causar grandes embaraços.

TRASÍMACO:

— Crê, então, que estes jovens vieram aqui para derreter ouro e não para discutir assuntos relevantes?

SÓCRATES:

— Certamente que para discutirem assuntos relevantes, mas de duração limitada.

GLAUCO:

— Para homens sensatos, tais discussões podem durar a vida inteira. Mas não se preocupes conosco nem se canses respondendo às nossas indagações, da forma que mais lhe aprouver, e de nos dizer que gênero de comunidade será estabelecido entre os nossos guardiães no que concerne às crianças e às mulheres, e que educação será ministrada à infância durante o período que vai do nascimento à educação propriamente dita, tarefa esta que a mim parece a mais difícil de todas. Procure nos mostrar como é necessário agir.

A REPÚBLICA

SÓCRATES:

— Eis aqui uma questão bastante difícil, meu bom Glauco. Pois este assunto comporta muito mais inverossimilhanças do que aquelas de que já tratamos. O nosso projeto será por todos considerado irrealizável; e, mesmo supondo-se que venha a se realizar tão perfeitamente quanto possível, continuarão a duvidar da sua superioridade. Por isso hesitei em abordá-lo, meu caro amigo, temendo que o que eu dissesse pudesse parecer uma vã aspiração.

GLAUCO:

— Não hesite. Pessoas que não são tolas, nem incrédulas, nem maldosas vão ouvi-lo.

SÓCRATES:

— O excelente amigo fala assim para me tranquilizar?

GLAUCO:

— Certamente.

SÓCRATES:

— Pois suas palavras me causam efeito diametralmente oposto! Se eu falasse com conhecimento de causa, o seu estímulo seria útil para mim. Abordar assuntos de tão grande importância é que nos preocupa. Diante de pessoas sensatas e amigas, só pode ser feito com segurança e confiança quando se conhece a verdade; mas falar quando não se possui tanta confiança, como acontece comigo neste instante, é assustador e perigoso, não porque possa causar o riso em você. Este temor seria infantil, mas porque, se eu me afastar da verdade, arrastarei os amigos na queda, induzindo-os a erro num caso da mais alta importância. Em minha opinião, aquele que mata alguém acidentalmente comete um crime menor do que aquele que induz alguém a erro a respeito de belas, boas e justas leis. Além do mais, é preferível correr esse risco entre inimigos do que entre amigos!

GLAUCO:

— Se viermos a sofrer algum prejuízo por causa da discussão, Sócrates, será por nós absolvido do crime e do engano de que formos vítimas! Por isso, arme-se de coragem e fale.

SÓCRATES:

— Não resta dúvida de que réu absolvido é inocente, nos termos da lei. É então natural que, se assim é em tal caso, também o seja neste.

GLAUCO:

— Exatamente por isso, fale.

SÓCRATES:

— Precisamos voltar atrás e dizer o que talvez eu devesse ter dito na ocasião apropriada. Contudo, seja conveniente que, depois de havermos determinado com precisão o papel dos homens, determinemos agora o das mulheres, principalmente por ser isto que deseja. Para homens por natureza

PLATÃO

e educação tais como desejamos, não existe, julgo eu, posse e uso legítimos dos filhos e das mulheres senão pelo caminho em que os orientamos no início. Pois, de certa maneira, procuramos fazer deles os guardiães de um rebanho.

GLAUCO:

— Concordo.

SÓCRATES:

— Prossigamos então com esta ideia. Vamos conceder regras específicas a respeito da procriação e da educação, e depois vejamos se o resultado foi satisfatório ou não.

GLAUCO:

— Como?

SÓCRATES:

— Da seguinte maneira: somos da opinião de que as fêmeas dos cães devem cooperar com os machos na atividade da guarda, da caça e em todo o resto, ou que devem permanecer no canil, incapazes de realizar outra coisa porque dão à luz e alimentam os filhotes, enquanto os machos trabalham e assumem toda a responsabilidade do rebanho?

GLAUCO:

— Somos da opinião de que devem fazer tudo em comum, com a ressalva de que, para as tarefas que deles esperamos, consideremos as fêmeas mais fracas e os machos mais fortes.

SÓCRATES:

— Mas é possível exigir de um animal os mesmos trabalhos exigidos de outro, se ele não tiver sido alimentado e criado da mesma forma?

GLAUCO:

— É impossível, naturalmente.

SÓCRATES:

— Logo, se exigimos das mulheres os mesmos serviços que dos homens, precisamos fornecer-lhes o mesmo tipo de educação.

GLAUCO:

— Com certeza.

SÓCRATES:

— Nós ensinamos música e ginástica aos homens.

GLAUCO:

— É verdade.

SÓCRATES:

— Consequentemente, deve-se ensinar estas duas artes às mulheres, e também o que concerne à guerra, e exigir-lhes os mesmos desempenhos.

GLAUCO:

— Isso é decorrência do que estás dizendo.

A REPÚBLICA

SÓCRATES:

— É possível, porém, que, no que diz respeito ao uso transmitido, várias dessas coisas pareçam ridículas, se passarmos da palavra à ação.

GLAUCO:

— Certamente.

SÓCRATES:

— E qual julga mais ridícula? Com certeza, é o fato de as mulheres se exercitarem nuas nos ginásios, junto com os homens, e não apenas as jovens, mas também as velhas, da mesma forma que esses velhos, enrugados e de aspecto pouco agradável, que continuam com seus exercícios de ginástica.

GLAUCO:

— Por Zeus! Seria por demais ridículo, ao menos de acordo com os nossos costumes!

SÓCRATES:

— No entanto, já que estamos discutindo isso, não devemos temer o riso dos gracejadores, que falam mal de tudo e todos, quando houver tal mudança no que concerne aos exercícios do corpo, à música e, principalmente, ao porte das armas e à equitação?

GLAUCO:

— Tem razão.

SÓCRATES:

— Já que entramos no assunto, precisamos avançar até as dificuldades que a lei apresenta, após termos pedido aos gracejadores que renunciem ao seu papel e sejam sérios e lhes termos lembrado que não está distante o tempo em que os gregos acreditavam, como ainda acredita a maioria dos bárbaros, que a visão de um homem nu é um espetáculo vergonhoso e ridículo; e que, quando os exercícios de ginástica foram praticados pela primeira vez pelos cretenses e depois pelos espartanos, os cidadãos de então tiveram a oportunidade de zombar de tudo isso. Não acha?

GLAUCO:

— Sim, acho.

SÓCRATES:

— Mas quando lhes pareceu que era mais conveniente estar nu do que vestido ao praticar todos esses exercícios, o que lhes parecia ridículo na nudez foi eliminado pela razão, que acabava de descobrir onde estava o melhor. E isso provou como é insensato aquele que julga ridícula outra coisa que não seja o mal, que tenta excitar o riso tomando para objeto das suas zombarias outro espetáculo que não seja a loucura e a perversidade ou que busque com seriedade um objetivo de beleza que seja diferente do bem.

GLAUCO:

— Nada mais certo.

PLATÃO

SÓCRATES:

— Mas não precisamos começar por reconhecer a possibilidade ou não do nosso projeto e permitir a quem quiser, homem zombeteiro ou sisudo, que ponha em discussão se, na raça humana, a fêmea é capaz de realizar todos os trabalhos do macho, ou nenhum, ou então alguns e não outros, e perguntar a qual destas classes pertencem as atividades da guerra? Um tão belo início não nos levaria à mais bela das conclusões?

GLAUCO:

— Evidentemente que sim.

SÓCRATES:

— Quer que sejamos nós a iniciar a discussão, a fim de não assediar uma fortaleza deserta?

GLAUCO:

— Nada nos impede.

SÓCRATES:

— Falemos, então, como falariam os nossos adversários: "Ó Sócrates e Glauco, não é necessário que outros vos façam objeções"; efetivamente, vós mesmos admitistes, ao lançardes os alicerces da vossa cidade, que cada um devia dedicar-se apenas à única tarefa adequada à sua natureza.

GLAUCO:

— Sim, admitimos.

SÓCRATES:

— É possível que o homem não seja tão diferente da mulher por natureza?

GLAUCO:

— Como não poderia ser tão diferente?

SÓCRATES:

— Portanto, é conveniente estipular, a cada um, uma tarefa diferente, de acordo com a sua natureza.

GLAUCO:

— Com certeza.

SÓCRATES:

— Então, não está agora enganado e não cairá em contradição ao afirmar que homens e mulheres devem desempenhar as mesmas tarefas, embora tenham naturezas bem diferentes? Poderá, meu grande amigo, responder alguma coisa a isto?

GLAUCO:

— Assim de repente, não é fácil; mas terei de te pedir que esclareça também o significado, qualquer que seja, da nossa tese.

SÓCRATES:

— Essas dificuldades, Glauco, e muitas outras semelhantes, eu as previ há muito tempo: era por isso que hesitava em abordar a lei a respeito da posse e da educação das mulheres e das crianças.

A REPÚBLICA

GLAUCO:

— Por Zeus! Não é coisa fácil!

SÓCRATES:

— Claro que não. Mas, na verdade, um homem pode cair numa piscina ou no mar, embora nem por isso deixe de nadar.

GLAUCO:

— Sem dúvida.

SÓCRATES:

— Nós também devemos nadar e tentar sair incólumes da discussão, fortalecidos pela esperança de que talvez encontremos um golfinho para nos carregar ou algum outro meio de salvação!

GLAUCO:

— Assim parece.

SÓCRATES:

— Vejamos então se encontramos uma saída. Concordamos em que uma diferença de natureza acarreta uma diferença de funções, e, também, que a natureza da mulher difere da do homem. E, agora, pretendemos que naturezas diferentes devem desempenhar as mesmas funções. Não é disto que nos acusam?

GLAUCO:

— Sim, é.

SÓCRATES:

— Na verdade, Glauco, a arte da controvérsia tem um maravilhoso poder!

GLAUCO:

— Por quê?

SÓCRATES:

— Porque muitas pessoas se deixam levar por ela e julgam raciocinar quando questionam. Isto por serem incapazes de analisar o seu tema nos seus diferentes aspectos: tiram-lhe contradições aparentes agarrando-se apenas às palavras e utilizam-se da contestação, e não da dialética.

GLAUCO:

— De fato, é como agem muitas pessoas. Será o nosso caso na presente questão?

SÓCRATES:

— Exatamente; corremos o risco de, sem o querer, termos sido levados pela argumentação.

GLAUCO:

— Como assim?

SÓCRATES:

— Insistimos em dizer que naturezas diferentes não devem ter os mesmos empregos, ao passo que de forma alguma analisamos de que espécie de natureza

PLATÃO

diferente e de natureza própria se trata, nem sob que relação as diferenciávamos quando atribuímos às naturezas diferentes funções diferentes e às naturezas próprias funções idênticas.

GLAUCO:

— Realmente, não analisamos.

SÓCRATES:

— Portanto, podemos indagar se a natureza dos calvos e a dos cabeludos são idênticas e, depois de termos concluído que são opostas, proibir os cabeludos de exercerem o ofício de sapateiro, no caso de os calvos o exercerem, e, reciprocamente, aplicar a mesma proibição aos calvos, se forem os cabeludos a exercê-lo.

GLAUCO:

— Isso seria ridículo!

SÓCRATES:

— Sim, mas seria ridículo por uma razão diferente: na exposição do nosso princípio, não pensávamos em naturezas absolutamente idênticas ou diferentes; não considerávamos a não ser essa forma de diferença ou de identidade que se refere aos empregos em si mesmos. Afirmávamos, por exemplo, que o médico e o homem com aptidão para a medicina possuem a mesma natureza, não é verdade?

GLAUCO:

— É verdade.

SÓCRATES:

— E que um médico e um carpinteiro possuem natureza diferente.

GLAUCO:

— Exato.

SÓCRATES:

— Logo, se chegarmos à conclusão de que os dois sexos diferem entre si quanto à sua aptidão para determinada função, diremos que se deve atribuir essa função a um ou a outro; porém, se a diferença consistir apenas no fato de ser a fêmea a parir e não o macho, não admitiremos por isso como demonstrado que a mulher difere do homem na relação que nos ocupa e continuaremos a pensar que os guerreiros e as suas mulheres devem exercer as mesmas atividades.

GLAUCO:

— E não estaremos equivocados.

SÓCRATES:

— Depois disso, pediremos ao nosso opositor que nos ensine qual é a atividade, relativamente ao serviço da cidade, para cujo exercício a natureza da mulher difere da do homem.

GLAUCO:

— Concordo com esse pedido.

SÓCRATES:

— É possível que nos digam, como você fez há pouco, que não é fácil responder imediatamente de modo satisfatório, mas que, depois de um exame, não é difícil.

A REPÚBLICA

GLAUCO:

— Sim, é possível.

SÓCRATES:

— Quer que peçamos ao nosso opositor que nos acompanhe, enquanto tentamos provar-lhe que não existe nenhum emprego exclusivo da mulher no que concerne à administração da cidade?

GLAUCO:

— Com certeza.

SÓCRATES:

— Então, perguntamos: quando declara que um homem é habilitado para uma coisa e outro inabilitado, quer dizer que o primeiro aprende facilmente e o segundo com dificuldade? Que um, depois de um breve estudo, leva as suas descobertas muito além do que aprendeu, enquanto o outro, com muito estudo e aplicação, nem ao menos salva o saber recebido? Que no primeiro, as disposições do corpo favorecem o espírito e no segundo o prejudicam? Existem outros sinais além destes que te permitam distinguir o homem habilitado para seja o que for daquele que não o é?

GLAUCO:

— Ninguém afirmará que existem outros.

SÓCRATES:

— Tem conhecimento de alguma atividade humana em que os homens não sobrepujem as mulheres? Estenderemos o nosso discurso mencionando a tecelagem, a confeitaria e a cozinha, trabalhos que parecem apropriados às mulheres e em que a inferioridade dos homens é altamente ridícula?

GLAUCO:

— Está certo ao afirmar que em tudo os homens sobrepujam as mulheres. No entanto, muitas mulheres são superiores a muitos homens, em muitas atividades. Porém, em geral, é como diz.

SÓCRATES:

— Consequentemente, meu amigo, não há nenhuma atividade ligada a administração da cidade que seja própria da mulher, enquanto as aptidões naturais estão igualmente distribuídas pelos dois sexos e é próprio da natureza que a mulher, assim como o homem, participe em todas as atividades, ainda que em todas seja mais fraca do que o homem.

GLAUCO:

— Perfeitamente.

SÓCRATES:

— Concederemos, então, todas as atividades aos homens e nenhuma às mulheres?

GLAUCO:

— Como fazer isso?

PLATÃO

SÓCRATES:
— Mas existem mulheres que têm uma disposição inata para a medicina ou para a música e outras que não têm.

GLAUCO:
— Com certeza.

SÓCRATES:
— E não existem as que possuem uma disposição inata para a ginástica e para a guerra e outras que não apreciam nem a guerra nem a ginástica?

GLAUCO:
— Creio que sim.

SÓCRATES:
— Muito bem! Não existem mulheres que amam e outras que odeiam a sabedoria? Não existem algumas que são ardorosas e outras sem ardor?

GLAUCO:
— Sim, existem.

SÓCRATES:
— Logo, existem mulheres que são aptas para a guerra e outras que não são. Ora, não escolhemos homens dessa natureza para tomá-los nossos guerreiros?

GLAUCO:
— Sim, escolhemos.

SÓCRATES:
— Portanto, a mulher e o homem possuem a mesma natureza no que concerne à sua aptidão para proteger a cidade, sem esquecer que a mulher é mais fraca e o homem mais forte.

GLAUCO:
— Assim parece.

SÓCRATES:
— Consequentemente, temos de escolher mulheres semelhantes aos nossos guerreiros, que viverão com eles e com eles protegerão a cidade, visto que são capazes disso e as suas naturezas são semelhantes.

GLAUCO:
— Não há dúvida.

SÓCRATES:
— Mas não se devem atribuir as mesmas atividades às mesmas naturezas?

GLAUCO:
— Sim.

SÓCRATES:
— Percebemos, então, que o caminho percorrido nos reconduz ao ponto de partida e concluímos que não é contrário à natureza sujeitar as mulheres dos nossos guerreiros à música e à ginástica.

A REPÚBLICA

GLAUCO:

— Perfeitamente.

SÓCRATES:

— Dessa maneira, a lei que estabelecemos não é nem impossível nem um desejo vão, visto que está de acordo com a natureza. Muito pelo contrário, são as normas atualmente estabelecidas que vão de encontro à natureza.

GLAUCO:

— É o que parece.

SÓCRATES:

— Mas não decidimos analisar se a nossa instituição era possível e desejável?

GLAUCO:

— Sim, decidimos.

SÓCRATES:

— Ora, concluímos que é possível.

GLAUCO:

— Concluímos.

SÓCRATES:

— Em seguida, precisamos nos convencer de que é desejável.

GLAUCO:

— Evidentemente.

SÓCRATES:

— A educação que formará as mulheres para o exercício da guerra não será diferente da que forma os homens, não é mesmo? Principalmente se seu objetivo for cultivar naturezas idênticas.

GLAUCO:

— Não será diferente.

SÓCRATES:

— Muito bem! Qual é a sua opinião sobre isto?

GLAUCO:

— Sobre o quê?

SÓCRATES:

— Admite que um homem possa ser melhor e outro pior ou considera-os todos iguais?

GLAUCO:

— De forma alguma os considero iguais.

SÓCRATES:

— E, no Estado que criamos, quais são, na sua opinião, os melhores: os guerreiros que receberam a educação por nós descrita ou os sapateiros que foram instruídos na arte do calçado?

GLAUCO:

— A tua pergunta é ridícula!

PLATÃO

SÓCRATES:

— Mas os guerreiros não formam a elite dos cidadãos?

GLAUCO:

— Formam.

SÓCRATES:

— E as guerreiras não serão a elite das mulheres?

GLAUCO:

— Sim, também.

SÓCRATES:

— E existe para um Estado coisa mais valiosa do que possuir os melhores homens e as melhores mulheres?

GLAUCO:

— Não.

SÓCRATES:

— Mas isso não será o resultado da música e da ginástica aplicadas da forma que estipulamos?

GLAUCO:

— Sem dúvida.

SÓCRATES:

— Isto significa que estabelecemos uma lei não apenas possível, mas também desejável.

GLAUCO:

— Sim.

SÓCRATES:

— Então, as mulheres dos nossos guerreiros abandonarão as suas roupas, pois a sua virtude as substituirão; participarão da guerra e de todas as atividades relacionadas com a defesa do Estado, sem se ocupar de outra coisa. No serviço, atribuiremos a elas apenas a parte mais leve, devido à fraqueza de seus músculos. E a respeito daqueles que zombam das mulheres nuas, quando estiverem treinando para um objetivo superior, não sabem do que zombam nem o que fazem. De fato, devemos sempre afirmar que o útil é belo e que só o nocivo é vergonhoso.

GLAUCO:

— Tem toda a razão.

SÓCRATES:

— Podemos afirmar que esta disposição da lei a respeito das mulheres é como uma onda a que acabamos de escapar a nado. E não só conseguimos não submergir ao decidirmos que os nossos guerreiros e as nossas guerreiras devem fazer tudo em comum, mas também o nosso discurso demonstra que isso é ao mesmo tempo possível e vantajoso.

GLAUCO:

— Realmente, não é pequena a onda da qual acaba de escapar!

A REPÚBLICA

SÓCRATES:
— Não a julgará grande quando vir a que vem em seguida.
GLAUCO:
— Mostre então.
SÓCRATES:
— Penso que a essa lei e às precedentes se segue esta.
GLAUCO:
— Qual?
SÓCRATES:
— Todas as mulheres dos nossos guerreiros pertencerão a todos: nenhuma delas habitará em particular com nenhum deles. Da mesma maneira, os filhos serão comuns e os pais não conhecerão os seus filhos nem estes os seus pais.
GLAUCO:
— Esta é uma coisa bem mais inverossímil que o resto e que dificilmente será considerada possível e vantajosa!
SÓCRATES:
— Não creio que se possa contestar, no que se refere à vantagem, que a comunidade das mulheres e dos filhos seja um bem enorme, se for realizável. Mas penso que, a respeito da sua exequibilidade, pode surgir profunda contestação.
GLAUCO:
— Um e outro aspecto podem muito bem ser contestados.
SÓCRATES:
— Estás querendo dizer que serei obrigado a enfrentar uma série de obstáculos. E eu que esperava evitar um, se você reconhecesse a vantagem, e ter de discutir apenas a possibilidade!
GLAUCO:
— Sim, mas não soube disfarçar a sua evasiva. Portanto, explica estes dois pontos.
SÓCRATES:
— Vejo que não há como fugir. Deixe que me despeça como esses preguiçosos que costumam se alimentar dos seus próprios pensamentos quando caminham sozinhos. Com efeito, esta espécie de pessoas não espera descobrir por quais meios obterão o que desejam: rejeitando esta preocupação, a fim de não se fatigarem a deliberar sobre o possível e o impossível. Supõem que possuem o que querem, arranjam o resto como lhes agrada e comprazem-se em enumerar tudo o que farão depois do êxito, tornando assim a sua alma, já sobremaneira preguiçosa, ainda mais preguiçosa. Muito bem! Também eu me rendo à preguiça e pretendo prorrogar para mais tarde a questão de saber como o meu projeto é exequível. Para o momento, julgo-o exequível e vou analisar, se me permite, as atitudes que tomarão os magistrados quando ele for aplicado e provar que nada

PLATÃO

será mais vantajoso do que a sua aplicação para a cidade e para os guerreiros. É isto o que tentarei analisar contigo, em primeiro lugar. Veremos em seguida a outra questão, se concordar.

GLAUCO:

— Claro que concordo. Comece.

SÓCRATES:

— Acredito que os magistrados e os seus auxiliares, se forem dignos de seus nomes, quererão, estes, fazer o que lhes for mandado, e aqueles, mandar, conformando-se às leis ou inspirando-se nelas nos casos que deixarmos à sua ponderação.

GLAUCO:

— É natural.

SÓCRATES:

— Logo, tu, o seu legislador, da mesma forma que escolheu os homens, escolherá as mulheres, reunindo tanto quanto possível as naturezas semelhantes. Ora, aquelas e aqueles que tiverem escolhido, tendo domicílio comum, tomando em comum as suas refeições e não possuindo nada de seu, estarão sempre juntos; e, encontrando-se misturados nos exercícios do ginásio e em tudo o que concerne ao resto da educação, serão levados por uma necessidade natural a formar uniões. Não julga isto necessário?

GLAUCO:

— Não uma necessidade geométrica, mas amorosa, que é mais forte do que a primeira para convencer e conduzir a massa dos homens.

SÓCRATES:

— Tem razão. Mas, Glauco, formar uniões ao acaso ou cometer erros do mesmo gênero seria uma impiedade num Estado feliz, e os líderes não a suportariam.

GLAUCO:

— Com certeza não seria justo.

SÓCRATES:

— E então é evidente que, depois disto, celebraremos casamentos tão sagrados quanto pudermos. E os mais sagrados serão os mais vantajosos.

GLAUCO:

— Sem dúvida.

SÓCRATES:

— Mas como serão os mais vantajosos, Glauco? Vejo na sua casa cães de caça e um grande número de nobres aves. Por Zeus! Prestou alguma atenção às suas uniões e à maneira como procriam?

GLAUCO:

— Que quer dizer?

SÓCRATES:

— Em primeiro lugar, entre esses animais, embora todos sejam de boa raça, não existem aqueles que são ou se tomam superiores aos outros?

A REPÚBLICA

GLAUCO:

— Existem.

SÓCRATES:

— Pretende ter filhotes de todos ou só lhe interessa ter dos melhores?

GLAUCO:

— Dos melhores.

SÓCRATES:

— Dos mais novos, dos mais velhos ou dos que estão na flor da idade?

GLAUCO:

— Dos que estão na flor da idade.

SÓCRATES:

— E não crê que, se a procriação não se realizasse dessa maneira, a raça dos teus cães e das suas aves degeneraria muito?

GLAUCO:

— É verdade.

SÓCRATES:

— Mas qual é a sua opinião sobre os cavalos e os outros animais? O que acontece com eles é diferente?

GLAUCO:

— Não. Pois seria absurdo.

SÓCRATES:

— Meu caro amigo! De que extraordinária superioridade deverão ser possuidores os nossos líderes, se o mesmo se passar em relação à raça humana!

GLAUCO:

— Sem dúvida que se passa o mesmo. Mas por que diz isso?

SÓCRATES:

— Porque eles necessitarão empregar uma grande quantidade de remédios. Ora, um médico medíocre parece-nos bastar quando a doença não exige remédios e é passível de ceder apenas com um simples regime. Ao contrário, quando exige remédios, sabemos que é necessário um médico mais capacitado.

GLAUCO:

— É verdade. Mas aonde pretendes chegar?

SÓCRATES:

— A isto: é possível que os nossos governantes se vejam obrigados a empregar largamente a mentira e o engano para o bem dos governados; e já afirmamos que tais práticas eram úteis sob a forma de remédios.

GLAUCO:

— E afirmamos uma coisa correta.

SÓCRATES:

— E essa coisa será muito mais correta no que se refere aos casamentos e à procriação dos filhos.

PLATÃO

GLAUCO:
— Como assim?
SÓCRATES:
— De acordo com os nossos princípios, é necessário tornar as relações muito frequentes entre os homens e as mulheres de elite, e, ao contrário, bastante raras entre os indivíduos inferiores de um e outro sexo. Além do mais, é necessário educar os filhos dos primeiros, e não os dos segundos, se quisermos que o rebanho atinja a mais elevada perfeição: e todas estas medidas deverão manter-se secretas, salvo para os magistrados, a fim de que, tanto quanto possível, a discórdia não se insinue entre os guerreiros.
GLAUCO:
— Muito bem.
SÓCRATES:
— Proporcionaremos festividades onde reuniremos noivos e noivas, com acompanhamento de sacrifícios e hinos, que os nossos poetas comporão em honra dos casamentos celebrados. A respeito do número de casamentos, deixaremos aos magistrados a incumbência de fixá-lo, de forma que mantenham o mesmo número de homers — tendo em conta as perdas causadas pela guerra, as doenças e outros acidentes — e que a população, na medida do possível, não aumente nem diminua.
GLAUCO:
— Está certo.
SÓCRATES:
— Organizaremos uma engenhosa modalidade de sorteio, para que os indivíduos medíocres que forem recusados acusem, a cada união, a sorte, e não os magistrados.
GLAUCO:
— Perfeitamente.
SÓCRATES:
— A respeito dos jovens que tiverem se distinguido na guerra ou em outra atividade, concederemos, além de outros privilégios e recompensas, uma maior liberdade de se unirem às mulheres, a fim de que a maioria das crianças possa ser gerada por eles.
GLAUCO:
— Tem razão.
SÓCRATES:
— As crianças, à medida que forem nascendo, serão entregues a pessoas encarregadas de cuidar delas, homens, mulheres ou homens e mulheres juntos, pois as responsabilidades são comuns aos dois sexos.
GLAUCO:
— Estou de acordo.

A REPÚBLICA

SÓCRATES:

— Estes encarregados levarão os filhos dos indivíduos de elite a um lar comum, onde serão confiados a amas que residem à parte, num bairro da cidade. Para os filhos dos indivíduos inferiores e mesmo os dos outros que tenham alguma deformidade, serão levados a paradeiro desconhecido e secreto.

GLAUCO:

— É um meio seguro de preservar a pureza da raça dos guerreiros.

SÓCRATES:

— Cuidarão também da alimentação das crianças, levarão as mães ao lar comum, na época em que os seus seios estiverem repletos de leite, e utilizarão todos os meios possíveis para que nenhuma delas reconheça a sua prole. Se as mães não chegarem para a amamentação, procurarão outras mulheres para esse ofício. Em todos os casos, cuidarão para que elas só amamentem durante certo período de tempo e encarregarão das vigílias e de todo o trabalho difícil as amas e as governantas.

GLAUCO:

— Torna a maternidade muito fácil às mulheres dos guerreiros.

SÓCRATES:

— É conveniente que o seja. Mas continuemos na exposição do nosso projeto. Afirmamos que a procriação dos filhos deveria ocorrer na flor da idade.

GLAUCO:

— É verdade.

SÓCRATES:

— Acha que a duração média da flor da idade é de vinte anos para as mulheres e trinta para os homens?

GLAUCO:

— Como estipula esse tempo para cada sexo?

SÓCRATES:

— A mulher parirá para o Estado dos vinte aos quarenta anos; o homem gerará até os cinquenta e cinco anos.

GLAUCO:

— Realmente, tanto para um como para outro, é o período de maior vigor do corpo e do espírito.

SÓCRATES:

— Se um cidadão, mais velho ou mais novo, se envolver na obra comum de procriação, nós o declararemos culpado de impiedade e injustiça, pois fornece ao Estado um filho cujo nascimento secreto não foi colocado sob a proteção das preces e sacrifícios que as sacerdotisas, os sacerdotes e toda a sociedade oferece-

PLATÃO

rão para cada casamento, a fim de que de homens bons nasçam filhos melhores, e de homens úteis, filhos ainda mais úteis; tal nascimento, ao contrário, será considerado fruto das trevas e da libertinagem.

GLAUCO:

— Está certo.

SÓCRATES:

— A mesma lei será aplicada àquele que, ainda na idade da formação, tocar numa mulher também nessa idade, sem que o magistrado os tenha unido. Declararemos que um homem assim introduz na cidade um bastardo cujo nascimento não foi nem autorizado, nem santificado.

GLAUCO:

— Muito bem.

SÓCRATES:

— Porém, quando para um e outro sexo houver passado a idade da procriação, deixaremos os homens livres de se ligarem a quem quiser, exceto filhas, mães, netas e avós. Igual liberdade terão as mulheres em relação aos homens. Concederemos esta liberdade após haver-lhes recomendado que tomem todas as precauções possíveis para que nenhum filho fruto dessas uniões veja a luz do dia, e, se houver algum que abra caminho à força para a vida, é de esperar que ninguém o crie.

GLAUCO:

— Suas palavras são ponderadas, mas como reconhecerão os seus pais, as suas filhas e os outros parentes?

SÓCRATES:

— Não os reconhecerão. Mas todos os filhos que nascerem do sétimo ao décimo mês, a partir do dia em que o guerreiro contrair matrimônio, serão chamados por ele, os do sexo masculino, de filhos, os do sexo feminino, de filhas, e eles o chamarão de pai; chamará netos aos filhos destes; e eles chamarão de avô a ele e aos seus companheiros de casamento, e chamarão de avós às suas companheiras. Por fim, todos os que tiverem nascido no tempo em que os seus pais e as suas mães forneciam filhos ao Estado, se tratarão de irmãos e irmãs, de maneira a evitar que, como já dissemos, contraiam uniões entre si. Contudo, a lei permitirá que irmãos e irmãs se unam se tal casamento for acertado pelo sorteio e aprovado pelo oráculo de Pítia.

GLAUCO:

— Corretíssimo.

SÓCRATES:

— Será assim, Glauco, a comunidade das mulheres e dos filhos entre os guerreiros. Que esta comunidade se harmonize com o resto da constituição e seja altamente desejável, eis o que o nosso discurso deve agora demonstrar, não é assim?

GLAUCO:

— Sim, por Zeus!

A REPÚBLICA

SÓCRATES:

— Ora, como ponto de partida do nosso acordo, não devemos perguntar a nós mesmos qual é, na organização de um Estado, o maior bem, aquele que o legislador deve visar ao elaborar as suas leis, e qual é também o maior mal? Em seguida, não se deve examinar se a comunidade que acabamos de descrever nos orienta para esse grande bem e nos afasta desse grande mal?

GLAUCO:

— Concordo plenamente.

GLAUCO:

SÓCRATES:

— Mas há maior mal para uma cidade do que aquele que a divide e a torna múltipla em vez de una? Há maior bem do que aquele que a une e toma una?

GLAUCO:

— Não.

SÓCRATES:

— Muito bem! A união de prazer e dor não é um bem na cidade, quando, na medida do possível, todos os cidadãos se alegram ou sofrem igualmente com os mesmos acontecimentos, felizes ou infelizes?

GLAUCO:

— Com toda a certeza.

SÓCRATES:

— E não é o egoísmo destes sentimentos que a divide, quando alguns se afligem e os outros se alegram, por ocasião dos mesmos acontecimentos públicos ou particulares?

GLAUCO:

— Sem dúvida.

SÓCRATES:

— E por qual razão ocorre isso, senão porque no Estado os habitantes não dizem ao mesmo tempo as palavras "isto é meu, isto não é meu" e assim por diante com relação aos bens de outrem?

GLAUCO:

— Sem sombra de dúvida.

SÓCRATES:

— Por conseguinte, a cidade onde a maioria dos cidadãos diz, no que concerne às mesmas coisas: isto me diz respeito, isto não me diz respeito, esta cidade está excelentemente organizada?

GLAUCO:

— Com certeza que sim.

PLATÃO

SÓCRATES:

— E aquele Estado que mais se assemelha a um indivíduo? Por exemplo, quando um dedo é esmagado, o conjunto todo de corpo e alma, reunido sob um único princípio, nota e em sua totalidade compartilha a dor do membro ferido. Por isso, dizemos que aquela pessoa sente dor num dedo. O mesmo discurso não é válido para qualquer outra parte do corpo humano, quando há sofrimento por causa de um membro e quando há alegria por sua cura?

GLAUCO:

— De fato, acontece a mesma coisa. E a imagem perfeita que buscavas do Estado bem governado.

SÓCRATES:

— Então, se a um cidadão acontecer um bem ou um mal qualquer, será principalmente uma cidade assim que experimentará como sendo seus os sentimentos que ele experimentar e ela, como um todo, compartilhará a sua alegria ou a sua tristeza.

GLAUCO:

— E assim que deve ser numa cidade bem administrada e com boas leis.

SÓCRATES:

— Agora, voltemos à nossa cidade e analisemos se as conclusões a que chegamos se aplicam especificamente a ela ou se se aplicam, de preferência, a outra cidade qualquer.

GLAUCO:

— Certo. É assim que devemos fazer.

SÓCRATES:

— Em outros Estados não existem magistrados e povo como na nossa?

GLAUCO:

— Existem.

SÓCRATES:

— E todos se tratam por cidadãos?

GLAUCO:

— Claro que sim.

SÓCRATES:

— Nas outras cidades, além de cidadãos, que nome em especial dá o povo a aqueles que o governam?

GLAUCO:

— A maioria os chama de senhores e, nos governos democráticos, arcontes.

SÓCRATES:

— E na nossa cidade? Que outros nomes, além de cidadãos, dará o povo aos líderes?

GLAUCO:

— Os de conservadores e de defensores da pátria.

SÓCRATES:

— Por seu lado, como estes últimos considerarão o povo?

A REPÚBLICA

GLAUCO:

— Como a quem lhes proporciona os salários e o sustento.

SÓCRATES:

— Mas, nas outras cidades, como os líderes tratam o povo?

GLAUCO:

— Como escravos.

SÓCRATES:

— E como se tratam entre si aqueles que governam?

GLAUCO:

— Como colegas na autoridade.

SÓCRATES:

— E no nosso Estado?

GLAUCO:

— Como salvadores e defensores.

SÓCRATES:

— Em outros Estados, os líderes tratam como amigo um de seus colegas e como estranho outro.

GLAUCO:

— Muitos agem dessa forma.

SÓCRATES:

— Logo, pensam e dizem que se preocupam com os interesses do amigo e não com os do estranho.

GLAUCO:

— É verdade.

SÓCRATES:

— E entre os seus guerreiros? Existe algum que possa pensar ou dizer de um dos seus colegas que lhe é estranho?

GLAUCO:

— De forma alguma, pois cada um verá nos outros um irmão ou uma irmã, um filho ou uma filha, ou qualquer outro parente na linha ascendente ou descendente.

SÓCRATES:

— Excelente. Agora, responde a isto: legislarás apenas para que eles troquem entre si nomes de parentesco ou para que todos os seus atos estejam de acordo com esses nomes, para que exprimam aos seus pais todos os deveres de respeito, solicitude e obediência que a lei prescreve em relação aos pais — sob pena de incorrer no ódio dos deuses e dos homens, se agirem de modo diferente? Com efeito, agir de modo diferente é cometer uma impiedade e uma injustiça. São estas máximas ou outras que todos os teus cidadãos ensinarão às crianças, falando-lhes dos seus pais, que lhes mostrarão, e dos outros parentes?

PLATÃO

GLAUCO:

— Serão essas. Seria ridículo que proferissem esses nomes de parentesco sem cumprir os deveres que eles implicam.

SÓCRATES:

— Assim, em nosso Estado, mais de que em todos os outros, os cidadãos proferirão em uníssono, quando acontecer algum bem ou mal a um deles, as nossas frases de há pouco: os meus negócios vão bem ou os meus negócios vão mal.

GLAUCO:

— Nada mais verdadeiro.

SÓCRATES:

— Mas não afirmamos que, em decorrência desta convicção e desta maneira de falar, haveria entre eles uma identidade de alegrias e de tristezas?

GLAUCO:

— Sim, e o afirmamos com acerto.

SÓCRATES:

— Os nossos cidadãos estarão unidos naquilo que considerarão o seu próprio interesse e, assim unidos, experimentarão alegrias e tristezas em perfeita comunhão.

GLAUCO:

— Isso mesmo.

SÓCRATES:

— A que atribuir efeitos tão admiráveis senão à constituição de nosso governo, especialmente, à comunidade das mulheres e dos filhos estabelecida entre os guerreiros?

GLAUCO:

— Não há dúvida.

SÓCRATES:

— Mas concluímos que essa comunhão de interesses representava o maior bem para o Estado, quando comparávamos um Estado sabiamente organizado ao corpo, na forma como esse se comporta em relação a uma de suas partes, no que concerne ao prazer e à dor.

GLAUCO:

— E concluímos acertadamente.

SÓCRATES:

— Portanto, está provado que a causa do maior bem que pode acontecer nos Estados é a comunidade das crianças e das mulheres dos guerreiros.

GLAUCO:

— Com certeza.

SÓCRATES:

— Convém acrescentar que estamos de acordo com o que estabelecemos anteriormente. Com efeito, dissemos que os nossos guerreiros não deviam pos-

A REPÚBLICA

suir nem casas, nem terras, nem qualquer outra propriedade, mas que deviam receber seu sustento dos outros cidadãos, vivendo vida comum, se quiserem ser guerreiros autênticos.

GLAUCO:

— Muito bem.

SÓCRATES:

— Então, não tenho razão para afirmar que as nossas disposições anteriores, juntamente com as que acabamos de tomar, farão deles guerreiros ainda mais autênticos e os impedirão de dividir a cidade, o que aconteceria se cada um não chamasse de suas as mesmas coisas, mas a coisas diferentes? Se, morando separadamente, levassem para as suas respectivas casas tudo aquilo de que pudessem garantir a posse exclusiva? E se, tendo mulher e filhos diferentes, imaginassem alegrias e tristezas pessoais — ao passo que, com uma crença idêntica a respeito do que lhes pertence, terão todos o mesmo objetivo e experimentarão, tanto quanto possível, as mesmas alegrias e as mesmas tristezas?

GLAUCO:

— É inegável.

SÓCRATES:

— Pois bem! Não desaparecerão processos e acusações em uma cidade onde cada um só terá de seu o próprio corpo e onde todo o resto será comum? Não decorre daqui que os nossos cidadãos estarão ao abrigo das discórdias causadas pela posse de riquezas, filhos e parentes?

GLAUCO:

— É obrigatório que estejam livres de todos esses males.

SÓCRATES:

— Além disso, nenhuma ação violenta será intentada entre eles, pois nós lhes diremos que é nobre e justo que iguais se defendam mutuamente e os convenceremos a velar pela sua segurança pessoal.

GLAUCO:

— Está certo.

SÓCRATES:

— Esta lei possui ainda esta vantagem: quando um cidadão se irritar com outro, se acalmar a sua cólera desta maneira, será menos propenso, em seguida, a agravar a contenda.

GLAUCO:

— Sem dúvida.

SÓCRATES:

— E daremos ao mais velho autoridade sobre os mais novos, com o direito de punir.

GLAUCO:

— Evidentemente.

PLATÃO

SÓCRATES:

— E os jovens não tentarão, sem autorização dos magistrados, usar de violência para com os mais velhos, nem feri-los; também não os ofenderão de qualquer outra maneira, pois dois guardas serão suficientes para os impedir: o medo e o respeito; o respeito, mostrando-lhes um pai na pessoa que querem ferir, o medo, fazendo-lhes compreender que os outros irão em socorro da vítima, estes como filhos, aqueles como irmãos ou pais.

GLAUCO:

— Não pode ser diferente.

SÓCRATES:

— Portanto, graças às nossas leis, os guerreiros desfrutarão entre si de uma paz perfeita.

GLAUCO:

— De uma grande paz, sem dúvida.

SÓCRATES:

— Porém, se viverem em concórdia, não é de temer que a discórdia se interponha entre eles e os outros cidadãos ou que divida estes últimos?

GLAUCO:

— Certamente que não.

SÓCRATES:

— Não vale a pena analisar os males menores de que estarão isentos: pobres, não terão necessidade de lisonjear os ricos; não conhecerão as dificuldades e os aborrecimentos de criar filhos, de juntar fortuna, e os que decorrem da obrigação de precisarem sustentar escravos; não necessitarão pedir emprestado, nem renegar as dívidas, nem conseguir dinheiro por todos os meios para darem às mulheres e servidores, confiando-lhes o cuidado da casa; enfim, meu amigo, ignorarão todos os males que se suportam nestes casos, males evidentes... sem nobreza e indignos de serem citados.

GLAUCO:

— De fato, evidentes até mesmo para um cego.

SÓCRATES:

— Ficarão livres de todas essas misérias e levarão uma vida mais feliz que a vida bem-aventurada dos campeões olímpicos.

GLAUCO:

— Como?

SÓCRATES:

— Os campeões olímpicos só desfrutam uma pequena parte da felicidade reservada aos nossos guerreiros. A vitória destes é mais bela e a sorte que o Estado lhes assegura, mais perfeita. A sua vitória é a salvação de toda a cidade

A REPÚBLICA

e, como laurel, recebem, eles e os seus filhos, o alimento e tudo que é necessário à existência; enquanto viverem, a cidade confere-lhes privilégios e, depois da morte terão uma sepultura digna deles.

GLAUCO:

— São belíssimas recompensas.

SÓCRATES:

— Lembras-te de que alguém nos censurou há pouco por desprezarmos a felicidade dos nossos guerreiros, os quais, podendo possuir todos os bens dos outros cidadãos, não possuíam nada de seu? Respondemos, penso eu, que voltaremos a analisar essa censura, se surgir a oportunidade; que, de momento, pretendemos formar guerreiros autênticos, tornar a cidade tão feliz quanto possível e não proporcionar a felicidade a apenas uma das classes que a compõem.

GLAUCO:

— Lembro-me disso.

SÓCRATES:

— Agora, que a vida dos guerreiros nos parece mais agradável e melhor do que a dos campeões olímpicos, poderemos considerá-la, sob qualquer aspecto, comparável à vida dos sapateiros, dos outros artesãos ou dos agricultores?

GLAUCO:

— Creio que não.

SÓCRATES:

— Convém repetir aqui o que então dizia: se algum de nossos tutores buscar uma felicidade que faça dela algo diferente de um guerreiro; se uma condição modesta porém estável, e que é, julgamos nós, a melhor, não lhe bastar; se uma opinião louca e infantil o levar, por dispor do poder, a apoderar-se de tudo na cidade, saberá quanta verdadeira sabedoria demonstrou Hesíodo ao dizer que a metade é mais que o todo.

GLAUCO:

— Se quiser crer em mim, manter-se-á na sua condição.

SÓCRATES:

— Então aprovas que haja um modo de vida comum entre mulheres e homens, tal como a propusemos, no que concerne à educação, aos filhos e à proteção dos outros cidadãos? Admites que as mulheres, quer fiquem na cidade, quer partam para a guerra, devem entrar de guarda com os homens, caçar com eles, como fazem as fêmeas dos cães, e unir-se tão completamente quanto possível a todos os seus trabalhos; que assim agirão de acordo e não contrariamente à natureza das relações entre fêmea e macho, na medida em que são feitos para viverem em comum?

GLAUCO:

— Admito.

PLATÃO

SÓCRATES:

— Só falta analisar se é possível estabelecer na raça humana a comunidade que existe nas outras raças e como é isso possível.

GLAUCO:

— Adiantaste-te, pois eu ia falar-te disso.

SÓCRATES:

— A respeito da guerra, penso que é bem evidente como a farão.

GLAUCO:

— Como?

SÓCRATES:

— É claro que farão guerra juntos e levarão com eles qualquer um de seus filhos que sejam fortes o suficiente, para que estes, como os filhos dos artesãos, vejam o que necessitarão fazer quando atingirem a idade adulta; além disso, a fim de que possam fornecer ajuda e serviço em tudo o que se refere à guerra e prestar assistência aos pais e às mães. Não notaste o que se faz nos ofícios e, por exemplo, quanto tempo os filhos de oleiros passam a ajudar e a observar os seus pais, antes de se pôr à obra?

GLAUCO:

— É claro que notei.

SÓCRATES:

— Os artesãos devem ter mais cuidado que os guerreiros na formação dos seus filhos pela experiência e tendo em vista o que convém fazer?

GLAUCO:

— Seria ridículo!

SÓCRATES:

— Por outro lado, todo animal luta mais corajosamente na presença da sua prole.

GLAUCO:

— Sim, mas existe o risco, Sócrates, de que, sofrendo um desses reveses que são frequentes na guerra, pereçam eles e os seus filhos, e o resto da cidade não possa recuperar-se de semelhante perda.

SÓCRATES:

— Tens razão. Mas achas que o nosso primeiro dever seja jamais expô-los ao perigo?

GLAUCO:

— De jeito nenhum.

SÓCRATES:

— Muito bem! Se precisam enfrentar o perigo, não é no caso em que o sucesso possa torná-los melhores?

GLAUCO:

— Sim, evidentemente.

SÓCRATES:

— Crês que importa pouco que crianças destinadas a tornar-se guerreiros vejam ou não vejam o espetáculo da guerra e que o resultado não valha o risco?

A REPÚBLICA

GLAUCO:
— Não. Ao contrário, isso interessa no aspecto que referiste.

SÓCRATES:
— Agiremos então de forma que as crianças sejam espectadoras dos combates, velando pela sua segurança, e tudo dará certo, não é assim?

GLAUCO:
— Sim.

SÓCRATES:
— Em primeiro lugar, os seus pais não ignorarão quais são as expedições perigosas e quais não são.

GLAUCO:
— Logicamente.

SÓCRATES:
— Por conseguinte, farão com que os filhos participem das primeiras, mas evitarão que participem das segundas.

GLAUCO:
— Correto.

SÓCRATES:
— E não lhes darão por líderes os cidadãos mais medíocres, mas aqueles que a experiência e a idade tornam capazes de orientar e governar crianças.

GLAUCO:
— Sim, é o que convém.

SÓCRATES:
— Contudo, muitas vezes acontecem acidentes imprevistos.

GLAUCO:
— Naturalmente.

SÓCRATES:
— Considerando tais eventualidades, meu amigo, é necessário dar desde muito cedo asas às crianças, para que possam, se for preciso, salvar-se voando.

GLAUCO:
— Que queres dizer?

SÓCRATES:
— Que é necessário ensiná-las a cavalgar o mais cedo possível e, bem treinadas, fazê-las participar do combate como espectadoras, não montadas em cavalos fogosos, mas em cavalos ligeiros no galope e dóceis ao freio. Desta forma, verão perfeitamente o que terão de fazer um dia e, se o perigo se tomar grande, salvar-se-ão com toda a segurança.

GLAUCO:
— Julgo que tem.

SÓCRATES:
— E o que dizer a respeito da guerra? Como irão se comportar os teus soldados entre si mesmos e em relação ao inimigo? Achas que a minha opinião sobre isto está certa ou não?

PLATÃO

GLAUCO:

— Explique-se.

SÓCRATES:

— O soldado que abandonar o seu posto, depuser as armas ou cometer qualquer ação semelhante por covardia não deve ser relegado para a classe dos artesãos ou dos lavradores?

GLAUCO:

— Evidentemente.

SÓCRATES:

— E aquele que for aprisionado pelo inimigo não o deixaremos como presente aos que o tiverem aprisionado, para que façam da sua presa o que quiserem?

GLAUCO:

— Assim será.

SÓCRATES:

— E aquele que se distinguir pela sua excelente conduta, não convém que no campo de batalha os jovens e as crianças que acompanharam a experiência o coroem, cada um por sua vez? Não tens esta opinião?

GLAUCO:

— Sim, tenho.

SÓCRATES:

— E que lhe apertem a mão?

GLAUCO:

— Também sou dessa opinião.

SÓCRATES:

— Mas creio que isto você não aprova.

GLAUCO:

— O quê?

SÓCRATES:

— Que cada um deles o beije e seja por ele beijado.

GLAUCO:

— Aprovo isso mais do que qualquer outra coisa. E acrescento ainda que, enquanto durar a expedição, não será permitido a nenhum daqueles que ele quiser beijar recusar-se, a fim de que o guerreiro que ama alguém, homem ou mulher, lute mais ardentemente por alcançar o prêmio da sua coragem.

SÓCRATES:

— Concordo. Aliás, já dissemos que reservaríamos aos cidadãos de elite uniões mais numerosas que aos outros e que, a respeito dos casamentos, a escolha cairia mais frequentemente sobre eles do que sobre os outros, a fim de que a sua raça se multiplique tanto quanto possível.

A REPÚBLICA

GLAUCO:

— Com efeito, dissemos.

SÓCRATES:

— De acordo com Homero, também é justo honrar jovens que se destacam por favores desta natureza. Com efeito, Homero relata que, tendo-se Ajax distinguido num combate, o honraram servindo-lhe o lombo inteiro de um boi, querendo dizer com isto que tal recompensa convinha perfeitamente a um guerreiro jovem e valoroso, sendo, ao mesmo tempo, para ele uma distinção e uma maneira de aumentar as suas forças.

GLAUCO:

— Muito bem.

SÓCRATES:

— Neste ponto, então, seguiremos a autoridade de Homero: nos sacrifícios e em todas as solenidades semelhantes, honraremos os bravos, conforme o seu mérito, não só por meio de hinos e das distinções de que acabamos de citar, mas também com lugares de honra à mesa, carnes e taças cheias.

GLAUCO:

— Estou de pleno acordo.

SÓCRATES:

— A respeito dos guerreiros mortos em combate, não diremos daquele que tiver tido um fim glorioso que pertence à raça de ouro?

GLAUCO:

— Com toda a certeza que diremos.

SÓCRATES:

— Não creremos também, como disse Hesíodo, que, depois da morte, os homens desta raça se tornam gênios puros e bons, que habitam sobre a Terra, que preservam do mal e guardam os mortais?

GLAUCO:

— Sim, creremos.

SÓCRATES:

— Consultaremos o deus a respeito da sepultura que se deve dar a esses homens maravilhosos e divinos e das honrarias que lhes são devidas, e depois realizaremos as exéquias da maneira que nos for indicado.

GLAUCO:

— Com certeza.

SÓCRATES:

— E os seus túmulos serão objeto do nosso culto e da nossa veneração. Prestaremos as mesmas honras aos que morreram de velhice, ou de qualquer outra forma, em quem tivermos reconhecido, durante a vida, um mérito extraordinário.

PLATÃO

GLAUCO:
— Muito justo.

SÓCRATES:
— E de que maneira se comportarão os nossos soldados em relação ao inimigo?

GLAUCO:
— Em que sentido?

SÓCRATES:
— Em primeiro lugar, no que concerne à escravatura. Julgas justo que cidades gregas escravizem gregos ou devem proibir as outras, dentro do possível, e que os gregos se acostumem a poupar a raça grega, com medo de cair na servidão dos bárbaros?

GLAUCO:
— O importante é que os gregos se sirvam disso com ponderação.

SÓCRATES:
— É importante, então, que não possuam escravos gregos e aconselhem os outros gregos a seguir o seu exemplo.

GLAUCO:
— Perfeitamente. Assim, dirigirão melhor as suas forças contra os bárbaros e evitarão dirigir contra si próprios.

SÓCRATES:
— Quer dizer que tirar dos mortos outros despojos além das armas, depois da vitória, será comportar-se com moderação? Isso não proporciona aos covardes o pretexto, a fim de não participar dos combates mais acirrados, de realizar uma tarefa necessária ficando debruçados sobre os cadáveres? A prática de rapinas deste tipo já não causou a ruína de muitos exércitos?

GLAUCO:
— É verdade.

SÓCRATES:
— Não há baixeza e cobiça em despojar um cadáver? Não é indício de um espírito covarde e mesquinho tratar como inimigo o corpo de um inimigo, quando este está morto e desapareceu, deixando somente o instrumento de que se servia para combater? Julgas que o comportamento dos que agem assim difere do das cadelas, que mordem a pedra que lhes atiram e não fazem nenhum mal a quem a atirou?

GLAUCO:
— Não difere em nada.

SÓCRATES:
— Portanto, é necessário deixar de despojar os cadáveres e evitar que o inimigo os leve.

GLAUCO:
— Sim, por Zeus, é necessário!

SÓCRATES:
— Também não levaremos aos templos, para que sejam consagradas aos deuses, as armas dos vencidos, principalmente as dos gregos, por pouco ciosos

A REPÚBLICA

que sejamos da condescendência dos nossos compatriotas. Antes recearemos macular os templos levando para aí os despojos dos nossos parentes, a não ser que o deus o exija.

GLAUCO:

— Muito bem.

SÓCRATES:

— Analisemos agora a destruição do território grego e o incêndio das moradias. Como se comportarão os teus soldados em relação ao inimigo?

GLAUCO:

— Gostaria de ouvir a tua opinião a esse respeito.

SÓCRATES:

— Penso que não se deve nem destruir nem incendiar, mas apropriar-se apenas da colheita do ano.

— Quer saber por que motivo?

GLAUCO:

— Quero.

SÓCRATES:

— Guerra e discórdia são dois nomes diferentes e designam duas coisas realmente diferentes e aplicam-se às divisões que se verificam em dois objetos. Eu afirmo que o primeiro desses objetos é o que pertence à família ou está ligado a ela e o segundo, o que pertence a outrem ou é estranho à família. Assim, o nome de discórdia aplica-se à inimizade entre parentes e o de guerra, à inimizade entre estranhos.

GLAUCO:

— Corretíssimo.

SÓCRATES:

— Vê se o que digo agora o está também: afirmo que os gregos pertencem a uma mesma família e são parentes entre si e que os bárbaros pertencem a uma família diferente e estranha.

GLAUCO:

— Está certo.

SÓCRATES:

— Portanto, quando os gregos lutam contra os bárbaros e os bárbaros contra os gregos, diremos que se guerreiam, que são inimigos naturais, e denominaremos guerra a sua inimizade. Mas quando os gregos combatem contra gregos, diríamos que por natureza são amigos e que, em tal circunstância, a Grécia está doente, em estado de sedição, e esta inimizade deveria ser definida como discórdia.

GLAUCO:

— Estou totalmente de acordo.

SÓCRATES:

— Considera o que acontece quando ocorre uma dessas perturbações e divide uma cidade: se os cidadãos de uma das partes devastam os campos e

PLATÃO

queimam as casas dos cidadãos de outro grupo oposto, diz-se que a discórdia é funesta e que nem uns nem outros amam a sua pátria, pois, se a amassem, não ousariam destruir assim a sua nutriz e mãe. Ao contrário, considera-se admissível que os vencedores levem somente as colheitas dos vencidos, na esperança de que se reconciliarão um dia com eles e não continuarão fazendo-lhes a guerra.

GLAUCO:

— Essa esperança demonstra um grau de civilização mais elevado do que a ideia contrária.

SÓCRATES:

— Muito bem! Não é um Estado grego que quer fundar?

GLAUCO:

— Sim, deve ser grego.

SÓCRATES:

— Como consequência, os seus cidadãos serão bons e civilizados?

GLAUCO:

— No mais alto grau.

SÓCRATES:

— Eles amarão os gregos? Defenderão a Grécia como a sua pátria? Assistirão a solenidades religiosas comuns?

GLAUCO:

— Sem dúvida.

SÓCRATES:

— Então, considerarão os seus contenciosos com os gregos uma discórdia entre parentes e não lhes darão o nome de guerra.

GLAUCO:

— Perfeitamente.

SÓCRATES:

— E nesses contenciosos comportar-se-ão como devendo reconciliar-se um dia com os seus adversários.

GLAUCO:

— Com toda a certeza.

SÓCRATES:

— Chamarão brandamente à razão e não lhes infligirão, como castigo, a escravatura e a destruição, sendo amigos que corrigem, e não inimigos.

GLAUCO:

— Concordo.

SÓCRATES:

— Sendo gregos, não devastarão a Grécia e não queimarão as moradias; não considerarão adversários todos os habitantes de uma cidade, homens, mulheres e crianças, mas apenas o pequeno número daqueles que são responsáveis

A REPÚBLICA

pelo contencioso; por conseguinte, e dado que a maioria dos cidadãos são seus amigos, se recusarão a devastar as suas terras e a seus lares. Só prolongarão o contencioso até o momento em que os culpados tiverem sido obrigados, pelos inocentes que sofrem, a receber o castigo merecido.

GLAUCO:

— Concordo contigo que os nossos cidadãos devem comportar-se dessa maneira em relação aos seus adversários e tratar os bárbaros como os gregos se tratam agora entre si.

SÓCRATES:

— Façamos então também uma lei que proíba os guerreiros de devastarem as terras e incendiarem as casas.

GLAUCO:

— Correto, e com certeza dará bons resultados, como as anteriores. Porém, parece-me, amigo Sócrates, que se o deixarmos continuar, nunca mais te lembrará do assunto que destacou para entrar em todas essas considerações, isto é, se semelhante governo é possível e como é possível. Que, se ele for instituído, proporcionará todos esses bens, eu concordo, e citarei inclusive outras vantagens que omite: os cidadãos lutarão tanto mais valorosamente contra o inimigo na medida em que jamais desertarão uns aos outros, conhecendo-se como irmãos, pais e filhos e chamando-se por esses nomes. E, se as suas mulheres combaterem com eles, seja nas mesmas fileiras, seja colocadas na retaguarda, para assustarem o inimigo e prestarem auxílio em caso de necessidade, sei que então serão invencíveis. Vejo também os bens de que desfrutarão e que não mencionou. Porém, estou de acordo com você em que terão todas essas vantagens e muitas outras, se esse governo for instituído, deixa de me falar dele. Procuremos antes convencer-nos de que tal cidade é possível, de que maneira é possível, e deixemos de lado todas as outras questões.

SÓCRATES:

— Que impetuosa investida faz contra o meu discurso, sem me dar tempo para respirar! Talvez não saiba que, no instante em que acabo, a muito custo, de escapar a duas ondas, ergue outra, a mais alta e a mais terrível das três. Quando a tiver visto e ouvido, com certeza irá me desculpar por ter, não sem razão, hesitado e receado enunciar e tentar analisar uma proposta tão paradoxal.

GLAUCO:

— Quanto mais falar dessa maneira, menos o dispensaremos de dizer como pode ser realizado semelhante governo. Portanto, explique sem mais delongas.

SÓCRATES:

— Em primeiro lugar, cumpre relembrar que chegamos até aqui no decorrer da investigação sobre a justiça e a injustiça.

GLAUCO:

— Perfeitamente. Mas que tem isso a ver com a questão do momento?

PLATÃO

SÓCRATES:

— Nada. Mas se descobrirmos a essência da justiça, haveríamos de exigir também que o homem justo não se desvie dela em nada e esteja em plena conformidade com a mesma? Ou não nos bastaria contentar-nos que se aproxime dela o mais que possa e seja mais justo que os demais homens?

GLAUCO:

— Sim, isso haveria de bastar.

SÓCRATES:

— Procurávamos entender o que fosse a justiça em si para ter um modelo, bem como se existiria o homem perfeitamente justo e qual seria, e assim também com relação à injustiça e ao homem perfeitamente injusto, a fim de assumi-los como referência e destarte compreender o que haveriam de ser com relação à felicidade e à infelicidade. Seríamos então levados a reconhecer, com relação a nós mesmos, que seríamos mais ou menos felizes, conforme fôssemos mais semelhantes a um que a outro modelo. Não tínhamos, porém, a intenção de demonstrar que isso era possível.

GLAUCO:

— Nisso você está com a razão.

SÓCRATES:

— Você acha que seja menos hábil aquele pintor que, depois de ter pintado o modelo do homem mais belo e que lhe tenha dado toques de perfeição, se mostre incapaz de demonstrar a possibilidade de que tal homem possa existir?

GLAUCO:

— Por Zeus, não!

SÓCRATES:

— E então? Também nós, por assim dizer, não elaboramos com nossas palavras um modelo de Estado bom?

GLAUCO:

— Por certo.

SÓCRATES:

— Você acha, por acaso, que nossas palavras tenham menos valor se não formos capazes de demonstrar que é possível tornar realidade esse Estado que descrevemos?

GLAUCO:

— Certamente que não.

SÓCRATES:

— Essa é, pois, a verdade. Se, no entanto, você quiser que eu demonstre sobretudo como e até que ponto isso seja possível, peço-lhe que me faça novamente as mesmas concessões.

GLAUCO:

— Quais?

A REPÚBLICA

SÓCRATES:

— É possível realizar uma coisa tal como se concebe ou é lógico que a realidade se aproxime da verdade menos que da palavra, apesar das aparências? Admite isso ou não?

GLAUCO:

— Admito.

SÓCRATES:

— Então, você não pode pretender que eu demonstre a possibilidade de realizar nos fatos precisamente tudo o que discutimos. Se, no entanto, conseguirmos descobrir como governar um Estado da maneira mais próxima a nossas palavras, você terá de admitir que teríamos descoberto a possibilidade de realizar tudo como você pretendia. Você não se daria por satisfeito com esse resultado? De minha parte, estaria mais que satisfeito.

GLAUCO:

— Eu também.

SÓCRATES:

— Vamos procurar analisar o problema e ilustrar qual o defeito que atinge as cidades que possuem governos diversos do nosso e qual mudança irrelevante de um elemento, ou de dois, ou mesmo de poucos em número e qualidade que leva um Estado para um sistema de governo semelhante ao nosso.

GLAUCO:

— Muito bem.

SÓCRATES:

— Posso demonstrar que com a alteração de um só elemento mudará de aspecto. Verdade é que não é coisa fácil, nem de pouca importância, mas possível.

GLAUCO:

— Qual seria esse elemento?

SÓCRATES:

— Chegamos, pois, ao ponto que comparamos à onda mais terrível. Seja como for, vou falar mesmo que, como uma onda que se desmanchasse em risos, tivesse de submergir no ridículo e na infâmia. Fique bem atento a minhas palavras.

GLAUCO:

— Pode falar.

SÓCRATES:

— Se nos Estados os filósofos não se tornarem reis ou se aqueles que agora são chamados reis e soberanos não se dedicarem verdadeira e seriamente à filosofia, se não forem necessariamente excluídas as pessoas que aspiram somente a uma ou à outra, não haverá para os Estados, caro Glauco, remédio para os males que os afligem, nem, ao que parece, para o gênero humano, como não poderá jamais se realizar e ver a luz do sol o Estado perfeito que ora expusemos em

PLATÃO

teoria. Era exatamente isso que me deixava hesitante em falar, pois previa que haveria de parecer por demais paradoxal, sendo ademais difícil de entender que felicidade alguma, privada ou pública, poderá se tornar possível num Estado diferente do nosso.

GLAUCO:

— Que belo discurso você acaba de fazer, Sócrates! Pode estar certo de que muitos mesmo, e não somente os menos distintos, arrojarão suas vestes e despidos tomarão das armas contra você e o perseguirão com todo o vigor, decididos a fazer qualquer coisa. Se você não os enfrentar e não os rechaçar com as armas da razão, terá de pagar a pena por sua temeridade.

SÓCRATES:

— Acaso, não seria você o culpado de tudo isso?

GLAUCO:

— E não me arrependo. Mas não o trairei e o ajudarei da maneira que puder, isto é, com minha afeição e com o encorajamento, e talvez poderei responder às questões que você propõe com maior empenho que os demais. Com essa assistência, tente agora demonstrar aos incrédulos que você está com a razão.

SÓCRATES:

— Devo tentar, posto que você também me oferece um auxílio tão importante. Para nos livrarmos das pessoas que nos atacam, como você disse, parece-me conveniente explicar-lhes que tipo de filósofos tivemos a ousadia de propor para ocupar o governo. Esclarecido esse ponto, procuraremos nos defender mostrando que a uns compete naturalmente ocupar-se da filosofia e governar e a outros convém limitar-se a obedecer aos governantes sem se imiscuir em suas decisões.

GLAUCO:

— Já é tempo de se explicar a respeito.

SÓCRATES:

— Pois bem, siga-me por este caminho e acho que poderei servir-lhe de guia suficientemente bem.

GLAUCO:

— Guie-me e eu o seguirei.

SÓCRATES:

— É preciso que o relembre, ou talvez você mesmo se lembre, que, quando se diz que alguém ama alguma coisa, deve demonstrar a verdade dessa afirmação amando aquela coisa por inteiro e não em parte sim e em parte não?

GLAUCO:

— Seria bom que repetisse porque já não me lembro mais com exatidão.

SÓCRATES:

— Qualquer outro poderia falar assim. Mas um homem como você, entendedor em matéria de amores, não deve esquecer que todos os jovens im-

A REPÚBLICA

pressionam e perturbam o coração de quem ama os rapazes e tem um caráter amoroso, parecendo-lhe que todos sejam dignos de seus cuidados e de seu afeto. Vocês não procedem assim mesmo com os belos rapazes? Aquele que tem nariz achatado, vocês o elogiam e dizem que é gracioso; aquele que tem o nariz aquilino, dizem que é real; aquele que representa o meio-termo, dizem que é perfeitamente proporcional. Dos rapazes de pele escura, dizem que possuem um aspecto marcial; dos louros, vocês dizem que são filhos dos deuses. E quem teria inventado a expressão "da cor de mel", senão um amante que queria disfarçar a palidez, mas que a suporta facilmente, desde que o rapaz amado se encontre na flor da idade? Resumindo, vocês lançam mão de qualquer pretexto e dizem tudo para não deixar escapar nenhum rapaz no esplendor de sua juventude.

GLAUCO:

— Se você faz alusão a mim, dizendo que os apaixonados se comportam assim, consinto, mas somente no interesse de sua tese.

SÓCRATES:

— Não vê que as pessoas amantes do vinho agem da mesma maneira e que jamais lhes faltam pretextos para considerarem bom qualquer tipo de vinho?

GLAUCO:

— Sim, vejo-o perfeitamente.

SÓCRATES:

— Também vê, creio eu, que os ambiciosos, quando não podem obter o alto comando, comandam um terço da tribo e, quando não são honrados por pessoas de uma classe superior, contentam-se em sê-lo por pessoas de uma classe inferior, porque são ávidos de distinções, quaisquer que sejam.

GLAUCO:

— Perfeitamente.

SÓCRATES:

— Agora, responde-me: se dissermos de alguém que deseja uma coisa, afirmaremos com isso que a deseja na sua totalidade ou que só deseja dela isto e não aquilo?

GLAUCO:

— Que a deseja na sua totalidade.

SÓCRATES:

— Diremos, então, que o filósofo aspira a sabedoria por inteiro e não apenas parte dela?

GLAUCO:

— É verdade.

SÓCRATES:

— Não afirmaremos a respeito daquele que se mostra rebelde às ciências, principalmente se é jovem e ainda não distingue o que é útil do que não é, que

PLATÃO

é amigo do saber e filósofo; da mesma forma que não afirmaremos, de um homem que se mostra complicado a respeito da alimentação, que tem fome ou que deseja determinado alimento, mas que não tem apetite.

GLAUCO:

— Sim, e teremos razão.

SÓCRATES:

— Mas aquele que deseja saborear toda a ciência, que se entrega alegremente ao estudo e nele se revela insaciável, a esse chamaremos, com razão, de filósofo, não é assim?

GLAUCO:

— Haveria muitos e estranhos filósofos, pois deveria se incluir no rol todos os que apreciam os espetáculos, por causa do prazer que sentem em aprender; mas os mais bizarros a catalogar nessa classe são as pessoas ávidas em ouvir que, com certeza, não assistiriam a uma discussão como a nossa, mas que, como se tivessem alugado os ouvidos para escutarem todos os coros, correm às festas dionisíacas, não faltam nem às das cidades nem às dos campos. Denominaremos filósofos todos esses homens, tanto aos que demonstram entusiasmo em aprender semelhantes coisas, como os que estudam as artes inferiores?

SÓCRATES:

— Logicamente que não. Essas pessoas apenas aparentam ser filósofos.

GLAUCO:

— Quais são, então, na tua opinião, os verdadeiros filósofos?

SÓCRATES:

— Os que amam o espetáculo da verdade.

GLAUCO:

— Talvez tenhas razão. Mas que entendes por isso?

SÓCRATES:

— Não seria fácil de explicar a outra pessoa, mas creio que concordará comigo nisto.

GLAUCO:

— Em quê?

SÓCRATES:

— Visto que o belo é o contrário do feio, trata-se de duas coisas distintas.

GLAUCO:

— Claro.

SÓCRATES:

— E, visto que são duas coisas distintas, cada uma delas é uma?

GLAUCO:

— Sim, é.

SÓCRATES:

— Acontece a mesma coisa com o justo e o injusto, o bom e o mau e todas as outras formas: cada uma delas, tomada em si mesma, é uma; porém, dado que entram em comunidade com ações, corpos e entre si mesmas, revestem mil formas que parecem multiplicá-las.

A REPÚBLICA

GLAUCO:

— Tem razão.

SÓCRATES:

— É neste sentido que eu diferencio, de um lado, os que amam os espetáculos, as artes e são homens práticos; e, de outro, aqueles a quem nos referimos no nosso discurso, os únicos a quem com razão podemos denominar filósofo.

GLAUCO:

— Em que sentido?

SÓCRATES:

— Os primeiros, cuja curiosidade situa-se toda nos olhos e nos ouvidos, amam as belas vozes, as cores e as figuras bonitas e todas as obras em que entre alguma coisa de semelhante, mas a sua inteligência é incapaz de enxergar e apreciar a natureza do próprio belo.

GLAUCO:

— É assim mesmo.

SÓCRATES:

— Mas não são raros aqueles que são capazes de se elevar até a essência do próprio belo?

GLAUCO:

— Bem raros.

SÓCRATES:

— Aquele que conhece as coisas belas, mas não conhece a beleza em sua essência e não é capaz de seguir aos que poderiam levá-lo a esse conhecimento, parece-te que vive sonhando ou acordado? Vê bem: sonhar não é, quer se esteja dormindo, quer acordado, tomar a aparência de uma coisa pela própria coisa?

GLAUCO:

— Sem dúvida que sonhar é isso.

SÓCRATES:

— Contudo, aquele que acredita que o belo existe em si mesmo, que pode admirá-lo na sua essência e nos objetos que nele participam, que nunca toma as coisas belas pelo belo nem o belo pelas coisas belas, parece que este vive acordado ou sonhando?

GLAUCO:

— Acordado, sem dúvida.

SÓCRATES:

— Então, não afirmaríamos com razão que o seu pensamento é igual ao conhecimento, visto que sabe, ao passo que o do outro é igual à opinião, visto que julga sobre aparências?

GLAUCO:

— Sem dúvida.

PLATÃO

SÓCRATES:

— Porém, se este último, que, conforme nós achamos, julga pelas aparências e, por isso, não conhece, se exaltasse conosco e contestasse a veracidade da nossa afirmação, não teríamos nada a dizer-lhe para acalmá-lo e convencê-lo serenamente, ocultando-lhe ao mesmo tempo que está doente?

GLAUCO:

— Seria necessário acalmá-lo.

SÓCRATES:

— Muito bem! Veja o que diríamos a ele. Ou, antes, querias que o interrogássemos, garantindo-lhe que de modo nenhum cobiçamos os conhecimentos que possa ter, e que, ao contrário, gostaríamos de nos convencermos de que ele sabe alguma coisa? "Mas", perguntaríamos, "diz-me: aquele que sabe, sabe alguma coisa ou nada?" Glauco, responda você por ele.

GLAUCO:

— Responderei que sabe alguma coisa.

SÓCRATES:

— Que é ou que não é?

GLAUCO:

— Que é. Com efeito, como saber o que não é?

SÓCRATES:

— Nesse caso, sem nos alongarmos muito em nossa análise, sabemos sem sombra de dúvida o seguinte: o que é em todos os modos, de todos os modos pode ser conhecido e o que não é de modo nenhum, de nenhum modo pode ser conhecido.

GLAUCO:

— Sim, sabemos sem sombra de dúvida.

SÓCRATES:

— Mas, se existisse uma coisa que fosse e não fosse ao mesmo tempo, não ocuparia o meio entre o que é de todos os modos e o que não é de modo nenhum?

GLAUCO:

— Sim, ocuparia esse meio.

SÓCRATES:

— Logo, se o conhecimento incide sobre o ser e, necessariamente, a ignorância sobre o não-ser, faz-se necessário descobrir, para o que ocupa o meio entre o ser e o não-ser, um intermediário entre a ciência e a ignorância, supondo-se que exista algo do gênero.

GLAUCO:

— Sem dúvida.

SÓCRATES:

— Mas algo do gênero é a opinião?

GLAUCO:

— Com certeza!

A REPÚBLICA

SÓCRATES:

— É uma faculdade distinta da ciência ou idêntica a ela?

GLAUCO:

— Uma faculdade distinta.

SÓCRATES:

— Então, a opinião e a ciência possuem objetivos diferentes.

GLAUCO:

— Assim é.

SÓCRATES:

— E a ciência, incidindo por natureza sobre o ser, tem por objetivo saber que ele é o ser. Julgo que deva explicar uma coisa.

GLAUCO:

— Qual?

SÓCRATES:

— Afirmo que as faculdades são uma espécie de seres que nos habilitam a realizar as operações que nos são próprias. Por exemplo: a visão e a audição são faculdades. Compreende o que entendo por este nome genérico?

GLAUCO:

— Compreendo.

SÓCRATES:

— Veja então, qual é meu conceito de faculdades. Não vejo nelas nem cor, nem forma, nem nenhum desses atributos que possuem muitas outras coisas e que as tornam diferentes umas das outras. Não considero em cada faculdade senão o seu objetivo e os efeitos que produz. Por este motivo, dei a todas o nome de faculdades e considero idênticas as que possuem o mesmo objetivo e produzem os mesmos efeitos, diferentes aquelas cujo objetivo e cujos efeitos são diferentes. Mas tu, como fazes?

GLAUCO:

— Da mesma forma.

SÓCRATES:

— Então, continuemos, meu grande amigo. Situa a ciência no número das faculdades ou em outra categoria?

GLAUCO:

— Situo-a no número das faculdades. Considero-a até a mais elevada de todas.

SÓCRATES:

— E a opinião? Você a situa também entre as faculdades?

GLAUCO:

— Sim, porque a opinião é a faculdade que nos permite julgar pela aparência.

SÓCRATES:

— Mas ainda há pouco dizias que a ciência e opinião são duas coisas diferentes.

PLATÃO

GLAUCO:

— Sem dúvida. E como poderia um homem sensato confundir o que é infalível com aquilo que não o é?

SÓCRATES:

— Então, está claro que distinguimos a opinião da ciência.

GLAUCO:

— Sim.

SÓCRATES:

— Portanto, cada uma tem, por natureza, um objetivo diferente.

GLAUCO:

— Necessariamente.

SÓCRATES:

— O objetivo da ciência não é conhecer o que é, exatamente tal como é.

GLAUCO:

— Sim.

SÓCRATES:

— E o propósito da opinião não é julgar pelas aparências.

GLAUCO:

— Sim.

SÓCRATES:

— Mas a opinião conhece aquilo que a ciência conhece? Uma mesma coisa pode ser ao mesmo tempo objetivo da ciência e da opinião, ou isso é impossível?

GLAUCO:

— É impossível. Com efeito, se faculdades diferentes possuem por natureza objetivos diferentes, se, por outro lado, ciência e opinião são duas faculdades diferentes, disto decorre que o objetivo da ciência não pode ser o mesmo da opinião.

SÓCRATES:

— Logo, se o objetivo da ciência é o ser, o da opinião será algo diferente do ser?

GLAUCO:

— Algo diferente.

SÓCRATES:

— Mas a opinião pode incidir sobre o não-ser? Ou é impossível saber por ela o que não é? Raciocina: aquele que opina, opina sobre alguma coisa ou é possível opinar e não opinar sobre nada?

GLAUCO:

— É impossível.

SÓCRATES:

— Portanto, aquele que opina, opina sobre determinada coisa?

GLAUCO:

— Sim.

A REPÚBLICA

SÓCRATES:

— E o não ser alguma coisa? Não é, antes, uma negação da coisa?

GLAUCO:

— Com certeza.

SÓCRATES:

— Por isso temos, necessariamente, de relacionar o ser à ciência e o não-ser, à ignorância.

GLAUCO:

— E com razão.

SÓCRATES:

— Em vista disso, o objetivo da opinião não é nem o ser nem o não-ser.

GLAUCO:

— Correto.

SÓCRATES:

— Consequentemente, a opinião não é nem ciência nem ignorância.

GLAUCO:

— Parece-me que não.

SÓCRATES:

— Logo, está para além de uma e de outra, ultrapassando a ciência em clareza e a ignorância em obscuridade?

GLAUCO:

— Não.

SÓCRATES:

— Então, julga a opinião menos clara que a ciência e menos obscura que a ignorância?

GLAUCO:

— Com certeza.

SÓCRATES:

— Você a coloca entre uma e outra?

GLAUCO:

— Sim, coloco.

SÓCRATES:

— Logo, a opinião é algo intermediário entre a ciência e a ignorância?

GLAUCO:

— Exatamente.

SÓCRATES:

— Mas nós não afirmamos anteriormente que, se descobríssemos uma coisa que fosse e não fosse ao mesmo tempo, essa coisa ocuparia o meio entre o ser absoluto e o nada absoluto e não seria o objetivo nem da ciência nem da ignorância, mas do que pareceria intermediário entre uma e outra?

PLATÃO

GLAUCO:

— Afirmamos com razão.

SÓCRATES:

— Parece-me agora que é esse intermédio que estamos denominando opinião.

GLAUCO:

— Assim parece.

SÓCRATES:

— Penso que devemos descobrir que coisa é essa que participa ao mesmo tempo do ser e do não-ser e que não é exatamente nem um nem outro. Se a descobrirmos, nós a chamaremos de objetivo da opinião, consignando os extremos aos extremos e os intermediários aos intermediários, não é assim?

GLAUCO:

— Sem dúvida.

SÓCRATES:

— Então, que me responda esse bom homem que não crê na beleza em si mesma, na ideia do belo eternamente imutável, mas reconhece apenas a multidão das coisas belas, esse apreciador de espetáculos que não suporta que se afirme que o belo é uno, assim como o justo e as outras realidades semelhantes. "Entre esse grande número de coisas belas, excelente homem", diremos, "há uma que possa parecer feia? Ou, entre as justas, injusta? Ou, entre as sagradas, profana?"

GLAUCO:

— Sim, dirá ele, pois é obrigatório que as mesmas coisas, observadas de pontos de vista diferentes, pareçam belas e feias, justas e injustas, e assim por diante.

SÓCRATES:

— E as quantidades duplas podem parecer não ser metades de outras?

GLAUCO:

— De forma alguma.

SÓCRATES:

— Afirmo o mesmo a respeito das coisas que se dizem grandes ou pequenas, pesadas ou leves. Cada uma destas qualificações lhes convém mais que a qualificação oposta?

GLAUCO:

— Não, participam sempre de uma e de outra.

SÓCRATES:

— Por acaso, essas muitas coisas são mais do que se diz que são?

GLAUCO:

— Isto parece com essas adivinhações que se fazem nos banquetes e com o enigma das crianças a respeito do eunuco que ataca o morcego, onde se diz, de

A REPÚBLICA

forma obscura, com que o atacou e onde estava pendurado. Essas numerosas coisas de que falas possuem um caráter ambíguo e nenhuma delas pode ser concebida como sendo ou não sendo ou conjuntamente uma e outra ou nem uma nem outra.

SÓCRATES:

— Que fazer, então, e onde situá-las melhor do que entre o ser e o não-ser? Não parecerão mais obscuras que o não-ser sob o aspecto do mínimo de existência, nem mais claras que o ser sob o do máximo de existência?

GLAUCO:

— Por certo que não.

SÓCRATES:

— Parece, pois, havermos descoberto que as múltiplas fórmulas da multidão respeitantes ao belo e às outras coisas semelhantes giram, por assim dizer, entre o nada e a existência absoluta.

GLAUCO:

— É verdade.

SÓCRATES:

— Mas estabelecemos previamente que, se descobríssemos tal coisa, seria preciso dizer que ela é o objetivo da opinião, e não o objetivo do conhecimento, e que está situada num espaço intermediário que é apreendido por uma faculdade intermediária.

GLAUCO:

— Sim, estabelecemos.

SÓCRATES:

— Afirmaremos, pois, que as pessoas que enxergam muitas coisas belas, mas não apreendem o próprio belo e não podem seguir aquele que gostaria de guiá-las nessa contemplação, que enxergam muitas coisas justas sem verem a própria justiça, e assim por diante, essas pessoas, diremos nós, opinam sobre tudo, mas não sabem nada a respeito das coisas sobre as quais opinam.

GLAUCO:

— Necessariamente.

SÓCRATES:

— Mas que diremos daquelas pessoas que enxergam as coisas em si mesmas, na sua essência imutável? Que elas possuem conhecimentos, e não opiniões, não é verdade?

GLAUCO:

— Necessariamente, também.

SÓCRATES:

— Não diremos, da mesma forma, que amam as coisas que são o objeto da ciência, ao passo que os outros sentem isso apenas por aquelas que são o objeto

PLATÃO

da opinião? Não se lembra do que dizíamos a respeito destes últimos que amam e admiram as belas vozes, as cores belas e as outras coisas semelhantes, mas não admitem que o belo em si mesmo seja uma realidade?

GLAUCO:

— Lembro bem.

SÓCRATES:

— Seremos injustos com eles se os denominarmos amantes da opinião em vez de amantes da filosofia? Ficarão muito irritados conosco se os tratarmos assim?

GLAUCO:

— Não, se acreditarem em mim, pois não é lícito irritar-se com a verdade.

SÓCRATES:

— Então, denominaremos filósofos apenas aqueles que em tudo se prendem à realidade?

GLAUCO:

— Sem sombra de dúvida.

Livro Seis

SÓCRATES:

— Deste modo, Glauco, com certa dificuldade e ao fim de uma discussão assaz longa, distinguimos os filósofos daqueles que o não são.

GLAUCO:

— Talvez não conseguíssemos fazer isso numa breve discussão.

SÓCRATES:

— Talvez. E acredito até que teríamos chegado a um mais alto grau de evidência se tivéssemos podido discorrer apenas a respeito deste ponto e não existissem muitas outras questões a tratar, para vermos em que difere a vida do homem justo da do homem injusto.

GLAUCO:

— De que iremos tratar depois disso?

SÓCRATES:

— O que vem logo a seguir? Como estabelecemos que são filósofos aqueles que podem chegar ao conhecimento do imutável ao passo que os que não podem, mas erram na multiplicidade dos objetos variáveis, não são filósofos, cumpre nos ver a quem escolheríamos para governar o Estado.

GLAUCO:

— Qual a medida mais sábia que devemos tomar?

SÓCRATES:

— Devemos escolher para magistrados aqueles que nos parecerem capazes de zelar pelas leis e as instituições da cidade.

PLATÃO

GLAUCO:

— Está certo.

SÓCRATES:

— Crê que se deve colocar a questão de saber se é a um cego ou a um homem perspicaz que podemos confiar a guarda de um objeto qualquer?

— Lógico que não.

SÓCRATES:

— Na sua opinião, em que diferem dos cegos os que não possuem o conhecimento da essência de cada coisa, que não têm na sua alma nenhum modelo luminoso nem podem, à maneira dos pintores, vislumbrar o verdadeiro absoluto e, depois de o terem contemplado com a máxima atenção, reportar-se a ele para estabelecer neste mundo as leis do belo, do justo e do bom, se for necessário estabelecê-las, ou velar pela sua salvaguarda, se já existirem?

GLAUCO:

— Não diferem muito dos cegos!

SÓCRATES:

— Então, tornaremos magistrados preferivelmente os que, conhecendo a essência de cada coisa, não são inferiores aos outros, nem em experiência nem em nenhuma espécie de mérito?

GLAUCO:

— Seria absurdo não escolhê-los, se em nada são inferiores aos outros.

SÓCRATES:

— É conveniente dizer agora de que forma poderão aliar a experiência à especulação?

GLAUCO:

— Com certeza.

SÓCRATES:

— Como dissemos no início desta conversa, é necessário começar por conhecer bem o caráter que lhes é próprio; e eu julgo que, se chegarmos a um acordo satisfatório, concordaremos também que podem aliar a experiência à especulação e que é a eles, e não a outros, que deve pertencer o governo da cidade.

GLAUCO:

— Como assim?

SÓCRATES:

— Em primeiro lugar, admitamos, em relação ao cerne, ao caráter filosófico, que eles amam sempre a ciência, porque esta pode dar-lhes a conhecer essa essência eterna que não está sujeita às vicissitudes da geração e da corrupção.

GLAUCO:

— Sim, admitamos.

A REPÚBLICA

SÓCRATES:

— E que amam a ciência na totalidade, não renunciando a nenhuma de suas partes, pequena ou grande, exaltada ou desprezada, da mesma forma que os ambiciosos e os amantes a que nos referimos há pouco.

GLAUCO:

— Tem razão.

SÓCRATES:

— Considera agora se não é necessário que homens que devem ser como acabamos de dizer possuam, além disso, outra qualidade.

GLAUCO:

— Qual?

SÓCRATES:

— A sinceridade, uma tendência natural para não admitirem voluntariamente a mentira, mas odiá-la e amar a verdade.

GLAUCO:

— É importante.

SÓCRATES:

— Não apenas é importante, meu amigo, mas é forçoso que aquele que ama alguém ame tudo o que se assemelha e liga ao objeto do seu amor.

GLAUCO:

— Tem razão.

SÓCRATES:

— Ora, poderia encontrar alguma coisa que se ligue mais estreitamente à ciência do que a verdade?

GLAUCO:

— É impossível.

SÓCRATES:

— Pode acontecer que o mesmo espírito seja ao mesmo tempo amigo da ciência e da mentira?

GLAUCO:

— De modo nenhum.

SÓCRATES:

— Logo, quem ama de fato a ciência deve, desde a juventude, desejar tão vivamente quanto possível apreender toda a verdade.

GLAUCO:

— Com certeza.

SÓCRATES:

— Mas nós sabemos que, quando os desejos se dirigem obsessivamente para um único objeto, tornam-se mais fracos em relação ao resto, como um curso de água desviado para esse único caminho.

GLAUCO:

— Sem dúvida.

PLATÃO

SÓCRATES:

— E quando os desejos de um homem se orientam para as ciências e tudo o que lhes concerne, penso que solicitam os prazeres que a alma experimenta em si mesma e menosprezam os do corpo, ao menos quando se trata de um autêntico filósofo e que não se limita a fingir que o é.

GLAUCO:

— É necessário que assim seja.

SÓCRATES:

— Um homem assim é moderado e de maneira nenhum amigo das riquezas; com efeito, compete a outros atender às razões pelas quais se busca a fortuna e seu corolário de excessivos consumos.

GLAUCO:

— Com certeza.

SÓCRATES:

— Precisamos considerar também outro aspecto, se quiseres distinguir o caráter filosófico daquele que não o é.

GLAUCO:

— Qual aspecto?

SÓCRATES:

— Cuida para que não exista nenhuma baixeza de sentimentos: a estreiteza de espírito é talvez o que repugna mais a uma alma que deve tender incessantemente a abranger, no conjunto e na totalidade, as coisas divinas e humanas.

GLAUCO:

— Nada mais verdadeiro.

SÓCRATES:

— Mas você crê que uma alma assim nobre e sublime, a quem é dado contemplar todos os tempos e todos os seres, considere a vida humana algo grandioso?

GLAUCO:

— É impossível.

SÓCRATES:

— Por isso, não julgará que a morte deve ser temida.

GLAUCO:

— De maneira nenhuma.

SÓCRATES:

— Então, ao que parece, uma alma covarde e inferior não terá nenhuma relação com a verdadeira filosofia.

GLAUCO:

— Não, na minha opinião.

SÓCRATES:

— Muito bem! Um homem regrado, desprovido de avidez, baixeza, arrogância e covardia, pode ser, de alguma maneira, insociável e injusto?

A REPÚBLICA

GLAUCO:

— De maneira nenhuma.

SÓCRATES:

— Dessa forma, quando quiseres distinguir a alma filosófica daquela que não o é, observarás, a partir dos primeiros anos, se ela se mostra justa e branda ou feroz e intratável.

GLAUCO:

— Perfeitamente.

SÓCRATES:

— Também não desprezará o seguinte, creio eu.

GLAUCO:

— O quê?

SÓCRATES:

— Se ela tem facilidade ou dificuldade em aprender. Com efeito, pode esperar que alguém tenha amor ao que faz com muito esforço e pouco sucesso?

GLAUCO:

— Não, nunca.

SÓCRATES:

— Muito bem! Se ele for incapaz de reter o que aprende, se esquecer tudo, é possível que possa adquirir ciência?

GLAUCO:

— Não.

SÓCRATES:

— Esforçando-se inutilmente, não crê que irá odiar-se e odiar essa modalidade de estudos?

GLAUCO:

— Como poderia ser diferente?

SÓCRATES:

— Por isso, jamais admitiremos uma alma esquecida entre as almas com tendência à filosofia, tendo em vista que queremos que estas sejam dotadas de boa memória.

GLAUCO:

— Certamente.

SÓCRATES:

— Mas, diremos nós, a falta de gosto e decência causa, inevitavelmente, a falta de moderação.

GLAUCO:

— Sem dúvida.

SÓCRATES:

— Ora, julgas que a verdade está ligada à moderação ou à falta desta?

GLAUCO:

— À moderação.

PLATÃO

SÓCRATES:

— Então, além dos outros dons, busquemos no filósofo um espírito repleto de moderação e graça, cujas tendências inatas guiarão facilmente para a essência de cada ser.

GLAUCO:

— Muito bem.

SÓCRATES:

— Mas não vê que as qualidades que acabamos de enumerar se apoiam em si mesmas e são todas necessárias a uma alma que deve participar, plena e perfeitamente, no conhecimento do ser?

GLAUCO:

— São necessárias no mais alto grau.

SÓCRATES:

— Pode então censurar uma profissão que jamais será exercida a contento se quem a exerce não for, por natureza, dotado de memória, facilidade em aprender, grandeza de alma e boa vontade? E também se não for amigo da verdade, da justiça, da coragem e da moderação?

GLAUCO:

— Não. O próprio Momo não veria nisso nada a repreender.

SÓCRATES:

— Muito bem! Não é a homens assim, amadurecidos pela cultura e pela maturidade que confiaria o governo da república?

Adimanto usou então da palavra para dizer:

— Sócrates, estas razões são irrefutáveis. Mas veja o que acontece, via de regra, às pessoas que conversam contigo. Imaginam que, por não terem experiência na arte de interrogar e responder, deixaram-se desorientar pouco a pouco em cada questão, e esses pequenos desvios, acumulando-se, surgem no final da discussão sob a forma de um grande erro, totalmente contrário ao que se tinha decidido inicialmente. Da mesma forma que no gamão, em que os jogadores inábeis acabam sendo bloqueados pelos hábeis a ponto de não saberem que peça avançar, o teu interlocutor fica bloqueado e não sabe o que dizer, nesta espécie de gamão que é jogado, não com peões, mas com argumentos; e, contudo, nem por isso está convencido de que a verdade está nos teus argumentos. Falo isto tendo em conta a discussão presente: com efeito, poderíamos agora dizer-te que não temos nada a opor a cada um dos teus argumentos, mas se percebe perfeitamente que aqueles que se consagram à filosofia e que, depois de a terem estudado na juventude, para se instruírem, não a abandonam, antes ficam presos a ela, se tornam, em grande número, personagens extravagantes, para não dizer perversas, ao passo que os que parecem os melhores, embora viciados por esse estudo que você exalta, são inúteis às cidades.

Então, tendo-o escutado, perguntei-lhe:

A REPÚBLICA

— Julgas que os que defendem tais ideias não dizem a verdade?

ADIMANTO:

— Não sei, mas desejaria conhecer a sua opinião a esse respeito.

SÓCRATES:

— Saiba, então, que creio que dizem a verdade.

ADIMANTO:

— Nesse caso, como pretender que não haverá fim para os males que afligem as cidades enquanto estas não forem governadas por esses filósofos que, a bem da verdade, reconhecemos que lhes são inúteis?

SÓCRATES:

— Suscita uma questão à qual só posso responder por uma imagem.

ADIMANTO:

— Mas não é seu costume se expressar por imagens!

SÓCRATES:

— Troça de mim depois de ter me comprometido numa questão tão difícil de resolver. Agora ouça a minha comparação, para perceber ainda melhor como estou ligado a este processo. O tratamento que os Estados dispensam aos homens mais sábios é tão duro que não há ninguém no mundo que sofra outro semelhante e que, para criar uma imagem, aquele que pretende defendê-los é obrigado a reunir os caracteres de múltiplos objetos, à maneira dos pintores que representam animais metade bodes e metade veados e outras misturas do mesmo tipo. Agora imagine que algo semelhante a isto se passa a bordo de um ou de vários navios. O comandante, em compleição e força física, sobrepuja toda a tripulação, mas é um pouco surdo, um pouco míope e possui, em termos de navegação, conhecimentos tão curtos como a sua vista. Os marinheiros disputam o leme entre si; cada um julga que tem direito a ele, apesar de não conhecer a arte e nem poder dizer com que mestre nem quando a aprendeu. Além disso, não a consideram uma arte passível de ser aprendida e, se alguém ousa dizer o contrário, estão prontos a fazê-lo em pedaços. Atormentam o comandante com os seus pedidos e se valem de todos os meios para que ele lhes confie o leme; e se, porventura, não conseguem convencê-lo e outros o conseguem, matam estes ou os lançam ao mar. Em seguida, apoderam-se do comandante, quer adormecendo-o com mandrágora, quer embriagando-o, quer de qualquer outra forma; senhores do navio, apropriam-se então de tudo a que nele existe e, bebendo e festejando, navegam como podem navegar tais indivíduos; além disso, louvam e chamam de bom marinheiro, de ótimo piloto, de mestre na arte náutica, aquele que os ajuda a assumir o comando, usando de persuasão ou de violência em relação ao comandante, e reputam inútil quem quer que não os ajude. Por outro lado, no que concerne ao verdadeiro piloto, nem sequer suspeitam de que deve estudar o tempo, as estações do ano, o céu, os astros, os ventos,

PLATÃO

se quiser de fato tornar-se capaz de dirigir um navio. Quanto à maneira de comandar, com ou sem a aquiescência desta ou daquela facção da tripulação, não pensam que seja possível aprender isso, pelo estudo ou pela prática, e, ao mesmo tempo, a arte da pilotagem. Não acreditas que nos navios onde acontecem semelhantes cenas o verdadeiro piloto será tratado pelos marinheiros de indivíduo inútil, interessada apenas em observar as estrelas?

ADIMANTO:

— Sim.

SÓCRATES:

— Você não necessita, penso eu, ver esta comparação explicada para reconhecer a imagem do tratamento que é dispensado aos verdadeiros filósofos nas cidades: espero que compreendas a minha ideia.

ADIMANTO:

— Sem dúvida.

SÓCRATES:

— Apresenta então esta comparação aos que se admiram de que os filósofos não sejam honrados nas cidades e procura convencê-los de que seria mais surpreendente se o fossem.

ADIMANTO:

— Farei isso.

SÓCRATES:

— Acrescenta que não estavas enganado ao afirmar que os filósofos mais sábios são inúteis à maioria da sociedade, mas faz notar que essa inutilidade é devida aos que não empregam os sábios, e não aos próprios sábios. Com efeito, não é natural que o piloto peça aos marinheiros que se deixem governar por ele nem que os sábios vão bater às portas dos ricos. O autor desta zombaria mentiu. A verdade é que, rico ou pobre, o doente precisa ir bater à porta do médico e que aquele que tem necessidade de um chefe precisa bater à porta do homem que é capaz de comandar: não compete ao líder, se realmente pode ser útil, pedir aos governados que se submetam à sua autoridade. Assim, comparando os políticos que governam atualmente aos marinheiros de que falávamos há pouco e os que são considerados por eles inúteis e tagarelas perdidos nas nuvens são chamados por eles imprestáveis e observadores de estrelas.

ADIMANTO:

— Muito bem.

SÓCRATES:

— Conclui-se que é difícil uma profissão ser estimada por aqueles que perseguem fins completamente opostos. Porém, a mais grave e séria acusação que fere a filosofia vem daqueles que se dizem filósofos sem o ser. Estes é que

A REPÚBLICA

estão presentes nas mentes dos inimigos da filosofia, quando dizem, que a maioria dos filósofos é formada de gente perversa e que os mais sábios são inúteis, opinião que, reconheci ser verdadeira, não é verdade?

ADIMANTO:

— É verdade.

SÓCRATES:

— Mas não acabamos de descobrir o motivo da inutilidade dos melhores entre os filósofos?

ADIMANTO:

— Assim é.

SÓCRATES:

— A partir da perversidade da maioria, pretendes que procuremos a causa necessária e nos esforcemos por demonstrar, se o conseguirmos, que esse motivo não é a filosofia?

ADIMANTO:

— Certamente.

SÓCRATES:

— Muito bem! Lembra-te da descrição feita por nós há pouco do caráter que é preciso ter recebido da natureza para se tomar um homem nobre e bom. Em primeiro lugar, este caráter era guiado, se bem te recordas, pela verdade, que devia seguir em tudo e por toda parte, sob pena, usando de impostura, de não participar de maneira nenhuma da verdadeira filosofia.

ADIMANTO:

— Sim, foi o que afirmaste.

SÓCRATES:

— Pois não é esta ideia, exposta desta maneira, oposta à opinião que reina atualmente?

ADIMANTO:

— Sim, é.

SÓCRATES:

— Seria defender mal a filosofia afirmar que aquele que realmente ama a cultura está naturalmente pronto a lutar pela essência e não contemporiza sobre a multiplicidade dos objetos a que se atribui a existência, ao contrário vai infalivelmente além e sem renunciar a seu amor antes de ter chegado à essência de cada uma das coisas com o instrumento apropriado da alma, apropriado enquanto afim? E depois de ter atingido o verdadeiro ser e a ele estiver unido, gera a inteligência e a verdade, e depois ainda conhece, vive e se nutre realmente, e só então, não antes, terão fim suas dores como que de parto?

ADIMANTO:

— Esta seria uma resposta bastante razoável.

PLATÃO

SÓCRATES:

— Muito bem! Um homem assim estará propenso a amar a mentira ou, ao contrário, a odiá-la ?

ADIMANTO:

— A odiá-la.

SÓCRATES:

— E, certamente, quando a verdade serve de guia, não diremos, julga eu, que o caro dos vícios a acompanha.

ADIMANTO:

— Como poderíamos dizê-lo?

SÓCRATES:

— Ao contrário, a verdade acompanha a pureza e a justiça, que por sua vez é seguida pela moderação.

ADIMANTO:

— Tem razão.

SÓCRATES:

— E precisa agora enumerar novamente as outras virtudes que compõem o temperamento filosófico? Vimos desfilar a coragem, a grandeza de alma, a facilidade em aprender e a memória. Argumentou então que qualquer homem seria obrigado a concordar com o que dizíamos, mas que, deixando de lado os discursos e contemplando as personagens em questão, diria que vê perfeitamente que uns são inúteis e a maioria é de uma perversidade total. Em busca da causa desta acusação, chegamos ao exame do motivo por que a maior parte dos filósofos são perversos e foi isso que nos obrigou a retomar uma vez mais a definição de temperamento dos verdadeiros filósofos.

ADIMANTO:

— Foi isso mesmo.

SÓCRATES:

— Precisamos considerar agora as degradações desse temperamento: como se perde no maior número, como só escapa à corrupção em alguns, aqueles a quem denominamos não perversos, mas inúteis; consideraremos em seguida aquele que afeta imitá-la e atribui a si mesma uma função: quais são os temperamentos que, usurpando uma profissão de que são indignos e as ultrapassa, chegam a mil desvios e associam à filosofia essa deplorável reputação que assinalas.

ADIMANTO:

— Mas que degradações são essas de que fala?

SÓCRATES:

— Tentarei descrevê-las. Todas as pessoas concordarão conosco, espero, que esses temperamentos, reunindo todas as qualidades que exigimos do verdadeiro filósofo, aparecem raramente e em pequeno número; não pensa assim?

214

A REPÚBLICA

ADIMANTO:

— Certamente.

SÓCRATES:

— Para essas raras naturezas, analise agora como são numerosas e fortes as causas da degradação.

ADIMANTO:

— Quais são elas?

SÓCRATES:

— O mais estranho de entender é que não há nenhuma das qualidades que admiramos no filósofo que não possa corromper a alma que a possui e desviá-la do caminho da filosofia. Refiro-me à fortaleza, à moderação e às outras virtudes que enumeramos.

ADIMANTO:

— É, de fato, muito estranho de entender.

SÓCRATES:

— Além disso, tudo aquilo que chamamos de bens perverte a alma e afasta-a da filosofia: beleza, riqueza, poderosas alianças na cidade e todas as outras vantagens deste tipo. Compreende, sem dúvida, o que quero dizer.

ADIMANTO:

— Sim, mas gostaria de uma explicação mais precisa.

SÓCRATES:

— Fixa bem este princípio geral, e tudo o que acabo de dizer não lhe parecerá estranho, mas sim bastante claro.

ADIMANTO:

— Que princípio?

SÓCRATES:

— Toda semente ou todo filhote, quer se trate de plantas, quer de animais, que não encontra alimento, clima e local apropriados, exige tanto mais cuidados quanto mais vigoroso for, pois o mal é mais nocivo ao que é bom do que ao que não é.

ADIMANTO:

— Sem dúvida.

SÓCRATES:

— É então verdadeiro afirmar que uma natureza excelente, sujeita a um regime contrário, torna-se pior do que uma natureza medíocre.

ADIMANTO:

— Sim.

SÓCRATES:

— Podemos também afirmar, Adimanto, que as almas mais bem-dotadas, influenciadas por uma má educação, se tornam más no mais alto grau. Ou julga que os grandes crimes e a pior perversidade provêm de uma medíocre e não de

PLATÃO

uma excelente natureza? E poderá uma alma vulgar realizar grandes coisas, seja para o bem, seja para o mal?

ADIMANTO:

— Não. Penso como você.

SÓCRATES:

— Se a propensão que atribuímos ao filósofo recebe a educação apropriada, obrigatoriamente, ao desenvolver-se, alcança todas as virtudes. Porém, se foi semeado, cresceu e procurou o alimento num solo que não era apropriado, forçosamente manifesta todos os vícios, a não ser que um deus o proteja. Crês também, como o vulgo ingênuo, que existem alguns jovens corrompidos pelos sofistas e alguns sofistas que os corrompem, a ponto de o fato ser digno de menção? Não te parece, ao contrário, que aqueles que os acusam são eles mesmos os maiores sofistas e sabem perfeitamente instruir e modelar à sua maneira jovens e velhos, homens e mulheres?

ADIMANTO:

— Quando e como o fazem?

SÓCRATES:

— Quando, sentados em filas apertadas nas assembleias políticas, nos tribunais, nos teatros, nos acampamentos e em toda parte onde haja reunião de pessoas, criticam ou aprovam determinadas ações ou palavras, em ambos os casos com grande alarido e de forma exagerada, gritando e aplaudindo ao mesmo tempo. No meio de semelhantes cenas, não sentirá o jovem faltar-lhe o ânimo? Que educação especial poderá resistir? Não será submersa por tantas críticas e elogios e arrastada ao sabor da corrente? Não se pronunciará o jovem como a multidão a respeito do belo e do feio? Não se associará às mesmas coisas que ela? Não se tomará semelhante a ela?

ADIMANTO:

— Obrigatoriamente, Sócrates.

SÓCRATES:

— E ainda não falamos da maior prova por que terá de passar.

ADIMANTO:

— Qual?

SÓCRATES:

— A que esses educadores e sofistas infligem, de fato, quando não podem convencer pelo discurso. Não sabe que castigam aquele que não se deixa convencer, cobrindo-o de vergonha, condenando-o a uma multa ou à pena de morte?

ADIMANTO:

— Sei muito bem.

SÓCRATES:

— Então, que outro sofista, que ensino especial e contrário a esse poderiam prevalecer?

A REPÚBLICA

ADIMANTO:

— Acredito que nenhum.

SÓCRATES:

— Nenhum, sem dúvida. E tentar tal seria uma grande loucura. Não existe, jamais existiu, nunca existirá caráter formado na virtude contra as lições administradas pela multidão: refiro-me ao caráter humano, meu querido amigo, dado que, como diz o provérbio, o divino é uma exceção. De fato, se em semelhantes governos existe um que seja salvo e se torne o que deve ser, podes afirmar sem medo de errar que deve isso a uma proteção divina.

ADIMANTO:

— Minha opinião é a mesma.

SÓCRATES:

— Portanto, também podes concordar comigo nisto.

ADIMANTO:

— Em quê?

SÓCRATES:

— Cada um desses cidadãos privados mercenários, com fama de perigosos sofistas, outra coisa não faz se não ensinar os princípios professados pelo povo em assembleia e a isso eles chamam sabedoria. Tal como, se alguém tivesse estudado os impulsos e os desejos de um animal por ele criado robusto e forte, por isso soubesse como aproximar-se dele, como tocá-lo, em quais momentos e com quais estímulos poderia torná-lo mais irascível ou mais manso, quais sons o animal teria o hábito de emitir em cada circunstância e quais chamados de outros o tornariam mais manso ou mais furioso, e se todos esses conhecimentos, adquiridos por sua longa convivência com o animal, fossem por ele chamados sabedoria e se pusesse a ensinar como se dominasse a técnica, muito embora nada saiba sobre as ideias e os desejos do animal: se bons ou maus, se bonitos ou feios, justos ou injustos. Apesar disso, avaliasse tudo isso com base aos instintos desse grande animal, a seus agrados e a sua ira, sem ter outra noção a respeito, e ainda achasse bom e justo o inevitável, sem ter compreendido e sem ser capaz de indicar a outros a natureza daquilo que é inevitável e a do que se refere ao bem. Um homem assim, por Zeus, não lhe pareceria um educador um tanto estranho?

ADIMANTO:

— Bem estranho.

SÓCRATES:

— Você poderia ver alguma diferença entre este e aquele que acha que sabedoria é conhecer o que agrada ou não em relação à pintura, à música ou à política ao povo reunido em assembleia? Quem se mistura ao povo para lhe mostrar uma poesia, uma obra de arte ou um projeto político se torna escravo da maioria mais que o necessário e a assim chamada necessidade de Diomedes o obriga a fazer o que agrada a eles. Fosse isso bom e realmente belo, você já ouviu alguma vez que eles o explicassem de maneira que não fosse ridícula?

PLATÃO

ADIMANTO:

— Jamais, e nem espero ouvir.

SÓCRATES:

— Depois de termos compreendido tudo isto, é possível que a turba admita e conceba que o belo em si mesmo existe, uno e distinto da multidão das coisas belas e que a essência das coisas é simples, una e indivisível?

ADIMANTO:

— De forma alguma.

SÓCRATES:

— Por conseguinte, é impossível que o povo seja filósofo.

ADIMANTO:

— Impossível.

SÓCRATES:

— É impossível, também, que esses sofistas se misturem com o povo para agradar.

ADIMANTO:

— Evidente.

SÓCRATES:

— Desse modo, que possibilidade de salvação vê para um homem com pendores filosóficos, que lhe permita perseverar na sua profissão e atingir o seu objetivo? Lembre-se que concordamos que a facilidade em aprender, a memória, a coragem e a grandeza de alma pertencem ao pendor filosófico.

ADIMANTO:

— É verdade.

SÓCRATES:

— Logo, não será ele o primeiro em tudo a partir da infância, especialmente se as qualidades do corpo corresponderem às da alma?

ADIMANTO:

— Sim, com certeza.

SÓCRATES:

— Ora, quando ele chegar à maturidade, os parentes e os seus concidadãos tentarão colocar seus talentos a serviço dos seus interesses.

ADIMANTO:

— Nada pode impedi-lo.

SÓCRATES:

— Será cercado de deferências e homenagens, captando e lisonjeando de antemão o seu poder futuro.

ADIMANTO:

— É o que costuma acontecer.

SÓCRATES:

— Que esperas, então, que ele faça em tais circunstâncias, principalmente se nasceu numa grande cidade, se é rico, nobre, agradável e de boa aparência? Não se

A REPÚBLICA

encherá de demasiada esperança, imaginando que é capaz de governar os gregos e os bárbaros? Nesse caso, não se exaltará, enchendo-se de arrogância e de orgulho vão e insensato?

ADIMANTO:

— Com certeza.

SÓCRATES:

— E se alguém, aproximando-se mansamente, lhe fizesse ouvir a linguagem da verdade, explicando que ele precisa da razão, mas que só pode adquiri-la submetendo-se a ela, crê que, no meio de tantas más influências, ele consentiria em escutar?

ADIMANTO:

— Muito longe disso.

SÓCRATES:

— Contudo, se por causa das suas boas disposições naturais e da afinidade da linguagem da verdade com o seu caráter, ele a escutasse, se deixasse levar para a filosofia, que farão então os outros, convencidos de que perderão o seu apoio e amizade? Palavras, ações, não utilizarão todos os meios, não apenas com ele, a fim de que não se deixe convencer, mas também com aquele que procura convencê-la, para que não tenha sucesso, quer preparando-lhe armadilhas, quer levando-a publicamente aos tribunais?

ADIMANTO:

— Bem possível.

SÓCRATES:

— É possível ainda que esse jovem se torne filósofo?

ADIMANTO:

— Não.

SÓCRATES:

— Percebe assim que eu tinha razão quando afirmei que os elementos que compõem o temperamento filosófico de uma pessoa, ao serem deteriorados por uma má educação, fazem essa pessoa afastar-se da sua vocação, tanto quanto as riquezas.

ADIMANTO:

— Reconheço que tinha razão.

SÓCRATES:

— Assim é, meu grande amigo, em toda a sua extensão, a corrupção que perverte as melhores naturezas, aliás, bem raras, como observamos. É de homens assim que saem não apenas os que causam os maiores males às cidades e aos cidadãos, mas também os que lhes proporcionam o maior bem quando seguem o caminho certo; mas uma índole medíocre nunca faz nada de grande a favor ou em detrimento de alguém, mero cidadão ou ao Estado.

ADIMANTO:

— Nada mais verdadeiro.

PLATÃO

SÓCRATES:

— Portanto, esses homens, nascidos para a prática da filosofia, tendo-se afastado dela e tendo-a deixado só e infecunda, para levarem uma vida contrária à sua natureza e à verdade, permitem que outros, indignos, se introduzam junto dessa órfã abandonada pelos próprios filhos, a desonrem e lhe granjeiem as práticas com que dizes que a sobrecarregam os seus detratores: a saber, que, daqueles que têm trato com ela, alguns não valem nada e a maioria merece os maiores castigos.

ADIMANTO:

— Efetivamente, é o que se diz.

SÓCRATES:

— E não sem razão. Com efeito, vendo o lugar vazio, mas repleto de belos nomes e belos títulos, homens sem valor, à maneira dos evadidos da prisão que se refugiam nos templos, trocam alegremente a sua profissão pela filosofia, embora sejam muito competentes em seu humilde ofício. Também em relação às outras artes, a filosofia, mesma no estado em que se encontra, conserva uma eminente dignidade que a leva a ser procurada por uma multidão de pessoas de natureza inferior a quem o trabalho servil deformou o corpo, ao mesmo tempo que lhes consumiu e degradou a alma. E poderia ser de outra maneira?

ADIMANTO:

— Claro que não.

SÓCRATES:

— Imagine um ferreiro calvo e baixo que, havendo economizado um pequeno capital e abandonado as suas ferramentas, corre ao banho, lava-se, veste um traje novo, e, elegante como um noivo, vai casar-se com a filha do seu patrão, que a pobreza e o isolamento reduziram a semelhante extremo?

ADIMANTO:

— Exatamente.

SÓCRATES:

— Ora, que prole poderá nascer de semelhante conluio, senão filhos bastardos e fracos?

ADIMANTO:

— Obrigatoriamente.

SÓCRATES:

— Por semelhantes motivos, que ideias e opiniões podem advir do trato dessas almas vulgares e incultas com a filosofia? Com certeza, nada além de frivolidades, opiniões sem fundamentos, sem sentido, sem consistência, enfim, apenas sofismas.

ADIMANTO:

— Com certeza, apenas isso.

A REPÚBLICA

SÓCRATES:

— Por conseguinte, Adimanto, é por demais baixo o número dos que podem lidar dignamente com a filosofia: talvez alguns nobres espíritos aprimorados por uma boa educação, isoladas do mundo, que, afastados de quaisquer influências corruptoras, permanecem fiéis à sua natureza e vocação; ou alguma grande alma, nascida numa pequena cidade, que despreze os cargos públicos; talvez ainda algum raro e feliz caráter que abandone, para se entregar à filosofia, outra profissão que considere inferior. Outros, enfim, parecem contidos pelo mesmo freio que mantém preso à filosofia a nosso amigo Teages. Embora tudo conspire para afastá-lo da filosofia, as enfermidades que o incapacitam para a vida política o obrigam a filosofar. Mas, entre este pequeno grupo, aqueles que se tornaram filósofos e provaram as delícias proporcionadas pela posse da sabedoria, convencidas da insensatez do restante dos homens, aqueles que sabem que não possuem aliados com quem possam contar para ir em socorro da justiça sem se perder, mas que, ao contrário, como um homem caído no meio de animais ferozes, recusando-se a participar das injustiças dos outros e incapaz de resistir sozinho a esses seres selvagens, pereceriam antes de ter servido à pátria e aos amigos, inúteis a si mesmos e aos outros. Levados por essas reflexões, ficam inativos e ocupam-se dos seus negócios; semelhante ao viajante que, durante uma tempestade, enquanto o vento ergue turbilhões de pó e chuva, fica feliz se encontra um muro atrás do qual possa se abrigar, os filósofos, constatando que a injustiça reina impune por toda parte, sentem-se felizes em poder conservar-se em seu retiro isentos de injustiças e de ações ímpias e passar seus dias sorridentes e tranquilos e que o consola de uma bela esperança.

ADIMANTO:

— Na verdade, não sairão deste mundo sem ter realizado grandes obras.

SÓCRATES:

— Sim, mas não terão cumprido o seu mais elevado destino, por não terlhes cabido um governo adequado à sua vocação. Com efeito, num governo adequado, os filósofos teriam desfrutado de mútuo prestígio e se teriam tornado úteis ao Estado e aos cidadãos. Pensa que já discorremos suficientemente a respeito da causa e da injustiça das acusações dirigidas à filosofia, a menos que tenha mais alguma coisa a dizer.

ADIMANTO:

— Não, não tenho nada a acrescentar. Porém, entre todos os governos, qual é, na sua opinião, o que convém à filosofia?

SÓCRATES:

— Nenhum. Lamento exatamente porque entre as constituições atuais nenhuma é conforme à natureza da filosofia. Por isso ela se altera e se corrompe. Como uma semente exótica lançada em terra imprópria se torna ineficaz e

PLATÃO

sofre a influência do solo em que caiu, assim também essa natureza não conserva as próprias características, mas se transforma em outra. Se, ao contrário, encontrar uma constituição melhor, correspondendo à sua própria excelência, então mostrará que essa natureza filosófica era realmente divina, ao passo que todos os demais caracteres e comportamentos eram tão somente humanos. Certamente, você haverá de me perguntar qual seria esta constituição.

ADIMANTO:

— Você se engana. Não queria lhe perguntar isso, mas se ela é idêntica ou diversa daquela que expusemos ao fundar nosso Estado.

SÓCRATES:

— É a mesma, mas com uma diferença. Já afirmamos anteriormente que teria sido necessário existir no Estado uma autoridade que se inspirasse no mesmo princípio de governo em que se inspirava a obra de legislador a que você se referia.

ADIMANTO:

— Sim, falamos disso.

SÓCRATES:

— Esse problema, contudo, não foi esclarecido de modo suficiente. Eu temia as objeções com que vocês haviam demonstrado que o caminho era longo e difícil. O resto também não é nada fácil de ser explicado.

ADIMANTO:

— O quê?

SÓCRATES:

— Das medidas que o Estado deve tomar para que a filosofia não venha a perecer. Sim, todos os grandes empreendimentos são arriscados e, como diz o provérbio, as coisas belas são deveras difíceis.

ADIMANTO:

— Vamos, pois, completar a demonstração, esclarecendo também esse ponto.

SÓCRATES:

— Talvez seja impedido pela incapacidade, mas não pela má vontade. Se você me acompanhar, verá minha coragem. Observe com quanto entusiasmo e audácia me disponho a dizer que o Estado deve ocupar-se da filosofia da maneira oposta ao que se faz no momento atual.

ADIMANTO:

— Em que sentido?

SÓCRATES:

— Aqueles que se ocupam de filosofia hoje são rapazes que mal saíram da infância e que ainda não têm amplo domínio sobre a economia e os negócios. Quando se aproximam da parte mais difícil, a abandonam. Apesar disso são considerados hábeis em filosofia. A meu ver, a parte mais difícil da filosofia é a dialética. Quando depois, mesmo impelidos por outros, se dispõem a escutar algumas discussões filosóficas, pensam que estão fazendo uma grande coisa,

A REPÚBLICA

mesmo que convencidos que a filosofia deve ser tomada como passatempo. Ao atingirem a velhice, se apagam quase todos como o sol de Heráclito com a diferença que, uma vez extintos, não se reacendem nunca mais.

ADIMANTO:

— O que é preciso fazer, então?

SÓCRATES:

— Exatamente o contrário. É preciso que os meninos e os jovens se apliquem à cultura e ao estudo da filosofia de acordo com sua idade. Na adolescência, é preciso praticar a educação física porque nessa idade crescem e se tornam homens e uma boa educação física colabora de modo válido com a filosofia. Mais tarde, quando o espírito começa a amadurecer, é preciso dedicar mais tempo a ele. Quando a força física começa a diminuir, tendo de se afastar da política e da guerra, então é preciso procurar pastagens em liberdade, como animais sagrados, sem qualquer outra ocupação obrigatória, para viver uma vida feliz e, depois da morte, coroar a vida aqui vivida com um destino adequado no além-túmulo.

ADIMANTO:

— Parece-me, Sócrates, que você foi tomado realmente pelo ardor ao falar, mas acho que muitos de seus ouvintes haverão de colocar suas objeções com um ardor ainda maior, porquanto não estão em nada dispostos a deixar-se convencer por você, começando por Trasímaco.

SÓCRATES:

— Não tente criar animosidade entre mim e Trasímaco. Mal nos tornamos amigos e, mesmo antes, éramos apenas adversários. Certamente não haveremos de poupar nenhum esforço para convencer tanto a ele como aos outros ou, pelo menos, para ser-lhes algo útil em relação à outra vida, quando haverão de renascer e ouvir discursos como os nossos.

ADIMANTO:

— Que breve adiamento!

SÓCRATES:

— Um nada, se comparado à eternidade. Não é de se surpreender, pois, que tais discursos não encontrem guarida em muitas mentes, porquanto ninguém os viu ainda confirmados pela realidade. Parece que outros foram vistos se concretizarem, semelhantes entre si pelos artifícios, mas não espontâneos como os meus. Jamais, porém, foi visto um homem, vivendo segundo a virtude, na prática e na teoria, até o mais alto grau da perfeição, ser colocado à testa de outro Estado semelhante ao nosso, nem um só, nem muitos. Você não acha?

ADIMANTO:

— Certo que não.

SÓCRATES:

— Tampouco, caro amigo, escutaram o bastante, discursos belos e nobres, capazes de investigar a verdade com absoluta concentração por amor ao saber, discursos despidos de vãos ornatos e puras sutilezas que nada mais visam senão o prestígio e a mera disputa nos processos públicos e nos debates privados.

PLATÃO

ADIMANTO:

— Isto também é a pura verdade.

SÓCRATES:

— Por isso, mesmo prevendo com temor esta ignorância, mas premidos pela verdade ousamos afirmar que nem cidade, nem constituição de Estado, nem indivíduos haverão de atingir a perfeição antes que alguém obrigue aqueles poucos filósofos, que ora são considerados não desonestos, mas inúteis, a tomar as rédeas do Estado, e o Estado a lhes obedecer, ou antes, que nos reis atuais ou em seus filhos, uma inspiração divina infunda o amor pela verdadeira filosofia. Acho que seria como que absurdo pensar que uma das duas hipóteses ou ambas não possam se verificar. Caso contrário, seríamos ridicularizados com razão, como se estivéssemos expondo simples quimeras. Não é assim?

ADIMANTO:

— É assim mesmo.

SÓCRATES:

— Se, pois, jamais aconteceu no decorrer dos séculos passados que uma necessidade obrigasse os grandes filósofos a se ocupar do Estado ou se nos dias de hoje isso pudesse ocorrer numa terra estrangeira, longe de nossos olhos, ou se deverá acontecer no futuro, poderemos então dizer que existiu, existe ou existirá um governo como o nosso, quando reinar no Estado a musa da filosofia. Porque não é impossível que isso ocorra e nem estamos aqui fabricando fantasias, conquanto reconheçamos, também nós, que é difícil.

ADIMANTO:

— Eu também sou do mesmo parecer.

SÓCRATES:

— Mas você não vai acrescentar que o povo não é da mesma opinião?

ADIMANTO:

— Talvez.

SÓCRATES:

— Caro amigo Adimanto, não acuse a multidão. Essas pessoas irão mudar de ideia se você não se irritar com elas, mas as acalmar, libertando-as dos preconceitos contra a cultura, mostrando-lhes o que você quer dizer quando fala de verdadeiros filósofos e definindo, como o fez há pouco, sua natureza e seu comportamento, a fim de que não pensem que você está falando das pessoas que elas pensam. Convencidas disso, mudarão de ideia e darão outro tipo de resposta. Você acredita, por acaso, que alguém fique furioso com quem não se enfurece ou inveje quem não tem inveja e é meigo? Eu o previno afirmando que caracteres intratáveis assim se encontram em poucas pessoas e não entre a multidão.

ADIMANTO:

— Também penso da mesma forma.

A REPÚBLICA

SÓCRATES:

— Você não haveria de admitir, portanto, que a desconfiança do povo para com a filosofia é provocada pelos intrusos que entraram para criar uma confusão indecente, insultando-se e odiando-se reciprocamente, e colocando sempre questões pessoais sem se preocuparem com a dignidade da filosofia?

ADIMANTO:

— Claro que sim.

SÓCRATES:

— Não acuse em demasia a multidão. Ela mudará de opinião se, em lugar de a provocares, a aconselhares e, refutando as acusações contra o amor e a ciência, lhe indicares aqueles a quem denominas filósofos e lhe definires, como fazemos, a sua natureza e profissão, para que não pense que lhe falas a respeito dos filósofos tais como ela os concebe. Quando a multidão puder enxergar as coisas assim, não crê que mudará de opinião e responderá de modo diferente? Ou pensa que é natural irritar-se contra quem não se irrita e odiar quem não odeia, quando se é, por natureza, desprovido de inveja e ódio? Quanta a mim, antecipando-me à tua objeção, afirmo que um caráter tão intratável só se encontra em algumas pessoas, e não na multidão.

ADIMANTO:

— Estou de acordo.

SÓCRATES:

— Concordas também que, pelos preconceitos da maioria a respeito da filosofia, os responsáveis são esses estrangeiros que se introduzem nela como indesejáveis libertinos numa orgia e que, injuriando-se, tratando-se com malevolência e fazendo incidir sempre as suas discussões sobre questões pessoais, portam-se da maneira menos adequada à filosofia?

ADIMANTO:

— Sem dúvida.

SÓCRATES:

— Logo, aquele cujo pensamento se entrega realmente à contemplação da essência das coisas não julga agradável contemplar a conduta dos homens, declararlhes guerra e encher-se de ódio e animosidade; com a visão dominada por objetos fixos e imutáveis, que não comportam nem suportam mútuos preconceitos, mas estão todos sujeitos à lei da ordem e da razão, esforça-se para imitá-los e, tanto quanto possível, tonar-se semelhante a eles. Ou crê que é possível não imitar aquilo de que a todo o momento nos aproximamos com admiração?

ADIMANTO:

— Não é possível.

SÓCRATES:

— Portanto, estando o filósofo em contato com o que é sagrado e sujeito à ordem, ele mesmo toma-se ordenado e sagrado, dentro do limite permitido pela natureza humana, a que não evita que, com frequência, a multidão o julgue de forma injusta.

PLATÃO

ADIMANTO:

— Com certeza.

SÓCRATES:

— Quer dizer que, se uma necessidade o obrigasse a tentar introduzir nos costumes públicos e privados o que ele considera mais elevado, em vez de se limitar a modelar o seu próprio caráter, julga que seria um mau mestre da moderação, da justiça e de todas as outras virtudes civis?

ADIMANTO:

— De jeito nenhum.

SÓCRATES:

— E se o povo conseguir compreender que dizemos a verdade a respeito dos filósofos, continuará sendo hostil com eles e a desconfiar de nós quando lhe afirmarmos que uma cidade só será feliz na medida em que seu plano for traçado por esses artistas que se baseiam em modelos divinos?

ADIMANTO:

— Não será hostil se conseguir compreender. Mas de que maneira, porém, os filósofos poderão traçar esse plano?

SÓCRATES:

— Como tela de seu esboço, tomariam o Estado e seus costumes e como primeira tarefa nada fácil teriam de tentar limpá-la. Você bem sabe que, diferentemente dos outros, não gostariam de se preocupar com cada cidadão em particular nem com o Estado, nem redigir leis, antes de considerarem totalmente limpa essa tela ou de tê-la tornado assim eles mesmos.

ADIMANTO:

— Está certo.

SÓCRATES:

— Depois disso, não haveriam de esboçar o plano da constituição?

ADIMANTO:

— Por certo.

SÓCRATES:

— Em seguida, a meu ver, lhe aplicariam as cores, volvendo os olhos para duas direções. Primeiro, para o que é por natureza justo, belo, sábio e assim por diante; depois, para o que podem realizar humanamente, misturando e fundindo entre os costumes humanos a cor natural, baseando-se naquele princípio que subsiste no homem e que também Homero considera divino e semelhante aos deuses.

ADIMANTO:

— Correto.

SÓCRATES:

— Acho que por vezes haveriam de apagar e por vezes haveriam de mudar a cor até conseguir tornar, na medida do possível, divinas as características humanas.

A REPÚBLICA

ADIMANTO:

— Sem dúvida, esse esboço haveria de se tornar extremamente belo.

SÓCRATES:

— Estaríamos, portanto, em condições de persuadir aqueles nossos ferrenhos opositores, dos quais você falava há pouco, de que o homem capaz de esboçar a constituição de um Estado seria aquela mesma pessoa que havíamos recomendado antes e contra quem tanto se haviam indignado ao ver que a ela confiávamos o Estado? Ouvindo repetir isso sob esta forma, não haveriam de se aplacar um pouco?

ADIMANTO:

— Acredito que muito, se forem sábios.

SÓCRATES:

— Que objeção poderiam fazer? Que os filósofos não gostam do ser e da verdade?

ADIMANTO:

— Seria um absurdo.

SÓCRATES:

— Que sua natureza não se aproxima daquele excelente princípio que expusemos?

ADIMANTO:

— Nem isto poderiam objetar.

SÓCRATES:

— Que tal natureza, exercendo as funções adequadas, não chegaria a ser perfeitamente boa e filosófica quanto outras? Haveriam de dizer que aqueles indivíduos que excluímos poderiam chegar a isso?

ADIMANTO:

— Com certeza, não.

SÓCRATES:

— Haveriam de persistir em seu ódio, se dissermos que até o dia em que a raça dos filósofos não se tornar senhora do Estado, não haverá remédio para as desgraças que atingem o Estado e os cidadãos, nem poderá vir a ser realidade a constituição que estamos planejando teoricamente.

ADIMANTO:

— Não, certamente vão se aborrecer menos.

SÓCRATES:

— Você quer que suprimamos este "menos" e passemos a considerá-los já persuadidos e aplacados, a tal ponto que possam declarar-se favoráveis a nós, mesmo que seja por mera discrição?

ADIMANTO:

— De acordo.

SÓCRATES:

— Vamos considerá-los, pois, persuadidos disso. E agora, haveria meio de negar a possibilidade que possa nascer algum descendente de rei ou de tirano com pendor natural para a filosofia?

PLATÃO

ADIMANTO:

— Ninguém poderia fazê-lo.

SÓCRATES:

— Além disso, se poderia afirmar que, mesmo nascendo com tais disposições, pudessem necessariamente se corromper? Reconhecemos que para eles é muito difícil se salvarem, mas quem poderia sustentar que entre todos e no decorrer dos tempos nenhum sequer consiga se salvar?

ADIMANTO:

— Ninguém poderia sustentar isto.

SÓCRATES:

— Assim sendo, para realizar o que por ora parece incrível, bastaria um só com um Estado dócil à sua disposição.

ADIMANTO:

— Sim, bastaria um.

SÓCRATES:

— Se um governante impusesse as leis e as instituições de que falamos, não seria impossível que os cidadãos as acatassem com disposição.

ADIMANTO:

— Naturalmente que não.

SÓCRATES:

— Será que é impossível e absurdo que algum outro pense como nós?

ADIMANTO:

— Não acredito.

SÓCRATES:

— Mas já demonstramos, acredito, que nosso projeto é excelente, contanto que seja exequível.

ADIMANTO:

— Correto.

SÓCRATES:

— Por conseguinte, a meu ver, podemos concluir que nosso projeto legislativo é ótimo, se posto em execução, e que sua execução é realmente difícil, mas não impossível.

ADIMANTO:

— É verdade.

SÓCRATES:

— Já que chegamos, não sem esforço, ao fim deste problema, vamos falar do que ainda falta, isto é, do modo, do conhecimento e de que maneira educar os defensores da constituição do Estado e em que idade eles devem aplicar-se a tudo isto.

ADIMANTO:

— Vamos falar disso.

SÓCRATES:

— Não fui prudente ao deixar de lado anteriormente a espinhosa questão da posse das mulheres, da procriação e da eleição dos magistrados, sabendo

A REPÚBLICA

que a pura verdade haveria de suscitar irados e desagradáveis protestos. Agora, porém, chegou o momento de falar. A questão das mulheres e dos filhos está praticamente esgotada, mas é necessário retomar quase do início aquela dos governantes. Se você bem lembra, dizíamos que esses devem se revelar patriotas, tanto nas alegrias quanto nos sofrimentos, sem abandonar suas convicções, seja em momentos de dificuldades, seja em momentos de temor, como em qualquer outra situação imprevista. Quem não superasse essas provas deveria ser eliminado e eleger, ao contrário, como governante aquele que em todas as provas saísse incólume como o ouro provado ao fogo, cumulando-o depois de recompensas em vida e após a morte. Tudo isso já foi dito de passagem e veladamente, com receio de suscitar a dificuldade que ora aflora.

ADIMANTO:

— Lembro bem e você tem razão.

SÓCRATES:

— Na realidade, eu vacilava em dizer de modo ousado o que acabo de afirmar. Mas é o momento de declarar que os melhores defensores do povo só podem ser os filósofos.

ADIMANTO:

— Vamos afirmar sem receio.

SÓCRATES:

— Fique bem atento, porém, porque provavelmente o número deles será reduzidíssimo. De fato, é preciso que tenham aquela natureza que descrevemos e cujos elementos raramente se encontram reunidos num só, mas geralmente estão dispersos entre vários.

ADIMANTO:

— O que quer dizer?

SÓCRATES:

— Se eles têm facilidade para aprender, se têm boa memória, se são inteligentes, perspicazes e assim por diante, você bem sabe que, em geral, não possuem também a grandeza de alma e a generosidade que os levariam a viver na ordem, na calma e na estabilidade. Ao contrário, indivíduos desse tipo se tornam vítimas da própria vivacidade e se mostram instáveis.

ADIMANTO:

— Tem razão.

SÓCRATES:

— Contudo, os homens de caráter firme e sólido, com quem sempre podemos contar, e que na guerra se mantêm impassíveis diante do perigo, em geral não são aptos para as ciências: embrutecidos, são lentos para compreender, e adormecem quando têm de se entregar a um trabalho intelectual.

PLATÃO

ADIMANTO:

— É isso mesmo.

SÓCRATES:

— Dissemos que os magistrados devem possuir todas aquelas qualidades, sem o que não podem aspirar nem a uma educação superior, nem às honras, nem ao poder.

ADIMANTO:

— Dissemos isso com razão.

SÓCRATES:

— Muito bem! Admite que isso seja raro?

ADIMANTO:

— Sim, admito.

SÓCRATES:

— Então, além da prova dos trabalhos e perigos, à qual é necessário sujeitá--los, vou acrescentar que é preciso exercitá-los num grande número de ciências, para verificar se a sua natureza está apta a suportar os mais altos estudos ou se fraquejam, como outros fazem, os exercícios de ginástica.

ADIMANTO:

— Quais são esses altos estudos a que se refere?

SÓCRATES:

— Talvez te lembres de que, após termos distinguido três partes na alma, utilizamos essa distinção para explicar a natureza da justiça, da moderação, da coragem e da sabedoria.

ADIMANTO:

— Se eu não me lembrasse, não seria merecedor de ouvir o resto.

SÓCRATES:

— Lembras-te também do que dissemos antes?

ADIMANTO:

— Sobre o quê?

SÓCRATES:

— Dissemos que para chegar ao conhecimento mais perfeito dessas virtudes existia um caminho mais longo e que elas se revelariam claramente a quem o percorresse; mas que também era possível ligar a demonstração ao que fora dito anteriormente. Você admitiu que isso bastava e, desse modo, a demonstração que foi feita careceu, a meu ver, de exatidão. Se estiver satisfeito, compete a você dizer.

ADIMANTO:

— Porém, tenho a impressão de que não respondeu com exatidão o que é também a opinião dos outros.

SÓCRATES:

— Mas, meu amigo, em semelhantes questões, toda a exatidão que se afaste, o mínimo que for, da realidade não é uma exatidão total, pois nada que é imperfeito é exatidão total de nada. No entanto, há às vezes quem imagine que isso basta e que não há necessidade de aprofundar mais as investigações.

A REPÚBLICA

ADIMANTO:

— De fato, é a ideia que a preguiça inspira a muitas pessoas.

SÓCRATES:

— Mas, se existe alguém que deva defender-se de tê-la, este alguém é precisamente o guardião do Estado e das leis.

ADIMANTO:

— Assim parece.

SÓCRATES:

— É necessário, então, meu amigo, que ele siga o caminho mais longo e que trabalhe tanto em instruir-se como em exercitar o corpo; caso contrário, como dissemos, nunca chegará ao termo dessa ciência sublime na qual lhe compete, mais que a qualquer outro, instruir-se com perfeição.

ADIMANTO:

— Portanto, aquilo de que falamos não é o que há de mais sublime, pois existe algo mais elevado que a justiça e as virtudes que enumeramos?

SÓCRATES:

— Sim, algo mais elevado. E acrescento que não é suficiente contemplar, como fazemos agora, um mero esboço dessas mesmas virtudes: não podemos eximir-nos de procurar o quadro mais perfeito. Efetivamente, não seria ridículo lançar mão de todos os meios para chegar, em questões de menor importância, ao mais alto grau de precisão e clareza e não considerar dignas da maior aplicação as questões mais elevadas?

ADIMANTO:

— Seria. Mas crê que o deixaremos continuar sem lhe perguntarmos que ciência é essa que denomina a mais elevada e qual é a seu objeto?

SÓCRATES:

— Não creio, mas me interroga. Na verdade, me ouviu falar várias vezes dessa ciência; agora, porém, ou se esqueceu ou pensa em me causar novos embaraços. E inclina-me para esta última opinião, pois me ouviu muitas vezes afirmar que a ideia do bem é o mais alto dos conhecimentos, aquela de que a justiça e as outras virtudes tiram a sua utilidade e as suas vantagens. Não ignora, agora, que é isto o que vou dizer, acrescentando que não conhecemos suficientemente esta ideia. Ora, se não a conhecemos, embora conheçamos o melhor possível todo o resto, sabe que estes conhecimentos não nos valerão de nada sem ela, da mesma forma que a posse de um objeto sem a do bem. Com efeito, julga vantajoso possuir muitas coisas, se não forem boas, ou conhecer tudo, com exceção do bem, e não conhecer nada de belo nem de bom?

ADIMANTO:

— Não, por Zeus, não acho.

SÓCRATES:

— E também sabe que, na opinião de muitos, o bem consiste no deleite, enquanto os mais requintados pensam que consiste na inteligência.

PLATÃO

ADIMANTO:

— Sim, eu sei.

SÓCRATES:

— E também não ignora, meu amigo, que aqueles que assim pensam não conseguem explicar de que inteligência se trata, mas são forçados a confessar, por último, que é da inteligência do bem.

ADIMANTO:

— Sim, e isso é muito divertido.

SÓCRATES:

— É de fato divertido que, ao mesmo tempo que censuram a nossa ignorância a respeito do bem, falam-nos dele como se o conhecêssemos. Dizem-nos que é a inteligência do bem, como se devêssemos compreendê-los logo que pronunciam a palavra bem.

ADIMANTO:

— Exatamente.

SÓCRATES:

— Mas, por acaso, estão menos equivocados os que identificam o bem com prazer? O seu erro é menor do que o dos outros? E não são obrigadas a admitir que há prazeres maus?

ADIMANTO:

— Por certo.

SÓCRATES:

— Acontece-lhes, no entanto, penso eu, admitir que as mesmas coisas são boas e más. Não é assim?

ADIMANTO:

— Sem dúvida.

SÓCRATES:

— Logo, é evidente que a questão comporta numerosas e profundas dificuldades.

ADIMANTO:

— Não há como negá-la.

SÓCRATES:

— Muito bem! Não é evidente que, em sua maioria, as pessoas se contentam com a simples aparência do justo e do belo e que, ao contrário, ninguém se satisfaz com o que parece bom, procurando o que de fato é, e cada um, neste campo, despreza a aparência?

ADIMANTO:

— Com certeza.

SÓCRATES:

— Ora, esse bem que todas as almas buscam atingir, de cuja existência suspeitam, embora com incerteza, sem conseguir defini-lo e acreditar nele com a fé

A REPÚBLICA

sólida que tem em outras coisas, o que torna essas outras coisas inúteis, esse bem tão grande e precioso deverá ficar coberto de trevas para os eminentes cidadãos a quem confiaremos tudo?

ADIMANTO:

— Sem dúvida que não.

SÓCRATES:

— Julgo, então, que as coisas justas e belas terão um guardião e defensor de pouco valor, se este ignorar em que é que elas são boas. Afirmo até que ninguém os conhecerá bem sem antes conhecer o bem.

ADIMANTO:

— Sua afirmação é correta.

SÓCRATES:

— Muito bem! Teremos, portanto, um governo perfeitamente organizado, se tiver por líder um magistrado que detenha esse conhecimento?

ADIMANTO:

— Sim, teremos. Mas, Sócrates, você pensa que o bem seja a ciência, o prazer ou qualquer outra coisa?

SÓCRATES:

— Finalmente! Eu tinha certeza de que, nesse assunto, não se contentaria com a opinião dos outros!

ADIMANTO:

— É que não acho justo, Sócrates, que exponha as opiniões dos outros e não as tuas, depois de haver tratado há tanto tempo dessas questões.

SÓCRATES:

— Como assim? Então, achas justo que um homem fale do que ignora, como se o soubesse?

ADIMANTO:

— Não como se o soubesse, mas expondo sua opinião a respeito.

SÓCRATES:

— Muito bem! Não percebeu como são ridículas as opiniões que não se baseiam na ciência? As melhores são cegas. Vês alguma diferença entre cegos que seguem pelo caminho certo e aqueles que possuem uma opinião verdadeira a respeito de alguma coisa, mas sem ter a compreensão dessa mesma coisa?

ADIMANTO:

— Nenhuma.

SÓCRATES:

— Prefere então observar coisas feias e disformes, em lugar de ouvir a exposição de coisas brilhantes e belas?

ADIMANTO:

— Por Zeus, Sócrates, não pare como se tivesses chegado ao fim. Ficaremos satisfeitos se explicares a natureza do bem como fez com a natureza da justiça, da temperança e das demais virtudes.

PLATÃO

SÓCRATES:

— Eu também ficaria plenamente satisfeito, mas temo ser incapaz disso. Se tiver coragem para tentar, receio que a minha incompetência provoque zombarias. Mas, meus caros amigos, não nos ocupemos agora com o que possa ser bem em si mesmo, pois me parece algo muito elevado para que o nosso esforço nos conduza, neste momento, até a concepção que tenho dele. Contudo, se desejar, consinto em lhes falar do que me parece ser o filho, o fruto do bem e do que mais lhe assemelha.

ADIMANTO:

— Fala-nos do filho. Pagará a sua dívida em outra ocasião, falando-nos do pai.

SÓCRATES:

— Gostaria que eu pudesse lhe pagar e você receber a dívida dessa explicação e que não tivéssemos de nos contentar com os juros! Receba pois, este filho, este fruto do bem em si mesmo. Mas cuide para que eu não o engane involuntariamente, dando-lhe um valor errado ao juramento.

ADIMANTO:

— Tomaremos o máximo cuidado possível. Agora, fale.

SÓCRATES:

— Antes, é necessário que nos ponhamos de acordo e que eu me recorde do que foi dito há pouco e em vários outros encontros entre nós.

ADIMANTO:

— O que é?

SÓCRATES:

— Declaramos que existem numerosas coisas belas, numerosas coisas boas, muitas coisas de outras espécies cuja existência afirmamos e distinguimos na linguagem.

ADIMANTO:

— De fato, declaramos.

SÓCRATES:

— Declaramos também que existe o belo em si, o bom em si e, igualmente, em relação a todas as coisas que agora mesmo indicamos como sendo múltiplas, declaramos que a cada uma delas também corresponde a sua ideia, que denominamos essência da coisa.

ADIMANTO:

— Exato.

SÓCRATES:

— E afirmamos que umas são percebidas pela vista, e não pelo pensamento, mas que as ideias são concebidas e não vistas.

ADIMANTO:

— Perfeitamente.

A REPÚBLICA

SÓCRATES:

— Ora, qual é a sentido que nos permite perceber as coisas visíveis?

ADIMANTO:

— A visão.

SÓCRATES:

— Então, apreendemos os sons pela audição e, pelos outros sentidos, todas as coisas sensíveis, não é verdade?

ADIMANTO:

— Sem dúvida.

SÓCRATES:

— Porém, já raciocinou que o artífice dos nossos sentidos teve de se esforçar bem mais para modelar a faculdade de ver e ser visto da que as outras?

ADIMANTO:

— Nunca pensei nisso.

SÓCRATES:

— Considera o seguinte: o ouvido e a voz precisam de algum elemento de espécie diferente, o primeiro para ouvir e a segundo para ser ouvido, de modo que, se esse terceiro elemento vier a faltar, o primeiro não ouvirá e o segundo não será ouvido?

ADIMANTO:

— De modo algum.

SÓCRATES:

— Eu penso que as outras faculdades não precisam de nada semelhante. Ou podes citar-me alguma?

ADIMANTO:

— Não.

SÓCRATES:

— Mas não sabes que o sentido de ver e ser visto precisa disso?

ADIMANTO:

— Como assim?

SÓCRATES:

— A visão pode estar situada nos olhos, e estes podem ser usados para enxergar; a cor, da mesma maneira, pode estar nos objetos. Contudo, se a isso não for acrescentado um terceiro elemento, a vista nada vê e as cores não serão percebidas.

ADIMANTO:

— De que elemento está falando?

SÓCRATES:

— Aquele que denomina luz.

ADIMANTO:

— Tem razão.

PLATÃO

SÓCRATES:

— Logo, o sentido da visão e a faculdade de ser visto estão unidos por um laço incomparavelmente mais precioso do que aquele que estabelece as outras uniões, desde que a luz não seja uma coisa desprezível.

ADIMANTO:

— De maneira nenhuma ela é desprezível.

SÓCRATES:

— Qual é, então, na tua opinião, de todos os deuses do céu, aquele que pode realizar essa união, aquele cuja luz faz com que os nossos olhos vejam da melhor maneira possível, e que os objetos visíveis sejam vistos?

ADIMANTO:

— O mesmo que você e todas as pessoas reconhecem como senhor: o Sol.

SÓCRATES:

— Então, não está a vista, pela sua natureza, nesta relação com esse deus?

ADIMANTO:

— Que relação?

SÓCRATES:

— Nem a vista é o Sol, nem o Sol é o olho, onde a vista se forma.

ADIMANTO:

— Evidente que não.

SÓCRATES:

— Porém, de todos os órgãos dos sentidos, o olho é, no meu entender, o que mais se assemelha ao Sol.

ADIMANTO:

— Sim, sem dúvida.

SÓCRATES:

— Muito bem! E o poder que o olho possui não lhe vem do Sol, como uma emanação deste?

ADIMANTO:

— Certamente.

SÓCRATES:

— Não é também verdade que o Sol, que não é a vista, mas seu princípio, é percebido por ela?

ADIMANTO:

— Sim, é.

SÓCRATES:

— Pois é o Sol que eu chamo de filho do bem, que o bem engendrou à sua própria semelhança. Aquilo que o bem é, no campo da inteligência em relação ao pensamento e aos seus objetos, o Sol é o campo visível, em relação à vista e aos seus objetos.

A REPÚBLICA

ADIMANTO:

— Como assim?

SÓCRATES:

— Sabe, logicamente, que os olhos, quando contemplam objetos cujas cores não são iluminadas pela luz do dia, mas pela claridade dos astros noturnos, perdem a acuidade e parecem quase cegos, como se não fossem providos de visão clara.

ADIMANTO:

— Sei muito bem.

SÓCRATES:

— Mas, quando se voltam para objetos que o Sol ilumina, enxergam distintamente e mostram que são providos de visão clara.

ADIMANTO:

— Sem dúvida.

SÓCRATES:

— Admite, portanto, que se dá o mesmo a respeito da alma. Quando se fixa o olhar naquilo que a verdade e o sol iluminam, compreende-o, conhece-o e mostra que é dotado de inteligência; mas, quando olha para aquilo que está obscurecido, para o que nasce e morre, a sua vista fica embaçada, passa a ter apenas opiniões, indo sem cessar de uma a outra e parece desprovida de inteligência.

ADIMANTO:

— Realmente, parece desprovida dela.

SÓCRATES:

— Confessa, então, que o que derrama a luz da verdade sobre os objetos do conhecimento e proporciona ao indivíduo o poder de conhecer é a ideia do bem. Pode concebê-la como objeto de conhecimento por ela ser o princípio da ciência e da verdade, mas, por mais belas que sejam estas duas coisas, a ciência e a verdade, não se equivocará se pensar que a ideia do bem é distinta delas e as ultrapassa em beleza. Como no mundo visível se considera, e com razão, que a luz e a visão são semelhantes ao Sol, mas se acredita, erroneamente, que são o Sol da mesma forma no mundo inteligível é correto pensar que a cidade e a verdade são, uma e outra, semelhantes ao bem, mas é errado julgar que uma ou outra seja o bem; a natureza do bem deve ser considerada muito mais preciosa.

ADIMANTO:

— No seu modo de ver, a sua beleza é extraordinária, sempre que produz a ciência e a verdade, e é ainda mais belo do que elas. Por certo que não o identifica com o prazer.

SÓCRATES:

— Deus me livre de tal coisa! Mas considera a imagem do bem da maneira que vou dizer.

PLATÃO

ADIMANTO:

— Como?

SÓCRATES:

— Creio que admitirá que o Sol fornece às coisas visíveis não apenas a capacidade de serem vistas, mas também a criação, o crescimento e a nutrição, apesar de ele mesmo não ser criação.

ADIMANTO:

— Efetivamente, não é.

SÓCRATES:

— Admite também que as coisas cognoscíveis não recebem do bem apenas a sua inteligibilidade, mas também retiram dele a sua existência e a sua essência, apesar de o bem não ser a essência, mas estar muita acima desta em dignidade e poder.

Nesse momento, Glauco exclamou com vivacidade:

GLAUCO:

— Por Apolo! Que maravilhosa superioridade! A culpa é também sua! Por que me forçar a dizer o que penso acerca desse assunto? Termina a tua comparação com o Sol, se por acaso tem algo mais a dizer.

SÓCRATES:

— Com certeza, ainda me falta muito para dizer!

GLAUCO:

— Então, não omita nada.

SÓCRATES:

— Penso que, sem querer, omitirei muitas coisas. Contudo, tomarei o cuidado de tudo dizer neste momento.

GLAUCO:

— Está bem.

SÓCRATES:

— Considere, então, que existem dois reis, reinando um sobre o campo do cognoscível e o outro, do visível: não digo do céu, com receio de que penses que brinco com as palavras. Mas consegues imaginar estes dois gêneros, o visível e o cognoscível?

GLAUCO:

— Consigo.

SÓCRATES:

— Imagine, por exemplo, uma linha dividida em dois segmentos desiguais, depois continue a dividi-la da mesma maneira, distinguindo o segmento do tipo visível daquele do tipo inteligível. Com base na relativa clareza e obscuridade dos objetos você vai fazer um primeiro corte, correspondente às imagens. Con-

A REPÚBLICA

sidere em primeiro lugar as sombras, depois os reflexos na água e nos corpos opacos, lisos e brilhantes e todos os fenômenos semelhantes a esses. Você está entendendo?

GLAUCO:

— Sim, entendo.

SÓCRATES:

— Imagine depois o outro segmento, do qual o primeiro é a imagem. Ele corresponde aos seres vivos, às plantas, a tudo o que existe.

GLAUCO:

— Muito bem.

SÓCRATES:

— Você está inclinado a admitir que o mundo visível possa ser dividido em verdadeiro e falso e que a imagem está para o modelo como a opinião para a verdade?

GLAUCO:

— Sim, sem dúvida alguma.

SÓCRATES:

— Veja agora como é preciso dividir o segmento que corresponde ao tipo inteligível.

GLAUCO:

— Isto é?

SÓCRATES:

— Na primeira parte de tal segmento, a alma, usando como imagens as coisas que no outro segmento eram os modelos, é obrigada a proceder por hipóteses, ao longo de um caminho que a conduz não para o princípio, mas para o fim. Depois, na segunda seção, ela procede em direção ao princípio absoluto sem recorrer às hipóteses e às imagens, conduzindo sua pesquisa somente por intermédio das ideias.

GLAUCO:

— Não entendi direito.

SÓCRATES:

— Vou explicar de novo. Talvez depois do que vou dizer agora, você irá entender melhor. Você sabe, que os peritos em geometria, em aritmética e em cálculos semelhantes pressupõem o par e o ímpar, as figuras geométricas, as três espécies de ângulos e outros postulados análogos de acordo com a pesquisa que estão fazendo. Todos esses elementos eles os consideram como coisa comprovada, como premissas hipotéticas, tão evidentes que não requerem justificativa alguma. Depois, partindo destes, explicam o resto e, ao final, chegam à demonstração que procuravam.

GLAUCO:

— Sei muito bem disso.

PLATÃO

SÓCRATES:

— Então, você sabe também que utilizam figuras visíveis e raciocinam a respeito, embora não pensem nelas, mas a seus respectivos modelos. Eles fazem os cálculos do quadrado e do diâmetro em si, não daqueles desenhados e assim por diante. Servem-se das figuras que constroem e desenham, como se fossem sombras e imagens refletidas na água, como se fossem imagens também elas, procurando contemplar a essência daqueles seres que se compreendem somente com o pensamento.

GLAUCO:

— Você tem razão.

SÓCRATES:

— Este é o tipo inteligível de que eu falava antes, que a alma é obrigada a estudar por vias hipotéticas, sem chegar ao princípio, exatamente porque não se pode elevar acima das hipóteses. Ela se serve como que de imagens das coisas que no segmento inferior são imitadas e passa de umas às outras porque as pode considerar mais evidentes.

GLAUCO:

— Entendo que você pretende falar do modo como se procede em geometria e nas disciplinas afins.

SÓCRATES:

— Agora vou dizer o que considero como segundo segmento do mundo inteligível. Ele é compreendido somente pela razão mediante a dialética que interpreta as hipóteses não como princípios, mas sim como hipóteses, como premissas e pontos de partida para chegar ao princípio absoluto de cada coisa. Alcançado este, a razão vai novamente ao fim por intermédio da sucessão das consequências, sem qualquer referência sensível, mas passando de uma ideia a outra e permanecendo em seu âmbito até o fim.

GLAUCO:

— Parece que estou entendendo, ainda que não perfeitamente. Esse problema me parece realmente difícil. Resumindo, você quer afirmar que o conhecimento do ser inteligível obtido com a dialética é mais correto do que aquele oferecido pelas chamadas ciências, cujos princípios são hipotéticos. Hipóteses que é preciso estudar com o pensamento e não com os sentidos. Mas como os cientistas não remontam ao princípio, mas partem das hipóteses, parece que eles não captam plenamente essas realidades, ainda que inteligíveis com um princípio. E acho que você considera pensamento discursivo, não inteligência, a condição da geometria e das outras disciplinas afins, isto é, um pensamento intermediário entre a opinião e a inteligência.

A REPÚBLICA

SÓCRATES:

— Você entendeu muito bem! E agora, aos quatro segmentos é preciso fazer corresponder as quatro condições espirituais: ao segmento superior a inteligência, ao segundo o pensamento discursivo, ao terceiro o consentimento e ao último, a conjectura. Depois, coloque-os em ordem segundo o princípio que tanto maior será sua evidência, quanto maior sua participação na verdade.

GLAUCO:

— Entendo, aprovo e os coloco na ordem que você acaba de dizer.

Glauco, irmão mais velho de Platão.

Livro Sete

SÓCRATES:
— Agora imagine a maneira como segue o estado da nossa natureza relativamente à instrução e à ignorância. Imagine homens numa morada subterrânea, em forma de caverna, com uma entrada aberta à luz. Esses homens estão aí desde a infância, de pernas e pescoço acorrentados, de modo que não podem mexer-se nem ver senão o que está diante deles, pois as correntes os impedem de voltar a cabeça. A luz chega para eles de uma fogueira acesa numa colina que se ergue por detrás deles. Entre o fogo e os prisioneiros passa uma estrada ascendente. Imagine que ao longo dessa estrada está construído um pequeno muro, semelhante às divisórias que os apresentadores de títeres armam diante de si e por cima das quais exibem as suas maravilhas.

GLAUCO:
— Estou imaginando.

SÓCRATES:
— Imagine agora, ao longo desse pequeno muro, homens que transportam objetos de toda espécie, que o transpõem: estatuetas de homens e animais, de pedra, madeira e toda espécie de material. Entre esses transportadores, uns falam e outros seguem em silêncio.

GLAUCO:
— Que visão estranha e que estranhos prisioneiros!

A Alegoria da Caverna ou O Mito da Caverna de Platão, por Jan Saenredam.

PLATÃO

SÓCRATES:

— São semelhantes a nós. Pense bem! Em primeiro lugar, deles mesmos e de seus companheiros poderiam ver algo mais do que as sombras projetadas pela chama na parede da caverna diante deles?

GLAUCO:

— Impossível, se foram obrigados a ficar por toda a vida sem mover a cabeça.

SÓCRATES:

— E não se encontram na mesma situação no tocante aos objetos que desfilam perante eles?

GLAUCO:

— Certamente.

SÓCRATES:

— Supondo que pudessem falar, você não acha que considerariam reais as figuras que estão vendo?

GLAUCO:

— Sem dúvida alguma.

SÓCRATES:

— E se a parede oposta da caverna fizesse eco? Quando um dos que passam se pusesse a falar, você não acha que eles haveriam de atribuir aquelas palavras a sua sombra?

GLAUCO:

— Claro, por Zeus!

SÓCRATES:

— Então para esses homens a realidade consistiria somente nas sombras dos objetos.

GLAUCO:

— Obviamente haveria de ser assim.

SÓCRATES:

— Considere agora o que lhes acontecerá, naturalmente, se forem libertados das suas cadeias e curados da sua ignorância. Que se liberte um desses prisioneiros, que seja obrigado a endireitar-se imediatamente, a voltar o pescoço, a caminhar, a erguer os olhos para a luz. Ao fazer todos estes movimentos, sofrerá e o deslumbramento o impedirá de distinguir os objetos dos quais anteriormente via as sombras. Se a ele dissesse que antes via somente as aparências e que agora poderia ver melhor porque seu olhar está mais próximo da realidade e voltado para objetos bem reais. Se lhe fosse mostrado cada um dos objetos que desfilam e se fosse obrigado com algumas perguntas a responder o que seria isso, como você acha que ele haveria de se comportar? Você não acha que ficaria atordoado e haveria de considerar as coisas que via antes mais verdadeiras do que aquelas que lhe são mostradas agora?

A REPÚBLICA

GLAUCO:

— Sem dúvida, muito mais verdadeiras.

SÓCRATES:

— Se fosse obrigado a olhar exatamente para a luz, não haveria de sentir os olhos doloridos e não tentaria de desviá-los e dirigi-los para o que pode ver? Não haveria de acreditar que isto seria na realidade mais verdadeiro do que agora se quer mostrar a ele?

GLAUCO:

— Certamente.

SÓCRATES:

— E se alguém o tirasse à força dali, fazendo-o subir pela áspera e íngreme subida, libertando-o somente depois de tê-lo levado à luz do sol, o prisioneiro não sentiria dor e ao mesmo tempo raiva por ser assim arrastado? Uma vez fora, à luz do dia, por acaso não é verdade que, com seus olhos cegados pelos raios do sol, não conseguiria contemplar sequer um só dos objetos que agora nós consideramos reais?

GLAUCO:

— Sim, pelo menos não de imediato.

SÓCRATES:

— Acho que precisaria de tempo para habituar-se a contemplar essas realidades superiores. Primeiramente, haveria de ver com a maior facilidade as sombras, depois as figuras humanas e todas as outras refletidas na água e, por último, poderia vê-las como são na realidade. Após isso, seria capaz de fitar os olhos nas constelações e contemplaria o próprio céu à noite, à luz das estrelas e da lua, mais facilmente que durante o dia, sob o esplendor do sol.

GLAUCO:

— Sem sombra de dúvida.

SÓCRATES:

— Acho que, por fim, haveria de contemplar o sol, não sua imagem refletida na água ou em qualquer outra superfície, mas em sua realidade, assim como realmente é, em seu próprio lugar.

GLAUCO:

— Perfeito.

SÓCRATES:

— Depois passaria a refletir que é o sol que produz as estações e os anos, que governa todos os fenômenos do mundo visível e que, de algum modo, é ele a verdadeira causa daquilo que os prisioneiros viam.

GLAUCO:

— Evidente que refletindo assim chegaria gradualmente a essas conclusões.

SÓCRATES:

— E depois? Lembrando-se de sua antiga morada, da ideia de sabedoria que lá imperava e de seus velhos companheiros de prisão, não se consideraria afortunado pela mudança efetuada e não sentiria compaixão por eles?

PLATÃO

GLAUCO:

— Obviamente.

SÓCRATES:

— Se aqueles da caverna inventassem atribuir honras, elogios e prêmios a quem melhor visse a passagem das sombras e se recordasse com maior exatidão quais passavam primeiro, quais por último e quais passavam juntas e, com base nisso, adivinhasse com grande habilidade aquelas que passavam em cada preciso momento, você acha que ele ficaria com desejo e com inveja de suas honras e de seu poder ou se haveria de encontrar na condição do herói homérico e preferiria ardentemente "trabalhar como assalariado a serviço de um pobre camponês" e sofrer qualquer privação, antes de dividir as opiniões deles e voltar a viver à maneira deles?

GLAUCO:

— Sim, acho que aceitaria sofrer qualquer tipo de privação, antes de retornar a viver daquela maneira.

SÓCRATES:

— Mais um ponto a ser considerado. Se aquele homem tivesse de descer novamente e retomar seu lugar, não haveria de sentir os olhos doloridos por causa da escuridão, vindo inopinadamente do sol?

GLAUCO:

— Certamente.

SÓCRATES:

— Se, enquanto tivesse a vista confusa pelo tempo que se passaria antes que os olhos se acostumassem novamente com a obscuridade, devesse avaliar novamente aquelas sombras e apostasse com aqueles eternos prisioneiros, você não acha que passaria por ridículo e dele diriam que sua saída lhe havia arruinado a vista e que sequer valia a pena enfrentar essa subida? Não haveria de ser morto aquele que tentasse libertar e fazer subir os outros, bastando para isso que o tivessem entre as mãos para matá-lo?

GLAUCO:

— Não há dúvida alguma.

SÓCRATES:

— Agora, caro Glauco, é preciso aplicar toda esta alegoria a tudo o que dissemos antes. Compare o mundo visível à caverna e a chama que a alumia ao sol. A subida do cativo para contemplar a realidade superior, você não haveria de se desiludir, se a comparasse à alma que se eleva para o mundo inteligível. Essa é minha interpretação, uma vez que você quer conhecê-la, mas só Deus sabe se é verdadeira. De qualquer forma, assim penso. A ideia do bem representa o limite extremo e a custo discernível do mundo inteligível, mas quando compreendida, se impõe à razão como a causa universal de tudo o que é bom e belo. Ela gerou no mundo visível a luz e as fontes da luz, enquanto que no mundo inteligível

A REPÚBLICA

ela mesma abre as portas da verdade e da inteligência e quem queira se portar sabiamente em particular e em público deve contemplar essa ideia.

GLAUCO:

— Estou de pleno acordo, dentro dos limites de minha capacidade de compreensão.

SÓCRATES:

— Vamos adiante, pois, e continue a dar-me razão. Não se maravilhe que aqueles que tiverem chegado a esse ponto não queiram mais se interessar pelas vicissitudes humanas, mas espiritualmente tendam a permanecer sempre no alto. De fato, é natural que isso aconteça, se a alegoria apresentada merece realmente crédito.

GLAUCO:

— Certamente. É natural.

SÓCRATES:

— Você não haveria de julgar estranho que um homem que passasse dessa contemplação divina para as misérias humanas se comportasse de modo simplório e ridículo, porquanto ainda permanece atordoado e obrigado, antes de se ter habituado convenientemente a essa obscuridade, a defender-se nos tribunais e em outros lugares das sombras da justiça e das figuras que projetam aquelas sombras ou a refutar a interpretação de tais figuras diante de quem jamais contemplou a essência da justiça?

GLAUCO:

— Não é estranho sob hipótese alguma.

SÓCRATES:

— Um homem sensato, porém, haveria de se lembrar que as perturbações que afetam os olhos são de dois tipos e têm duas causas: a passagem da luz para a sombra e aquela da sombra para a luz. Aplicando isso à visão da alma, não haveria de rir tresloucadamente quando visse uma alma perturbada e incapaz de discernir alguma coisa, mas se perguntaria se não estaria conturbada pela falta de adaptação porque proveniente de uma existência mais luminosa ou se, ao contrário, estaria ofuscada por uma luz mais resplendente porque proveniente de uma condição de ignorância maior. Então, no primeiro caso, haveria de se cumprimentar por seu embaraço, tendo em vista sua condição superior, mas se lamentaria no segundo caso. Mas se quisesse rir-se desse estado, seu riso seria menos inoportuno para a alma que viesse do alto e da luz.

GLAUCO:

— Você tem razão.

SÓCRATES:

— Se isso é verdade, deve-se concluir que a cultura não é o que alguns imaginam que seja. Eles afirmam que pode introduzir a ciência numa alma que não a possui, como se comunica a visão aos que não veem.

PLATÃO

GLAUCO:

— De fato, dizem isso mesmo.

SÓCRATES:

— Mas o discurso atual nos faz ver que na alma de cada um subsiste essa faculdade, junto de um órgão que torna possível o conhecimento, à semelhança dos olhos que não podem se volver das trevas para a luz sem que todo o corpo se volte nessa direção. Assim também a inteligência se deve voltar, com toda a alma, da visão do que nasce à contemplação do ser e de sua parte mais luminosa, e isto, a nosso ver, é o próprio bem. Ou não é?

GLAUCO:

— Sim, é isto mesmo.

SÓCRATES:

— Deve, pois, haver uma arte para fazer volver da maneira mais fácil e eficaz esse órgão da compreensão. Não se trata de lhe conferir a faculdade visiva que já a possui, ao contrário desviá-la de sua direção equivocada e volvê-la para a direção que deve olhar.

GLAUCO:

— Parece que é assim.

SÓCRATES:

— Também as outras faculdades chamadas psíquicas talvez sejam afins às do corpo. Quando não são inatas, podem ser adquiridas com o hábito e o exercício, mas o pensamento, pelo que parece, diz respeito a um objeto mais divino que jamais perde seu poder, embora, de acordo com a direção a que se volta, pode-se tornar útil e vantajoso ou inútil e prejudicial. Você não entendeu ainda que as pessoas consideradas desonestas e inteligentes têm a vista muito perspicaz e observam com agudeza aquilo para que seu espírito se volta, exatamente porque seu modo de ver não é insignificante, mas está voltado para um fim maléfico, de tal sorte que quanto maior é sua perspicácia, tanto mais grave é o prejuízo que produz?

GLAUCO:

— Exatamente.

SÓCRATES:

— Se, no entanto, uma alma dessas fosse submetida desde a infância a uma operação cirúrgica para lhe extrair aqueles pesos de chumbo do futuro de que é portadora e que a ela aderem por meio dos festins e prazeres semelhantes da gula, levando-a a anelar sempre por coisas inferiores; se conseguisse se libertar desses pesos e se voltasse para a verdade, essa mesma natureza haveria de ver a realidade com a mesma perspicácia com que por ora vê aquilo para que se volve.

GLAUCO:

— Com muita probabilidade.

A REPÚBLICA

SÓCRATES:

— Com base em nossas premissas, nunca seria sequer lógico confiar o Estado aos incultos e aos que ignoram a verdade, nem àqueles aos quais é permitido passar toda a sua existência no estudo. Aos primeiros, porque na vida não têm um único objetivo a perseguir em cada ação de sua vida particular ou pública. Aos segundos, porque não estariam dispostos a enfrentar isso, porquanto já se consideram em vida como que transportados para as ilhas dos bem-aventurados.

GLAUCO:

— É verdade.

SÓCRATES:

— A nós, portanto, que fundamos um Estado incumbe obrigar os de melhor caráter a dedicar-se ao que definimos antes como a coisa mais importante, ou seja, a contemplar o bem e a se empenhar em enfrentar essa subida. Quando a tiverem galgado e tenham visto o suficiente, não devemos permitir a eles o que agora lhes é permitido.

GLAUCO:

— O quê?

SÓCRATES:

— De ficar lá em cima, recusando-se a descer novamente entre aqueles prisioneiros e a participar de suas fadigas e de seus prêmios, por frívolos ou sérios que pareçam.

GLAUCO:

— Mas então estaríamos exercendo coação sobre eles e os obrigaríamos a viver pior do que poderiam?

SÓCRATES:

— Uma vez mais você esqueceu, meu amigo, que a lei não visa o bem-estar absoluto de uma só classe de cidadãos, mas ao contrário procura que no Estado este seja alcançado com a concórdia entre todas as classes, seja por meio da persuasão, seja pela coação, obrigando a todas a repartir entre si a contribuição que cada uma delas está em condições de trazer para a coletividade. Se a lei assim os torna cidadãos, seu objetivo não é o de deixá-los livres para fazer o que quiserem, mas de obrigar a cada um a colaborar para a concórdia no Estado.

GLAUCO:

— É verdade, eu tinha esquecido.

SÓCRATES:

— Observe, portanto, Glauco, que não vamos agir de modo injusto com os filósofos que se formaram conosco, mas lhes colocaremos boas razões para obrigá-los a cuidar dos demais concidadãos e a protegê-los. Diríamos a eles, portanto: "Em outros Estados, aqueles que se tornam filósofos têm razão em não participar dos encargos políticos, exatamente porque só a si

PLATÃO

são devedores de quanto sabem, mesmo contra a vontade de todos aqueles governos. E é justo que aquilo que se desenvolve por si mesmo, sem dever nada a ninguém por seu crescimento, a ninguém pague o preço. Nós, pelo contrário, vos formamos para vós mesmos, mas também para o resto da república, como chefes e rainhas de colmeias, vos educamos melhor e de modo mais profundo do que eles e mais capazes para exercer ambas as atividades. Devereis descer, portanto, cada um por sua vez, à morada dos outros e vos acostumar a enxergar nas trevas. Quando estiverdes habituados, havereis de enxergar mil vezes melhor do que aqueles lá debaixo e havereis de compreender o que vem a ser e o que pode representar cada uma das sombras, porque já havereis visto a verdade com relação ao belo, ao justo e ao bem. Assim, como homens atentos a tudo, haveremos de governar juntos o Estado, bem ao contrário de que ocorre agora, quando quase todos os Estados são governados por pessoas adormecidas que combatem pelas sombras e lutam entre si pelo poder, como se fosse um bem precioso. Esta, no entanto, é a verdade: será governado da melhor maneira e de modo mais equânime aquele Estado em que aquele que deve governar não tenha a ânsia de fazê-lo, enquanto o contrário ocorre se os governantes têm ambição pelo poder."

GLAUCO:

— É a pura verdade.

SÓCRATES:

— Você acha, porém, que nossos discípulos haveriam de acreditar em nossos argumentos, se recusariam a colaborar, cada um por sua vez, e passariam a maior parte de seu tempo no mundo das ideias?

GLAUCO:

— Impossível, porque daríamos ordens justas a pessoas certas. Cada um deles, sobretudo nesse caso, assumiria a função de governar como um dever inevitável, contrariamente do que ocorre com os governantes que ora dirigem os outros Estados.

SÓCRATES:

— Assim é, amigo. Só é possível encontrar um bom governo, onde a condição dos homens destinados ao poder é preferível ao próprio poder. Porque só aí haverão de ter o poder os verdadeiros ricos, não em ouro, mas daquilo que devem ser ricos os homens felizes, isto é, de um modo de vida honesto e sábio. Mas se dominarem a política os esfarrapados com fome de propriedade privada, na esperança de conseguir lucros fabulosos, um bom governo não será possível. De fato, o poder será ambiciosamente disputado e uma guerra desse tipo, doméstica e civil, acabará por levar eles próprios e aos demais à ruína.

GLAUCO:

— Sem dúvida alguma.

A REPÚBLICA

SÓCRATES:

— Você saberia indicar outro modo de vida que despreze os cargos políticos que não o dos filósofos?

GLAUCO:

— Eu não, por Zeus!

SÓCRATES:

— Com toda a certeza deve-se evitar chegar ao poder com paixão, do contrário rivalidades e lutas serão inevitáveis.

GLAUCO:

— E que dúvida!

SÓCRATES:

— A quem você obrigaria a proteger o Estado, senão àqueles que, mais bem instruídos na arte de governar, que gozam de outras honras e vivem vida mais preciosa do que aquela do homem político?

GLAUCO:

— A ninguém mais.

SÓCRATES:

— Você quer que examinemos como formar esses homens e como conduzi-los à luz, da maneira como se diz que alguns do Hades ascenderam para junto dos deuses?

GLAUCO:

— É óbvio que quero!

SÓCRATES:

— Parece-me, porém, que isto não é como no jogo dos meninos de lançar uma concha para o ar para ver de que lado haveria de cair, mas uma mudança espiritual de um dia tenebroso para aquele verdadeiro, uma efetiva ascensão para o ser. Isto é o que consideramos verdadeira filosofia.

GLAUCO:

— Não há dúvida.

SÓCRATES:

— É preciso, portanto, descobrir qual ciência poderia produzir esse efeito?

GLAUCO:

— Certamente.

SÓCRATES:

— Qual poderia ser, Glauco, a ciência que eleva a alma do devir ao ser? Enquanto falo, me ocorre outra coisa. Não dissemos que durante a juventude nossos filósofos devem ser atletas da guerra?

GLAUCO:

— Sim, dissemos.

SÓCRATES:

— Logo, a ciência que procuramos deve ter também outra característica.

PLATÃO

GLAUCO:

— Qual?

SÓCRATES:

— A de não ser inútil para os guerreiros.

GLAUCO:

— Sim, se possível.

SÓCRATES:

— E antes disso, não os educamos na ginástica e na música?

GLAUCO:

— Foi o que fizemos.

SÓCRATES:

— Mas a ginástica tem por objeto o que nasce e morre, porquanto supervisiona o crescimento e a decadência do corpo.

GLAUCO:

— Parece que sim.

SÓCRATES:

— Logo, a ciência que procuramos não pode ser esta.

GLAUCO:

— Certo que não.

SÓCRATES:

— Seria talvez a música, tal como a descrevemos?

GLAUCO:

— Mas esta, se você se lembra, era um complemento da ginástica porque educa harmonicamente o caráter dos defensores, comunicando a eles não uma ciência, mas um bom acordo, uma eurritmia segundo o ritmo musical e outros hábitos similares na expressão de discursos míticos ou verídicos. Nem a música, pois, contém aquela ciência que conduz ao que você agora procura.

SÓCRATES:

— Você lembra exatamente o que dissemos. Na realidade, a música não conteria nada de similar. Mas então, caro Glauco, qual seria essa ciência? Porque todas as artes nos pareceram inferiores e mecânicas.

GLAUCO:

— Por certo! Mas o que resta além da música, da ginástica e outras artes?

SÓCRATES:

— Vejamos. Se não encontrarmos nada, vamos procurar uma ciência que se aplica a todo objeto.

GLAUCO:

— E qual seria?

SÓCRATES:

— Aquela, por exemplo, de que se servem todas as artes, as operações intelectuais e as ciências. Aquela que todos devem aprender muito cedo.

A REPÚBLICA

GLAUCO:
— Qual?
SÓCRATES:
— Aquela tão comum que distingue o um, o dois e o três. Aquela, enfim, que chamo de ciência dos números e do cálculo. Porque, não é verdade que toda arte e toda outra ciência dela se serve?
GLAUCO:
— Sim.
SÓCRATES:
— Portanto, dela faz uso também a arte da guerra?
GLAUCO:
— Claro que sim.
SÓCRATES:
— Na verdade, Palamedes, nas tragédias, nos apresenta quase sempre a figura de Agamenon como ridícula. Você não notou que é ele, o inventor da aritmética, que dispõe os soldados no campo de batalha diante de Troia e que conta os navios e todo o resto, como se antes dele ninguém jamais os tivesse contado, e que Agamenon, pelo que parece, sequer sabia quantos pés tinha, pois não sabia contar? Que ideia você quer que se faça de semelhante general?
GLAUCO:
— Seria realmente um absurdo se isto fosse verdade.
SÓCRATES:
— Não deveríamos incluir, portanto, entre os conhecimentos indispensáveis a um guerreiro o cálculo e a aritmética?
GLAUCO:
— Particularmente esta, se quiser entender algo de tática, mas sobretudo se quiser ser homem.
SÓCRATES:
— Será que você está de acordo comigo no tocante a essa ciência?
GLAUCO:
— Em que sentido?
SÓCRATES:
— No sentido de que essa talvez seja uma daquelas que procuramos e que se constitui num guia para a compreensão intelectual. Infelizmente ninguém a usa corretamente, muito embora ela seja realmente capaz de elevar o homem em direção ao ser em si.
GLAUCO:
— O que você pretende dizer?
SÓCRATES:
— Vou tentar esclarecer meu pensamento. Siga-me e observe o modo como distingo o que conduz à nossa meta e o que não. Concorde comigo ou refute minhas colocações. Assim, veremos mais claramente se meu pressentimento corresponde à realidade.

PLATÃO

GLAUCO:

— Fale, pois!

SÓCRATES:

— Sugiro que, se você observar atentamente, alguns objetos sensíveis não incitam o pensamento à reflexão porque já são percebidos de modo satisfatório pelos sentidos. Outros, porém, exigem realmente a contribuição do pensamento porque os sentidos não podem extrair deles nada de válido.

GLAUCO:

— Você alude, evidentemente, às coisas vistas de longe e àquelas desenhadas em perspectiva.

SÓCRATES:

— Você não entendeu plenamente o que pretendo dizer.

GLAUCO:

— O que você quer dizer então?

SÓCRATES:

— As coisas que não provocam a reflexão são aquelas que não suscitam impressões contraditórias. Estas, ao contrário, eu as considero estimulantes porque os sentidos não demonstram de modo algum isto mais que aquilo, nem de perto, nem de longe. Vou explicar melhor meu pensamento da seguinte maneira: estes, por exemplo, são três dedos, o polegar, o indicador e o médio.

GLAUCO:

— Por certo.

SÓCRATES:

— Imagine que os estamos vendo de perto, mas considere outra coisa.

GLAUCO:

— Qual?

SÓCRATES:

— Cada um deles parece igualmente um dedo, não havendo diferença alguma se visto ao centro ou nas extremidades, se branco ou preto, grosso ou delgado e assim por diante. Tudo isso, na verdade, não obriga a maioria das pessoas a se perguntar o que vem a ser um dedo porque em caso algum a vista sugere que o dedo não seja um dedo, mas sim qualquer outra coisa.

GLAUCO:

— Certamente que não.

SÓCRATES:

— Logo, um objeto semelhante não pode despertar nem provocar a reflexão.

GLAUCO:

— Parece que não.

SÓCRATES:

— Mas a vista pode perceber de modo suficiente suas dimensões, pequenas ou grandes, e lhe é de todo indiferente que um dedo esteja no meio e não

A REPÚBLICA

nas extremidades da mão? Isso valeria também com relação à grossura e à magreza, à moleza e à dureza? E os demais sentidos não são insuficientes para determinar tais qualidades? Ou cada um deles procede da seguinte forma: primeiro, o órgão do sentido destinado a determinar a dureza deve se encarregar também de determinar a moleza e transmite à alma que percebe o mesmo objeto como duro ou mole ao mesmo tempo?

GLAUCO:

— É assim mesmo.

SÓCRATES:

— Mas não é inevitável que em tais circunstâncias a alma fique em dúvida, não sabendo o que essa sensação considere duro, se diz que o mesmo objeto é também mole? E o que pretenderia dizer a sensação encarregada da leveza e do peso com os termos "leve" e "pesado", visto que diz do mesmo objeto que é leve e pesado ao mesmo tempo?

GLAUCO:

— Certamente, estas indicações parecem estranhas para a alma e reclamam uma avaliação.

SÓCRATES:

— É provável, portanto, que em tal caso a alma chame primeiramente em seu auxílio o cálculo e a reflexão para avaliar se cada uma das informações recebidas dos sentidos se refere a uma só coisa ou a duas.

GLAUCO:

— Precisamente.

SÓCRATES:

— Por isso, julga-se que são duas coisas, cada uma delas não se revela específica e distinta da outra?

GLAUCO:

— Sim.

SÓCRATES:

— Se, portanto, cada uma delas lhe parece uma coisa só, e uma e outra juntas são duas, a alma as conceberá separadamente. Se assim não fosse, não as conceberia como duas distintas, mas como uma coisa única.

GLAUCO:

— Correto.

SÓCRATES:

— A vista, dizíamos, percebe o grande e o pequeno, não de modo distinto, mas de maneira um tanto confusa. Não é assim?

GLAUCO:

— Perfeitamente.

SÓCRATES:

— Para esclarecer esse problema, o pensamento se viu obrigado a distinguir o grande e o pequeno, não em conjunto, mas separadamente, seguindo um procedimento oposto ao da vista.

PLATÃO

GLAUCO:

— É verdade.

SÓCRATES:

— Logo, não é a partir daí que, de alguma maneira, se começa a perguntar sobre a essência do grande e do pequeno?

GLAUCO:

— Exatamente.

SÓCRATES:

— Da mesma maneira distinguimos o que é inteligível e o que é visível.

GLAUCO:

— Perfeito.

SÓCRATES:

— Era isto que eu queria fazê-lo compreender quando afirmava que algumas coisas estimulam a reflexão e outras não. Designo como estimulantes aquelas que suscitam nos sentidos duas impressões opostas, enquanto as demais, a meu ver, não provocam a reflexão.

GLAUCO:

— Agora entendo e penso exatamente como você.

SÓCRATES:

— Mas em qual das duas categorias você acha que entram o número e a unidade?

GLAUCO:

— Não saberia dizê-lo.

SÓCRATES:

— Pode ser deduzido das premissas. Com efeito, se a essência da unidade é captada adequadamente pela vista ou por qualquer outro órgão dos sentidos, ela não pode levar à contemplação do ser, como dizíamos a propósito dos dedos da mão. Se, no entanto, ela suscitar sempre impressões contraditórias, de sorte a não parecer unidade mais que seu contrário, então é necessário um juiz para resolver o problema, obrigando-se a alma a duvidar e a avaliar pela reflexão, perguntando-se qual seria, portanto, a essência da unidade. E assim o conhecimento da unidade poderia fazer parte daquilo que atrai e volve o espírito à contemplação do ser.

GLAUCO:

— E isto é verdade sobretudo para a visão da unidade porque nós vemos a mesma coisa ao mesmo tempo como uma e múltipla até o infinito.

SÓCRATES:

— E o que vale para a unidade, não vale também para todos os outros números?

GLAUCO:

— Sem dúvida.

SÓCRATES:

— Ora, toda a ciência do cálculo e a aritmética têm por objeto os números.

A REPÚBLICA

GLAUCO:
— Certamente.
SÓCRATES:
— E parece que estas disciplinas conduzem à verdade.
GLAUCO:
— De modo admirável.
SÓCRATES:
— Portanto, uma das disciplinas que procuramos é essa. De fato, um guerreiro deve aprendê-la para suas táticas, um filósofo para atingir o ser, emergindo do devir, caso contrário nunca haverá de ser um perito em aritmética.
GLAUCO:
— Isso mesmo.
SÓCRATES:
— Mas nosso defensor seria guerreiro e filósofo ao mesmo tempo.
GLAUCO:
— Sim.
SÓCRATES:
— Seria, portanto, conveniente, Glauco, tornarmos obrigatória essa ciência e convencermos aqueles que são destinados a ocupar os mais altos cargos a enfrentar o estudo, não superficialmente, da aritmética até atingir com a inteligência pura a compreensão da natureza dos números, não para a compra e venda como fazem os comerciantes e mercadores, mas para a guerra e para facilitar ao espírito a passagem do devir para a verdade do ser.
GLAUCO:
— Belas palavras!
SÓCRATES:
— Entrementes falo, dou-me conta de quão bela e útil é a aritmética sob múltiplos aspectos para alcançarmos nosso objetivo, contanto que seja cultivada para o conhecimento e não para o lucro.
GLAUCO:
— Em que sentido?
SÓCRATES:
— Como acabamos de afirmar, ela transmite ao espírito um grande impulso para o alto e o obriga a refletir sobre a natureza dos números em si mesmos, sem jamais aceitar que se fale de números com referência a coisas visíveis e palpáveis. Você sabe, com certeza, que os peritos ridicularizam aqueles que tentam dividir teoricamente a unidade em si. Isto, eles não admitem. Se você tentar dividi-la, eles imediatamente a multiplicam, receando que a unidade não pareça mais uma, mas um amontoado de muitas partes.
GLAUCO:
— É bem verdade o que você diz.

PLATÃO

SÓCRATES:

— Imagine se lhes perguntássemos: "Admiráveis personagens, de que números falais? Onde pretendeis encontrar a unidade que procurais, cada uma perfeitamente igual à outra, sem a mínima diferença, sem nenhuma parte que a componha?" Diga-me, Glauco, o que é que você acha que haveriam de me responder?

GLAUCO:

— Acho que isto: que eles falam daquilo que se pode somente pensar e que não é possível tratar de nenhum outro modo.

SÓCRATES:

— Você não vê, portanto, meu caro, que talvez esta disciplina seja realmente indispensável para nós, visto que evidentemente obriga o espírito a prosseguir em direção da verdade unicamente por meio do puro pensamento?

GLAUCO:

— Sim, é efetivamente adequada a produzir esse efeito.

SÓCRATES:

— E você já deve ter observado que os matemáticos são rápidos por natureza para aprender todas as coisas e que as inteligências tardas, se educadas e treinadas na aritmética, se tornam pelo menos um pouco mais perspicazes?

GLAUCO:

— É verdade.

SÓCRATES:

— Apesar disso, acho que não seria fácil encontrar outra disciplina mais difícil para quem a estuda e a pratica.

GLAUCO:

— Certamente que não

SÓCRATES:

— Por todas essas razões, cumpre não negligenciá-la, mas ensiná-la aos espíritos mais dotados.

GLAUCO:

— De pleno acordo.

SÓCRATES:

— Que esta seja, portanto, a primeira disciplina que haveremos de impor. Vamos ver agora se nos convém outra ciência que se prende à primeira.

GLAUCO:

— Qual? Talvez você pretenda falar da geometria?

SÓCRATES:

— Exatamente.

A REPÚBLICA

GLAUCO:

— Útil é, sem dúvida, para a guerra. De fato, há muita diferença entre ser perito em geometria ou não para a finalidade de estabelecer o local de um acampamento, tomar posição, estreitar ou alargar fileiras e executar todas as outras manobras em campo de batalha e em marcha.

SÓCRATES:

— Para esse fim, contudo, é suficiente uma pequena parte da geometria e da aritmética. O que nos importa é examinar se sua maior e mais elevada parte possa trazer alguma contribuição para tornar mais fácil a contemplação da ideia do bem. E esse efeito, nós o dissemos próprio das ciências que impelem o espírito a voltar-se para o lugar onde está o mais feliz dos seres que de todos os modos é necessário contemplar.

GLAUCO:

— Você tem razão.

SÓCRATES:

— Logo, se a geometria obriga a contemplar o ser em si é útil, caso contrário, não.

GLAUCO:

— De acordo.

SÓCRATES:

— Não há ninguém que, por pouco conhecedor de geometria, não possa negar que essa ciência é exatamente o contrário do que pensam sobre ela os que dela fazem uso.

GLAUCO:

— Em que sentido?

SÓCRATES:

— Eles falam dela de modo bastante ridículo e mesquinho. Sem jamais perder de vista os usos práticos, falam em traçar quadrados, em partir de uma dada linha, em acrescentar outros elementos e assim por diante. Em vez disso, essa disciplina deve ser cultivada inteira e exclusivamente para o conhecimento.

GLAUCO:

— Exatamente.

SÓCRATES:

— Não conviria admitir também outra coisa?

GLAUCO:

— Qual?

SÓCRATES:

— Que se deve estudar a geometria para conhecer o ser em si e não o que nasce e morre.

GLAUCO:

— Por certo, a geometria é realmente conhecimento do ser imutável.

PLATÃO

SÓCRATES:

— Em decorrência disso, meu caro amigo, ela pode atrair o espírito para a verdade e produzir um pensamento filosófico que volva para o alto aquela faculdade que agora nós, por falta de objetivo, volvemos para baixo.

GLAUCO:

— Sim, sem dúvida é possível.

SÓCRATES:

— Por isso, envidaremos todo esforço para que os cidadãos de nosso belo Estado não negligenciem de modo algum a geometria, porque até suas vantagens secundárias não são de pouca monta.

GLAUCO:

— E quais seriam?

SÓCRATES:

— Aquelas que você mesmo lembrou, referindo-se à guerra e a todas as disciplinas. A geometria proporciona facilidade em aprendê-las e subsiste total diferença entre aquele que a conhece e aquele que não.

GLAUCO:

— Realmente diferença total, por Zeus!

SÓCRATES:

— Devemos, portanto, impor aos jovens também essa segunda disciplina?

GLAUCO:

— Devemos.

SÓCRATES:

— E como terceira disciplina, tornaríamos obrigatório o estudo da astronomia? Ou você não concorda?

GLAUCO:

— Concordo. Ficar mais atentos às estações, aos meses e aos anos me parece útil não somente para a agricultura e a navegação, mas também e sobretudo para as estratégias de guerra.

SÓCRATES:

— Você parece que tem medo de dar a impressão de introduzir disciplinas inúteis na educação. Ao contrário, é muito importante, mas difícil de acreditar que graças a essas disciplinas se purifica e se reaviva em cada um de nós um órgão da alma já arruinado e atrofiado pelas outras ocupações da vida e que, contudo, mereceria ser salvo mais que um infinito número de olhos, porquanto só por meio deste é que se contempla a verdade. Por isso, aqueles que pensam como você o aprovarão sem hesitar, enquanto os ignorantes provavelmente haverão de pensar que você só diz bobagens, porquanto não vislumbram qualquer outra utilidade, senão aquela prática. Pense bem, portanto. A que espécie de

A REPÚBLICA

ouvintes você se dirige? Talvez a nenhuma das duas, mas só para você mesmo? De qualquer forma, não passe a invejar ninguém pelo proveito que poderá tirar desta conversação.

GLAUCO:

— Sim, prefiro falar com perguntas e respostas só para mim mesmo.

SÓCRATES:

— Vamos voltar, então, um pouco, porque há pouco deixamos de falar da ciência que se segue imediatamente à geometria.

GLAUCO:

— Como assim?

SÓCRATES:

— Depois das figuras planas, passamos a considerar os sólidos em movimento antes de compreender a natureza deles. Parece-me correto, contudo, estudar a terceira dimensão logo após a segunda, a que diz respeito aos cubos e aos objetos que possuem uma profundidade.

GLAUCO:

— É verdade, Sócrates, mas me parece que uma ciência dessas ainda não foi descoberta.

SÓCRATES:

— Por dois motivos. Nenhum Estado valoriza as pesquisas, que se arrastam porque são difíceis e os estudiosos necessitam de um guia, sem o qual de nada adiantam seus esforços. Um guia desses dificilmente se encontra e, mesmo que houvesse um, os estudiosos dessa disciplina são por demais presunçosos para se deixarem dirigir. Pelo contrário, se o Estado inteiro colaborasse com esse guia, premiando suas pesquisas, essas pessoas se mostrariam dóceis e os resultados de pesquisas conduzidas de modo constante e enérgico haveriam de aparecer. Tanto isso é verdade que mesmo hoje, apesar do desprezo a que são submetidas, além de hostilizadas e conduzidas por quem sequer se dá conta de sua utilidade, ainda assim, em virtude do fascínio que despertam, não deixam de florescer e seu constante desenvolvimento é, de qualquer modo, surpreendente.

GLAUCO:

— Sem dúvida alguma, elas não deixam de ser muito atraentes. Explique melhor seu pensamento. Você introduziu a astronomia, mas depois você voltou atrás.

SÓCRATES:

— É que eu estava com muita pressa em explicar tudo e agora, pelo contrário, me encontro atrasado. Com efeito, logo depois da geometria segue a ciência que estuda a dimensão da profundidade. Como está ainda numa fase irrelevante de pesquisa, a saltei, e depois da geometria introduzi a astronomia que se ocupa dos sólidos em movimento.

GLAUCO:

— Tem razão.

SÓCRATES:

— Por isso, vamos colocar a astronomia em quarto lugar entre as ciências, levando em consideração a que ora saltamos. Talvez um dia o Estado possa vir a ocupar-se dela.

PLATÃO

GLAUCO:

— Está bem, mas antes, Sócrates, você me repreendeu porque teci elogios à astronomia de um modo óbvio. Agora passo a elogiá-la da maneira que você quer. De fato, me parece claro para todos que esta obriga a alma a olhar para o alto, desviando-a das coisas daqui debaixo.

SÓCRATES:

— Talvez seja claro para todos, mas não para mim. Eu não penso da mesma maneira.

GLAUCO:

— O que é que você pensa, então?

SÓCRATES:

— Se é como a entendem aqueles que a consideram uma filosofia, me parece que a astronomia leve realmente a olhar para baixo.

GLAUCO:

— Mas o que é que você está dizendo?

SÓCRATES:

— Parece-me que o modo com que você entende o estudo das coisas que estão no alto é de todo singular. Se alguém levantasse a cabeça para olhar um pouco a decoração de um teto, você poderia pensar que olha com o pensamento e não com os olhos. Não consigo acreditar que uma alma seja impelida a olhar para o alto, a não ser pela ciência do ser invisível. Aquele, ao contrário, que se põe a estudar um objeto sensível, levantando ou abaixando a cabeça, a meu ver não conhece nada, porquanto de tais coisas não existe ciência e sua alma não olha para o alto e sim para baixo, mesmo que estudasse deitado de costas, estendido no chão, ou nadando no mar.

GLAUCO:

— Mais do que razão você tem para me repreender e recebo o que mereço. Por que, no entanto, você afirmou que é preciso estudar a astronomia de modo diferente do que se faz hoje, se de qualquer forma esse estudo deveria se tornar útil para nosso objetivo?

SÓCRATES:

— Veja estes ornamentos do céu como os mais belos e os mais exatos entre todos que possam ser fixados numa tela visível, cumpre, no entanto, dizer que são inferiores aos verdadeiros, segundo os quais a verdadeira velocidade e a verdadeira lentidão se movem em relação recíproca e movem os objetos que contêm, respeitando o verdadeiro número e todas as verdadeiras figuras. Tudo isto escapa à vista e só pode ser captado com a razão e com o pensamento. Você não acha que seja assim?

GLAUCO:

— Sim.

SÓCRATES:

— É preciso, pois, servir-se dos ornamentos celestes como de um modelo para aprender os fenômenos invisíveis. Vamos supor que sejam descobertos de-

A REPÚBLICA

senhos valiosíssimos feitos por Dédalo ou por outro grande artista. Um perito em geometria, se os visse, poderia julgá-los obras-primas, mas lhe pareceria absurdo estudá-los seriamente com a intenção de extrair deles o igual, o duplo ou qualquer outra proporção.

GLAUCO:

— Certamente seria absurdo.

SÓCRATES:

— E você não crê que um verdadeiro astrônomo haveria de pensar a mesma coisa, olhando os movimentos dos astros? Ele os haverá de considerar como obra do criador do céu e dos astros que neles infundiu toda a beleza possível. Mas você não acha que, segundo ele, seria absurdo considerar a relação da noite com o dia, do dia com o mês, do mês com o ano, aquela dos astros com os outros astros como fenômenos imutáveis, ainda que corpóreos e visíveis? Não seria igualmente absurdo, segundo ele, procurar a qualquer custo descobrir neles a verdade?

GLAUCO:

— Ao escutar estas palavras que você profere, me convenço disso também.

SÓCRATES:

— Vamos, portanto, estudar a geometria e a astronomia para resolver problemas específicos. Vamos deixar de lado os fenômenos celestes se quisermos realmente nos ocupar de astronomia e tirar algum proveito da parte naturalmente inteligente da alma que antes estava inutilizada.

GLAUCO:

— Com isso, me parece que você atribui à astronomia uma função muito mais árdua do que a atual.

SÓCRATES:

— E sou da opinião que, se quisermos ser bons legisladores, o mesmo deveremos fazer com relação às outras ciências.

SÓCRATES:

— Você teria condições, agora, de se lembrar de outra ciência que nos é útil?

GLAUCO:

— Não, pelo menos assim de repente.

SÓCRATES:

— Entretanto, ao que me parece, o movimento não apresenta um tipo único, mas vários. Um sábio poderia, talvez, enumerá-los todos, mas aqueles evidentes são, também para nós, dois.

GLAUCO:

— Quais?

SÓCRATES:

— Aqueles que acabamos de mencionar.

PLATÃO

GLAUCO:

— Isto é?

SÓCRATES:

— Parece que, assim como os olhos são destinados para a astronomia, assim os ouvidos são destinados para os movimentos da harmonia. Desse modo, a astronomia e a música são irmãs, como dizem os discípulos de Pitágoras, com os quais também nós, Glauco, concordamos. Ou não?

GLAUCO:

— Sim.

SÓCRATES:

— Logo, dada a importância da questão, vamos pedir a eles um parecer sobre isto e sobre outras coisas também. Porém, nós haveremos de manter nossa opinião.

GLAUCO:

— Qual?

SÓCRATES:

— Cuidar para que nossos discípulos não sejam levados a estudar coisas imperfeitas, que não sejam direcionadas para o objetivo a que devem convergir todas as nossas esperanças, como acabamos de dizer ao tratar da astronomia. Ou você ignora, por acaso, que também da harmonia se faz um uso semelhante? Que esforço inútil, o de medir as consonâncias audíveis e as relações entre os sons!

GLAUCO:

— Pelos deuses, é realmente ridículo! Esses músicos andam falando de tons inteiros e apuram os ouvidos como se fosse para ouvir um vizinho de casa. Alguns sustentam que entre dois sons se pode ouvir um som intermediário que seria o intervalo menor com o qual é preciso medir todos os demais. Seus adversários rebatem, ao contrário, que este som é semelhante aos outros dois. De qualquer modo, ambas as partes antepõem o ouvido ao pensamento.

SÓCRATES:

— Você fala desses bons músicos que apertam e atormentam as cordas dos instrumentos, torcendo-as com as cavilhas. Não vou me alongar falando de golpes de arco, os impropérios quando as cordas não emitem sons ou emitem outros que não querem. Paro aqui e afirmo que não quero falar deles, mas daqueles que há pouco pretendia perguntar sobre questões de harmonia. Estes, de fato, se comportam como os astrônomos. Procuram as relações numéricas nas consonâncias audíveis, mas não descem aos problemas, ou seja, até a análise de quais os acordes que são consonantes e quais são dissonantes e de que deriva essa diferença.

GLAUCO:

— É realmente fascinante essa averiguação de que você fala.

SÓCRATES:

— Útil, no entanto, para a pesquisa do belo e do bem, mas de todo vã se é estudada de outra maneira.

A REPÚBLICA

GLAUCO:
— Talvez seja assim mesmo.

SÓCRATES:
— Acredito que o estudo de todas essas disciplinas que descrevemos possa trazer uma contribuição para nosso objetivo e não se configure como um trabalho inútil se conseguirmos compreender a estreita afinidade que reina entre elas. Caso contrário, resultará em pura perda.

GLAUCO:
— Compartilho do mesmo parecer, mas a tarefa de que você fala, Sócrates, é deveras penosa.

SÓCRATES:
— Você se refere à preliminar ou a que outra? Não sabemos, por acaso, que esse é só o prelúdio da própria melodia que devemos aprender? Decerto, você não acha que aqueles que conhecem todas essas disciplinas sejam peritos em dialética.

GLAUCO:
— Não, por Zeus! Exceto pouquíssimos dos que encontrei.

SÓCRATES:
— Mas então, quem não está em condições de sustentar um debate haveria de saber alguma coisa daquilo que, segundo nós, é preciso saber?

GLAUCO:
— Acredito que não.

SÓCRATES:
— E então, Glauco, não é esta a essência da melodia executada pela dialética? Ainda que seja puramente inteligível, é imitada pela faculdade da visão, quando, como dizíamos, se esforça em contemplar os seres e os astros e até mesmo o sol em sua essência. Assim também a dialética, quando tenta atingir, sem o auxílio dos sentidos, mas com o simples raciocínio, a essência de todas as coisas e a isso não renuncia antes de ter compreendido como pensamento puro a essência do bem, alcança os limites do mundo inteligível como a vista atinge os limites do mundo visível.

GLAUCO:
— Isso mesmo.

SÓCRATES:
— E a esse procedimento não se confere o nome de dialética?

GLAUCO:
— Por certo.

SÓCRATES:
— Lembre-se do homem da caverna, da libertação dos grilhões, da conversão das sombras para as figuras e para a luz que as projeta, da subida da caverna para o sol, da incapacidade persistente de olhar para os animais, as

PLATÃO

plantas e a luz do sol, de suas imagens divinas refletidas nos cursos d'água, das sombras dos seres reais, não das figuras projetadas por outra luz que, por sua vez, é a própria imagem do sol. Estes são os efeitos do estudo das outras artes que passamos em revista. Este eleva realmente a parte melhor da alma para a contemplação da parte melhor do ser, exatamente como há pouco vimos o mais perspicaz dos sentidos corpóreos se elevar para o objeto mais luminoso do mundo material e visível.

GLAUCO:

— Vamos supor que por ora as coisas estão bem colocadas e sigamos adiante, retornando à própria melodia para explicá-la como o fizemos com relação ao prelúdio. Diga-me, pois, qual seria o método da dialética, em quantas partes se subdivide e qual o percurso a seguir. De fato, só se pode conseguir repouso, se o caminho percorrido levar ao fim da viagem.

SÓCRATES:

— Quanto a mim, o entusiasmo não me falta. Mas você, caro Glauco, estaria ainda em condições de me seguir? A meu ver, você não haveria de ver então nem sequer a imagem do que dizemos agora, mas a própria verdade, pelo menos o que parece a mim que assim seja. Afinal, que ao depois seja isto mesmo ou não, não me atrevo a assegurá-lo. O que se pode afirmar é que se poderá chegar a algo que muito se lhe assemelhe. Você não acredita?

GLAUCO:

— Por certo.

SÓCRATES:

— Certamente se poderia também demonstrar que só a dialética é capaz de revelá-lo a um perito nas disciplinas que passamos em revista, tornando-se impossível por qualquer outra via?

GLAUCO:

— Sim, podemos afirmar também isso.

SÓCRATES:

— Então, ninguém haveria de nos contradizer se afirmarmos que não há outra via para compreender a essência de cada coisa, pois que todas as outras artes se referem às opiniões e aos desejos humanos ou à produção e à fabricação ou à conservação dos produtos naturais e artificiais. As outras disciplinas de que falamos, a geometria e as outras correlatas, captam alguma coisa do ser, mas parece como que cochilam, pois são incapazes de ver em estado de vigília, enquanto mantiverem imutáveis as hipóteses de que deles se servem sem poder explicá-las. Aquele que se funda em princípios que não conhece e coloca junto o que ignora nas passagens intermediárias e nas conclusões, como poderia transformar em ciência um semelhante aglomerado de coisas?

GLAUCO:

— É realmente impossível.

A REPÚBLICA

SÓCRATES:

— Logo, somente o método dialético segue essa direção, relegando as hipóteses, em direção ao próprio princípio para encontrar a própria justificativa, arrancando realmente aos poucos os olhos da alma do atoleiro em que estavam mergulhados e dirigindo-os para o alto, servindo-se das artes que mencionamos como auxiliares e companheiras. Muitas vezes, pelo hábito, as designamos de ciências, mas a elas cabe outro designativo mais claro de "opinião", mas mais obscuro que o de "ciência". Acima, em algum lugar, nos servimos da expressão "pensamento discursivo". Acredito, no entanto, que não compense discutir sobre designativos a propósito de assuntos tão importantes como os nossos.

GLAUCO:

— Por certo, não.

SÓCRATES:

— Deverá bastar-nos aquele designativo que indique com clareza nosso pensamento.

GLAUCO:

— Sim.

SÓCRATES:

— Meu parecer é que continuemos designando "ciência" a primeira parte, "pensamento discursivo" a segunda, "consentimento" a terceira e "conjectura" a quarta. Essas duas últimas juntas vamos designá-las "opinião" e as duas primeiras, "pensamento". A opinião se refere ao devir, o pensamento à essência. E a essência está para o devir como o pensamento está para a opinião. O que o pensamento é com relação à opinião, o é também a ciência com relação ao consentimento e o pensamento com relação à conjectura. Para não multiplicar nossa discussão mais ainda que antes, vamos deixar de lado, Glauco, o modo de dividir em duas espécies o gênero dos objetos que caem sob a alçada da opinião e dos que se referem ao inteligível.

GLAUCO:

— Estou de pleno acordo, pelo pouco que consigo entender.

SÓCRATES:

— Você, pois, considera dialético aquele discurso que colhe a essência de cada coisa? Ao passo que aquele que é incapaz disso, tanto menos deverá pertencer à esfera do pensamento quanto menos poderá dar razão a si mesmo e aos outros?

GLAUCO:

— Como poderia considerá-lo de outro modo?

SÓCRATES:

— Não ocorre o mesmo também com relação ao bem? Você não poderia afirmar que chegue a conhecer a essência do bem e de tudo o que é bom aquele que é incapaz de definir racionalmente a ideia do bem, distinguindo-a de todas as outras e passando pela guerra de todas as objeções, pronto a refutá-las, não

PLATÃO

segundo a opinião, mas segundo a verdade do ser. Tal homem, se atingir uma aparência do bem, chega com a opinião antes que com a ciência e sua vida atual é um sono cheio de sonhos, do qual não desperta neste mundo, porque antes vai até o Hades para dormir o sono eterno.

GLAUCO:

— Por Zeus, estou pronto a confirmar tudo o que você diz!

SÓCRATES:

— Mas se você devesse um dia se incumbir realmente da educação desses discípulos que ora você cria e educa teoricamente, acho que não os deixaria, privados da razão como as linhas irracionais, comandar a república, revestidos dos cargos supremos.

GLAUCO:

— Certamente que não.

SÓCRATES:

— Então você haveria de lhes prescrever por lei que se aplicassem em adquirir aquela educação que os tornasse capazes de sustentar discussões dialéticas?

GLAUCO:

— Sim, o faria, mas com você por perto.

SÓCRATES:

— Parece-lhe, pois, que a dialética seja para nós como o coroamento das outras ciências e que não exista nenhuma outra que possa ser colocada mais alto ainda, ao contrário, que esta estaria no vértice de todas as demais?

GLAUCO:

— Acredito que sim.

SÓCRATES:

— Falta ainda, portanto, resolver a quem e de que modo conferiremos essas disciplinas.

GLAUCO:

— Claro.

SÓCRATES:

— Você se lembra quais os governantes que primeiro escolhemos?

GLAUCO:

— Como não!

SÓCRATES:

— Pois bem! Você deve se convencer que também sob todos os outros aspectos é preciso escolher pessoas como aquelas: as de mais têmpera, as mais corajosas e, se possível, as mais belas. Além disso, é preciso procurar não somente as pessoas nobres e severas, mas também adaptadas a uma educação deste tipo.

GLAUCO:

— O que você pretende dizer?

A REPÚBLICA

SÓCRATES:

— É preciso que tenham uma mente ágil e disposição para aprender, porque nos estudos difíceis a gente se cansa muito mais do que nos exercícios de ginástica e o cansaço é tanto mais tedioso quanto menos é compartilhado pelo corpo.

GLAUCO:

— Isto é verdade.

SÓCRATES:

— É preciso procurar uma pessoa rica de memória, constante e infatigável, do contrário, quem você acha que gostaria de submeter-se a esforço físico e ainda levar a bom termo um estudo de tamanha exigência?

GLAUCO:

— Ninguém, a menos que não tenha deveras disposição excepcional.

SÓCRATES:

— Portanto, o erro que hoje se comete, que atraiu a infâmia à filosofia, como dizia antes, se deve ao fato de que não são pessoas dignas que se ocupam dela, isto é, gente nobre, não bastardos, deveria dedicar-se a ela.

GLAUCO:

— Em que sentido?

SÓCRATES:

— Antes de mais nada, quem queira se dedicar a ela não deve claudicar ante a fadiga, sendo por metade laborioso, por metade preguiçoso. Isso ocorre quando se privilegia os exercícios físicos, a caça e todas as atividades físicas, mas não se tem gosto para estudar, escutar, pesquisar e em tudo isso se encontra aborrecimento. Mas claudica também aquele que orientar toda a sua atividade na direção oposta.

GLAUCO:

— O que você diz é realmente verdade.

SÓCRATES:

— Também com relação à verdade, portanto, não haveríamos de considerar deficiente a alma que detesta a mentira voluntária, não a tolera em si mesma e se indigna com as mentiras dos outros, mas depois admite facilmente a involuntária e não se irrita quando flagrada em falta que reflete ignorância, ao contrário se deixa ficar na ignorância como suíno que gosta de rolar no barro?

GLAUCO:

— Sem sombra de dúvida.

SÓCRATES:

— Não menos cuidado se deve ter em discernir o bastardo do nobre com relação à temperança, à coragem, à magnanimidade e a todas as outras virtudes. O cidadão e o Estado que não sabem indagar e discernir essas coisas, com muita imprudência confiam qualquer coisa a coxos e bastardos, tratando a uns como amigos e servindo-se de outros como governantes.

GLAUCO:

— É isso mesmo que acontece.

PLATÃO

SÓCRATES:

— Nós, pelo contrário, devemos redobrar de atenção a respeito de tudo isto. Se nós, por meio de uma tal educação e de tal exercício, tomarmos homens bem estruturados no corpo e no espírito, a própria justiça não nos haverá de censurar e haveremos de salvar a república e o governo. Haveríamos de executar exatamente o oposto, se houvéssemos de confiar essas disciplinas a gente estranha e haveríamos de cobrir a filosofia de maior descrédito ainda daquele que goza atualmente.

GLAUCO:

— E seria vergonhoso.

SÓCRATES:

— Exatamente. Mas agora me encontro numa situação que me causa embaraço.

GLAUCO:

— Qual?

SÓCRATES:

— Esqueci que estávamos brincando e passei a falar com excessiva seriedade. Enquanto estava falando, volvi os olhos para a filosofia e acho que me irritei por vê-la injustamente oferdida e, quase que tomado de cólera com os culpados, disse o que acabei de dizer com excessiva seriedade.

GLAUCO:

— Não, por Zeus, pelo menos para um ouvinte como eu!

SÓCRATES:

— Eu que falei acho a mesma coisa. Como quer que seja, não vamos nos esquecer que nossa primeira escolha recaía sobre pessoas de idade, mas agora isto não será mais possível. De fato, não devemos acreditar em Sólon quando nos diz que envelhecendo muito se pode aprender. Ao contrário, seria pior do que aprender a correr, porquanto todas as fadigas intensas e múltiplas cabem aos jovens.

GLAUCO:

— Necessariamente assim é.

SÓCRATES:

— Por isso, a aritmética, a geometria e todos os pressupostos culturais da dialética devem ser estudados desde a infância, sem no entanto conferir ao ensino uma forma coercitiva.

GLAUCO:

— E por quê?

SÓCRATES:

— Porque o homem livre nada deve aprender sob coação. Na realidade, os exercícios físicos não prejudicam o corpo, mesmo se feitos à força, mas o que se faz penetrar à força na alma não há de ficar nela por longo tempo.

GLAUCO:

— É verdade.

A REPÚBLICA

SÓCRATES:

— Portanto, meu caro, nada de educar à força os meninos nos estudos, mas procure educá-los por meio dos brinquedos e assim você poderá discernir ainda melhor as inclinações de cada um deles.

GLAUCO:

— Palavras sensatas essas que você proferiu.

SÓCRATES:

— Você não lembra quando dizíamos que também na guerra era preciso levar os meninos como observadores a cavalo e, quando houvesse segurança, fazer com que se aproximasse para provar o sangue como se faz com cães de caça?

GLAUCO:

— Lembro, sim.

SÓCRATES:

— Em todas essas fadigas, disciplinas e riscos, aqueles que se revelarem mais resistentes deverão ser separados num grupo especial.

GLAUCO:

— Em que idade?

SÓCRATES:

— Logo depois de terem concluído os cursos obrigatórios de ginástica. Durante esse período de dois ou três anos, é impossível agir de outra forma, porquanto não há como conciliar o estudo com o cansaço e o sono. Além do mais, esses cursos são por si próprios uma prova não desprezível das capacidades de cada um na ginástica.

GLAUCO:

— Sem dúvida.

SÓCRATES:

— Passado esse tempo, uma escolha será feita entre os de vinte anos, concedendo-lhes distinções especiais. Será preciso também repropor a eles o que na infância já haviam estudado sem ordem, conferindo-lhe uma visão de conjunto, a fim de lhes mostrar a afinidade recíproca das disciplinas e a natureza do ser.

GLAUCO:

— Certamente, esse é o único método seguro para aqueles que já possuíam rudimentos.

SÓCRATES:

— Não deixa de ser também a melhor prova para reconhecer quem possui predisposição para a dialética e quem não a tem. De fato, é dialético somente aquele que consegue ter uma visão abrangente.

GLAUCO:

— Plenamente de acordo.

SÓCRATES:

— Será necessário, pois, fazer esse exame, individuando os melhores e os mais constantes no estudo, na guerra e nas outras atividades prescritas pela lei.

PLATÃO

Depois, quando tiverem atingido trinta anos, se procederá à seleção com distinções ainda mais importantes, provando-os com a dialética para averiguar quem seria capaz de chegar à verdade e ao ser, sem a ajuda da vista e dos outros sentidos. É uma tarefa que exige todas as precauções, meu amigo.

GLAUCO:

— Como assim?

SÓCRATES:

— Você não se deu conta de quão defeituoso é o método dialético atual?

GLAUCO:

— Como?

SÓCRATES:

— É uma confusão total.

GLAUCO:

— Isto é verdade.

SÓCRATES:

— Não lhe parece, portanto, que aqueles que se ocupam dele se encontrem numa situação embaraçosa e sejam dignos de compaixão?

GLAUCO:

— Como assim?

SÓCRATES:

— Imagine uma criança adotada, criada no seio das riquezas de uma família numerosa e nobre, no meio de uma multidão de aduladores. Uma vez adulto, percebe que seus pais não são aqueles que o criaram, mas não encontra os verdadeiros. Você teria condições de me dizer como haverá de se comportar com os aduladores e com seus pais de adoção antes e depois de chegar a saber que havia sido adotado? Você quer saber minha opinião a respeito?

GLAUCO:

— Claro.

SÓCRATES:

— Suponho que haveria de honrar seu pai, sua mãe, os verdadeiros e os adotivos mais que os aduladores, menos facilmente haveria de suportar vê-los em necessidade, se esforçaria para não os ofender e haveria de obedecer nas coisas mais importantes a eles do que aos bajuladores. Assim haveria de agir enquanto desconhecesse a verdade.

GLAUCO:

— É provável.

SÓCRATES:

— Quando souber a verdade, imagino que demonstraria menor atenção e menor respeito para com os supostos pais do que para com os aduladores. A estes haveria de obedecer muito mais do que antes e seguiria seus conselhos,

A REPÚBLICA

estaria mais assiduamente com eles mesmo em público, sem mais se preocupar muito com os supostos pais e parentes, a menos que fosse dotado de um caráter excepcionalmente nobre.

GLAUCO:

— Tudo se passaria como você diz. E que tem a ver essa comparação com o estudo da dialética?

SÓCRATES:

— Vou explicar. Desde a infância, temos opiniões sobre o correto e o belo que nos foram inculcadas por nossos pais a quem obedecemos e dedicamos nosso respeito.

GLAUCO:

— Sim, concordo.

SÓCRATES:

— Existem também, no entanto, opiniões contrárias e mais agradáveis que adulam e atraem para si nossa alma, muito embora não possam convencer aqueles homens que tenham um certo senso de equilíbrio, que respeitam por isso as máximas tradicionais e a elas permaneçam fiéis.

GLAUCO:

— É verdade.

SÓCRATES:

— Quando a um homem se perguntar "O que é honestidade?" e a razão desmentir a resposta que deu por tê-la aprendido do legislador, quando mediante uma refutação veemente e constante for levado a crer que isto não é mais honesto que desonesto e assim se proceder com relação ao justo, ao bem e ao que ele mais respeita, o que você pensa que ele vai fazer depois com o respeito e com a obediência?

GLAUCO:

— É evidente que o respeito e a obediência não serão mais como eram antes.

SÓCRATES:

— Quando, portanto, tiver perdido o respeito por aqueles valores antigos, mas não tiver encontrado ainda os verdadeiros, a única saída para sua vida não será talvez a busca daquilo que o lisonjeia?

GLAUCO:

— Sim, seria esta mesmo.

SÓCRATES:

— A meu ver, de respeitoso que era da lei, haverá de se transformar num rebelde.

GLAUCO:

— Assim terá de ser.

SÓCRATES:

— Assim sendo, a condição daqueles que fazem esse uso da dialética não é previsível e, como eu dizia antes, não é de desculpar?

PLATÃO

GLAUCO:

— E também de lastimar.

SÓCRATES:

— Então, você deve educar com imensa cautela para a dialética seus discípulos de trinta anos, a fim de não os expor do mesmo modo e torná-los dignos de compaixão.

GLAUCO:

— Por certo.

SÓCRATES:

— Já não seria grande precaução preservá-los da dialética enquanto forem jovens? De fato, eu acho que você não esqueceu que os rapazes, apenas tenham provado a dialética, a usam como um jogo para rebater sempre, imitam os contraditórios e eles próprios contradizem outros, comprazendo-se em puxar e morder, como fazem os cãezinhos com os que deles se aproximam.

GLAUCO:

— E sentem um imenso prazer agindo dessa forma.

SÓCRATES:

— Após tantas disputas, de que ora saem vencedores, ora vencidos, acabam por cair numa desconfiança total com relação a tudo o que dantes acreditavam e, em decorrência, junto deles cai em descrédito diante dos outros toda a filosofia.

GLAUCO:

— Mais do que verdade.

SÓCRATES:

— Um homem em idade mais madura, porém, não haveria de incorrer em semelhante loucura. Pelo contrário, haveria de imitar quem quiser discutir e procurar a verdade, antes que brincar e contradizer por diversão. Agindo desse modo, ele mesmo se mostrará mais equilibrado e tornará sua profissão estimada e não desprezada.

GLAUCO:

— Correto.

SÓCRATES:

— Mesmo tudo o que eu disse antes foi ditado pela precaução de não admitir à dialética o primeiro que se apresenta, destituído de talento, mas somente os de caráter disciplinado e constante.

GLAUCO:

— Perfeitamente de acordo.

SÓCRATES:

— Por isso, seria suficiente conceder à dialética uma aplicação assídua e enérgica, sem fazer outra coisa, e este curso corresponderia ao que se fazia antes com a ginástica, durante o dobro?

A REPÚBLICA

GLAUCO:

— Seis ou quatro anos, a seu ver?

SÓCRATES:

— Não importa, vamos imaginar que sejam cinco. Depois disso, você obrigaria a seus discípulos a descer novamente naquela caverna para tratar de coisas de guerra e cumprir todas as provas destinadas aos jovens, a fim de que sua experiência não seja inferior à dos outros. Em todas essas ocupações é necessário submetê-los à prova para ver se haverão de permanecer firmes contra qualquer tentação ou se deixam se abalar.

GLAUCO:

— Quanto tempo necessitaria?

SÓCRATES:

— Quinze anos. Ao chegar aos cinquenta anos deverão ser selecionados aqueles poucos que se destacaram em todas as atividades práticas e em todas as disciplinas. É preciso obrigá-los a abrir os olhos da alma e volvê-los para o ser que tudo ilumina e, depois de terem visto a essência do bem e usando-a como modelo, devem se tornar guias por turno do Estado e dos cidadãos privados e ainda de si mesmos pelo resto de sua existência. Eles deverão se dedicar sobretudo à filosofia, mas ao chegar o turno deles, deverão se empenhar a fundo nas tempestades da política e do governo do Estado, convictos que estão exercendo não algo de belo, mas algo de necessário e assim, prepararão outros, deixarão a república nas mãos de outros defensores e por fim irão habitar nas ilhas dos bem-aventurados. O Estado, por sua vez, lhes erigirá monumentos e lhes oferecerá sacrifícios públicos, como a deuses tutelares, se o oráculo de Pítia o aprovar, caso contrário como a homens bem-aventurados e divinos.

GLAUCO:

— Você, Sócrates, tornou esses governantes belíssimos, como faz um escultor com suas estátuas.

SÓCRATES:

— E também as governantes, Glauco! Não pense que minhas palavras se refiram mais aos homens que às mulheres, pelo menos a todas aquelas que possuem os predicados indispensáveis.

GLAUCO:

— É justo, se devem, como dissemos, participar de todas as ocupações dos homens.

SÓCRATES:

— E agora, vocês não admitem que no tocante ao governo do Estado não expressamos simples anseios, mas propostas difíceis embora realizáveis? Somente, no entanto, da maneira em que foi dito, isto é, quando os verdadeiros filósofos, muitos ou um somente, tomarem o poder no Estado e desprezarem as honrarias atuais, considerando-as mesquinhas e vãs, e, pelo contrário, tiverem em elevada

PLATÃO

estima a correção e as honras dela decorrentes, considerarem a justiça como o valor supremo e indispensável, colocarem-se a seu serviço para torná-la mais vigorosa e organizarem seu Estado da maneira seguinte.

GLAUCO:

— Isto é?

SÓCRATES:

— Haverão de mandar para o campo todos os cidadãos acima de dez anos, haverão de manter seus filhos distantes dos atuais costumes dos pais, haverão de educá-los segundo seus costumes e suas leis que serão as que propusemos acima. Por este processo, nosso Estado se tornará próspero de modo rápido e fácil e o povo que o viu nascer tirará o máximo proveito disso.

GLAUCO:

— Por certo e me parece, Sócrates, que você foi preciso na explicação de como esse Estado possa se realizar, se é que isso algum dia vá acontecer.

SÓCRATES:

— Com isto, concluímos os discursos sobre esse tipo de Estado e sobre o indivíduo que a ele se adapta. As palavras que proferimos já deixaram claro como este deverá ser.

GLAUCO:

— Sim, muito claro e, como você diz, a questão me parece encerrada.

Livro Oito

SÓCRATES:

— Então, Glauco, concluímos que em um Estado perfeito tudo deve ser comum: as mulheres, os filhos, a educação em seu conjunto, bem como as ocupações na paz e na guerra e os melhores em filosofia e na arte da guerra devem ser os governantes.

GLAUCO:

— Sim.

SÓCRATES:

— Também concluímos que, uma vez no poder, os governantes devem guiar os soldados e alojá-los nas habitações que descrevemos, comuns a todos, onde ninguém terá nada como próprio. Além dessas habitações, estabelecemos, se você se lembra, as normas segundo as quais podem ter alguma coisa para si mesmos.

GLAUCO:

— Sim, lembro-me muito bem. Achávamos que ninguém pode ter nada daquilo que agora os outros têm e que, na qualidade de atletas da guerra e de defensores, tivessem de defender a si mesmos e aos concidadãos, recebendo como compensação o sustento anual por parte dos outros cidadãos.

SÓCRATES:

— Exatamente. Mas agora que chegamos ao fim desse problema, vejamos de que ponto partimos para esta digressão e vamos retomar o caminho de antes.

PLATÃO

GLAUCO:

— Não é difícil. Depois de ter falado do Estado, quase nos mesmos termos de há pouco, você dizia que é bom aquele semelhante ao que você planejou, bem como o indivíduo que a ele se adapta, muito embora você desse a entender de estar em condições, pelo que parece, de sugerir um Estado e um indivíduo ainda melhores. De qualquer forma, você acrescentava que, se esta forma de governo é justa, as demais são errôneas. Se bem me recordo, você disse que existem quatro formas de governo, das quais compensa falar para trazer à luz seus defeitos e que existem quatro tipos de indivíduos que correspondem a elas. Tomando em consideração todos esses indivíduos e confrontando-os, teríamos detectado o melhor e o pior e teríamos comprovado se o melhor seria o mais feliz e o pior o mais infeliz, ou não. Mal lhe perguntei quais seriam essas quatro formas de governo, tomaram a palavra Polemarco e Adimanto e você chegou até aqui porque se empenhou em responder a eles.

SÓCRATES:

— Você se lembra mesmo com grande exatidão!

GLAUCO:

— Como os lutadores. Conceda-me a mesma oportunidade e procure responder à mesma pergunta que então você pensava em responder.

SÓCRATES:

— Sim, se puder.

GLAUCO:

— De qualquer maneira, eu também desejo entender o que você queria dizer com essas quatro formas de governo.

SÓCRATES:

— Não é difícil. As quatro formas de que falo são comuns e têm seus nomes precisos. A primeira, a mais elogiada, é a de Creta e de Esparta. A segunda, também segunda em elogios, é chamada oligarquia e é uma forma de governo repleta de graves defeitos. A terceira, oposta à segunda, mas que vem logo depois, é a democracia. Por fim vem a nobre tirania, superior a todas as outras, quarta e suprema enfermidade de um Estado. Ou você poderia vislumbrar alguma outra forma de governo que possa ser disposta numa classe bem precisa? As monarquias hereditárias e os principados que podem ser comprados e outras formas semelhantes se incluem em nossas categorias e podem ser encontradas entre os bárbaros bem como entre os gregos.

GLAUCO:

— Sim, efetivamente são muitas e estranhas as formas de governo de que se fala.

SÓCRATES:

— Você sabe que há necessariamente também entre os indivíduos outras tantas categorias quantas são as formas de governo? Ou acredita que essas brotam de um carvalho ou de uma pedra e não do caráter dos cidadãos que as arrasta para a direção para a qual pende?

A REPÚBLICA

GLAUCO:

— Certamente que se originam do caráter dos cidadãos...

SÓCRATES:

— Por isso, se as formas de governo fossem cinco, também os caracteres dos indivíduos deveriam ser cinco.

GLAUCO:

— Sem dúvida.

SÓCRATES:

— Sobre o governo aristocrático já falamos e o consideramos bom e justo.

GLAUCO:

— Sim, já o abordamos.

SÓCRATES:

— Cumpre agora passar em revista os piores. O homem que gosta do sucesso e das honrarias, segundo a constituição espartana. Depois, o oligárquico, o democrático e o tirânico. Assim, considerando o homem mais injusto em confronto com o homem mais justo, haveremos de completar nosso exame e descobrir qual a relação que subsiste entre a justiça pura e a injustiça pura com referência à felicidade e à infelicidade individuais. Ficaremos sabendo se convém procurar a injustiça, como sugere Trasímaco, ou a justiça, segundo o discurso que estamos desenvolvendo.

GLAUCO:

— Sim, é exatamente o que devemos fazer.

SÓCRATES:

— Começamos a estudar as características de outras formas de governo antes de sua manifestação nos indivíduos porque nos parecia mais claro dessa maneira, assim também agora cumpre-nos estudar primeiramente a timocracia (não saberia mesmo como chamá-la, se timocracia ou timarquia). Depois vamos examinar o homem timocrático. A seguir, a oligarquia e o homem oligárquico, sucessivamente a democracia e o homem democrático. Em quarto lugar, vamos chegar a um Estado tirânico e, olhando na alma de um tirano, vamos procurar nos tornar bons juízes da questão que nos propusemos.

GLAUCO:

— Sim, procedendo dessa forma, o exame e o julgamento deveriam ser razoáveis.

SÓCRATES:

— Pois bem! Vamos tentar explicar como da aristocracia surge a timocracia. Não é certo que toda forma de governo muda por obra de quem detém o poder, quando nele mesmo gera discórdia? Porque, se o indivíduo está em acordo consigo mesmo, é impossível qualquer mudança, mesmo a menor.

GLAUCO:

— É assim mesmo.

PLATÃO

SÓCRATES:

— Como então, nosso Estado poderia ser perturbado e os defensores e governantes poderiam estar em desacordo entre eles e com os outros? Você quer que invoquemos as musas, como faz Homero, para que nos digam como surgiu a discórdia e, brincando e se divertindo conosco como se fôssemos crianças, o explicassem para nós em tom trágico e num estilo sublime, como se estivessem falando sério?

GLAUCO:

— De que modo?

SÓCRATES:

— Mais ou menos assim. "É difícil que um Estado organizado como o seu venha a se desmantelar. Como, porém, tudo o que nasce é passível de corrupção, este sistema de governo não vai durar eternamente. E a dissolução vai ocorrer da seguinte maneira. Não só as plantas com raízes, mas também os seres vivos sobre a superfície da Terra estão sujeitos à fecundidade e à esterilidade espirituais e físicas, sempre que as revoluções periódicas concluem os ciclos de cada um dos seres, curtos para aqueles de vida breve e longos para aqueles de vida longa. Aqueles que educaram como governantes, embora sábios, não haverão de conseguir adivinhar, nem com a razão nem com a experiência, os períodos de fecundidade e de esterilidade de sua raça, porquanto haverão de fugir de seu alcance. Assim sendo, haverão de colocar no mundo filhos no momento errado. Para a raça divina, o período fecundo está compreendido dentro de um número perfeito. Para a humana, ao contrário, é o número menor, dentro do qual a multiplicação de raízes e de potências, em três distâncias e em quatro limites tornam correspondentes e congruentes entre si todas as coisas. Sua base epítrita, unida ao número cinco e elevada à terceira potência, se exprime em duas harmonias. Uma de um número igual de vezes, cem vezes cem. A outra, composta de fatores em parte iguais e em parte diversos, isto é, de cem quadrados das diagonais racionais de cinco, cada uma diminuída de uma unidade, e de cem quadrados das diagonais irracionais, diminuídas de duas unidades, e de cem cubos de três.

Este número geométrico preside em seu conjunto os nascimentos positivos e negativos. Quando seus guardiães o ignorarem e unirem de modo inoportuno os jovens às moças, os filhos que nascerem não serão nobres nem afortunados. Seus predecessores haverão de colocar na chefia do Estado os melhores dentre esses. Mas, indignos da sucessão, apenas guindados aos cargos dos pais, começarão por desinteressar-se de nós, ainda que sejam guardiões, fazendo pouco caso da música e depois da ginástica e, em decorrência, vossos jovens haverão de se tornar mais incultos. Dentre eles haverão de surgir governantes pouco interessados em zelar pelo Estado e em discernir as raças de Hesíodo, como aquelas de ouro, de prata, de bronze e de ferro que dentre vós haverão de surgir. A mistura do ferro com a prata e do bronze com o ouro haverá de produzir a

A REPÚBLICA

desigualdade, a desproporção e a desarmonia que, ao se entrechocarem, sempre dão lugar à guerra e à inimizade. Essa deve ser considerada a origem da discórdia, onde quer que se verifique."

GLAUCO:

— Devemos reconhecer que as musas não se enganam.

SÓCRATES:

— Sem dúvida, por isso é que são musas.

GLAUCO:

— E que mais dizem as musas?

SÓCRATES:

— Uma vez instaurada a revolta, cada uma das duas raças, a de ferro e a de bronze, se voltam aos negócios, à aquisição de terras, de casas, de ouro, de prata, enquanto as duas outras raças, a de ouro e a de prata, não sendo pobres, mas por natureza, espiritualmente ricas, se inclinam para a virtude e para a restauração da antiga organização. Depois, porém, de grandes lutas e oposições recíprocas, entram em acordo para a partilha de terras e de casas a título privado. E aqueles que antes eram defendidos por seus concidadãos como homens livres, seus amigos e mantenedores, são subjugados como súditos e escravos, enquanto aqueles continuam a ocupar-se da guerra e da defesa dos demais.

GLAUCO:

— Parece-me que seja mesmo essa a origem da sublevação.

SÓCRATES:

— Esta forma de governo, portanto, seria intermediária entre a aristocracia e a oligarquia?

GLAUCO:

— Não há dúvida alguma.

SÓCRATES:

— A mudança acontecerá desse modo. E depois, como se haverá de governar? Por acaso, não é evidente que esse governo, sendo intermediário, haverá de imitar a aristocracia de um lado e de outro a oligarquia, mas que deverá ter também algumas características próprias?

GLAUCO:

— Assim deverá ser.

SÓCRATES:

— Não haverá de imitar, pois, a forma precedente de governo no respeito pelos governantes, na abstenção por parte dos guerreiros dos trabalhos agrícolas e manuais e dos negócios, na organização de refeições comunitárias e no cuidado em cultivar os exercícios de ginástica e as artes marciais?

GLAUCO:

— Certamente.

PLATÃO

SÓCRATES:

— Mas o receio de que os sábios tomem o poder, visto que não haverá mais homens simples e firmes, mas somente homens de caráter ambíguo; a inclinação para as faculdades emotivas e mais simples, bem mais adequadas para a guerra que para a paz; o grande apreço para com a astúcia e os estratagemas de guerra, o hábito de combater continuamente, todas essas não seriam as características próprias de tal governo?

GLAUCO:

— Evidente.

SÓCRATES:

— Homens assim não seriam, portanto, ávidos por dinheiro, como ocorre nos Estados oligárquicos, selvagens que em locais sombrios adoram o ouro e a prata, porquanto haverão de ter caixas e cofres privados onde colocar e esconder seus bens. Encerrados no recinto de suas casas como num ninho afastado, aí haverão de gastar elevadas somas para com suas mulheres e para qualquer outro que lhes dê prazer.

GLAUCO:

— É a pura verdade.

SÓCRATES:

— Serão, portanto, ávidos por dinheiro que conseguem em segredo e ao qual prestam culto, ao mesmo tempo em que são impelidos pelo desejo a serem pródigos dos bens alheios. Dados aos prazeres secretos, haverão de transgredir a lei, como os filhos fogem dos pais conquanto educados não pela persuasão mas pela coação, e isso porque já terão desprezado a verdadeira musa da palavra e da filosofia, dando preferência à ginástica em detrimento da música.

GLAUCO:

— Você está descrevendo uma forma de governo em que realmente o bem e o mal se misturam.

SÓCRATES:

— E assim é, de fato. Mas ela possui uma característica peculiar e evidente, isto é, o domínio da emotividade que provoca intriga e ambição.

GLAUCO:

— Sem dúvida alguma.

SÓCRATES:

— Assim, pois, seria essa forma de governo, embora eu tenha traçado com minhas palavras somente um rápido esboço da constituição, sem descer em seus detalhes, porque para nós é suficiente que o esquema consinta distinguir o homem mais justo daquele mais injusto. Além do mais, passar em revista todas as formas de governo com todas as suas características peculiares, sem menosprezar detalhe algum, seria tarefa infinitamente delongada.

GLAUCO:

— Tem razão.

A REPÚBLICA

SÓCRATES:

— Qual o homem, portanto, que corresponde a esta forma de governo? Qual seu caráter?

ADIMANTO:

— Acho que deva ser ambicioso, mais ou menos como Glauco, sentado aqui a nosso lado.

SÓCRATES:

— Sim, talvez, mas sob outros aspectos me parece diferente.

ADIMANTO:

— Em que sentido?

SÓCRATES:

— Nosso homem deve ser mais arrogante e um pouco mais inculto, embora não de todo, amante da música e das discussões, mas totalmente desprovido de eloquência. Um homem desse tipo seria duro com os escravos, sem chegar a desprezá-los como quem possui uma educação perfeita; seria afável com os homens livres, extremamente obediente aos governantes, cioso de poder e de honrarias, decidido a comandar, não com o poder da palavra ou com outro expediente similar, mas somente por meio de seus dotes e empreendimentos militares, dado com paixão à ginástica e à caça.

ADIMANTO:

— Sim, esse parece mesmo ser o caráter que corresponde a essa forma de governo.

SÓCRATES:

— Um homem desses pode desprezar o dinheiro na mocidade, mas quanto mais envelhece, tanto mais haverá de amá-lo porque seu caráter está propenso aos negócios e sua inclinação à virtude é impura quando longe de seu guardião.

ADIMANTO:

— Qual guardião?

SÓCRATES:

— A aliança da razão com a música. Este é, na vida, o único meio de conservar para sempre a virtude que já se possui.

ADIMANTO:

— Tem razão.

SÓCRATES:

— E esse é o jovem timocrático, imagem dessa forma de governo.

ADIMANTO:

— Exatamente.

SÓCRATES:

— Sua formação é mais ou menos esta. Ainda jovem, tem no pai um homem honesto, que vive num Estado malgovernado, que foge das honrarias, do poder, das causas judiciais, de todo embaraço e prefere permanecer obscuro para não se envolver em problemas.

PLATÃO

ADIMANTO:

— Mas como se desenvolve o caráter de nosso jovem?

SÓCRATES:

— Quando começa a ouvir sua mãe se lamentar que o marido não está envolvido com os governantes e por isso ela se sente inferior às outras mulheres. Ela nota que seu marido pouco se importa com o dinheiro, não luta e não se envolve em litígios privados, nem nos tribunais e na política, mas ao contrário suporta indolentemente as ofensas dos outros. Ela se dá conta de que o marido pensa somente em si mesmo, despreocupado em demonstrar apreço por ela e até indiferente em lhe dirigir qualquer ofensa. Por todos estes motivos, ela o odeia e começa a dizer para o filho que o pai dele é um homem covarde, fraco demais e tudo o que as mulheres dizem normalmente em tais casos.

ADIMANTO:

— É mesmo essa a atitude das mulheres.

SÓCRATES:

— Sabe que por vezes até os criados desses homens falam desse modo às escondidas aos ouvidos dos filhos, supondo com isso dar provas de afeição por eles. Ao verem o pai que não cobra um devedor ou algum desonesto, incitam o filho a punir a todos quando adulto e a ser mais viril que o pai. Saindo de casa, o rapaz assiste outras coisas desse tipo. Nota que são tachados de imbecis e desprezados aqueles que na cidade só cuidam do que lhes compete, ao passo que os outros são enaltecidos e elogiados. Ao ouvir e ver tudo isso, o jovem, que vinha escutando o pai e observando seu comportamento, o confronta com o dos outros e é atraído por ambos os lados. Por seu pai que irriga e fortalece a razão do jovem e pelos demais que, ao contrário, cultivam os desejos e paixões. Sua índole não é má, mas andou frequentando más companhias e assim acaba no meio, arrastado por uns e outros, entregando o domínio de si mesmo ao partido intermediário, ambicioso e emotivo, e se torna, ao final de tudo, orgulhoso e ambicioso.

ADIMANTO:

— Parece-me que você explicou muito bem a origem desse homem.

SÓCRATES:

— Esta é, portanto, a segunda forma de governo e esse o segundo indivíduo.

ADIMANTO:

— Sim, este mesmo.

SÓCRATES:

— Vamos repetir agora o verso de Ésquilo: "Aqui está outro homem posto em outro Estado". Ou, de acordo com nosso plano, haveríamos de considerar primeiro o Estado?

ADIMANTO:

— Melhor.

A REPÚBLICA

SÓCRATES:

— Acho que a forma de governo sucessiva possa ser a oligarquia.

ADIMANTO:

— Mas o que você entende por oligarquia?

SÓCRATES:

— A organização do Estado fundada sobre a renda, aquela em que os ricos governam e os pobres são privados de todo poder.

ADIMANTO:

— Entendo.

SÓCRATES:

— Antes, porém, não é melhor esclarecer como ocorre a passagem da timocracia para a oligarquia?

ADIMANTO:

— Sim.

SÓCRATES:

— Apesar de que esta passagem seja evidente até para um cego.

ADIMANTO:

— Por quê?

SÓCRATES:

— A ruína da timocracia decorre daquele cofre cheio de ouro que cada um possui como bem particular. Em primeiro lugar porque inventam todo tipo de ocasiões para se entregar aos gastos e a isto, eles mesmos bem como suas mulheres, dobram as leis.

ADIMANTO:

— Sim, provavelmente é isso.

SÓCRATES:

— Depois, eu acho, um vê o outro e se põe a imitá-lo, e assim a massa acaba por se assemelhar.

ADIMANTO:

— Também é provável que seja assim.

SÓCRATES:

— A partir desse momento, passam a entregar-se desenfreadamente para amealhar mais riquezas e quanto mais as apreciam, tanto mais desprezam a virtude. Mas entre a riqueza e a virtude não subsiste aquela diferença que, se ambas postas nos pratos de uma balança, uma não pode subir sem a outra baixar?

ADIMANTO:

— Evidente.

SÓCRATES:

— Assim sendo, se num Estado a riqueza e os ricos são estimados, a virtude e os honestos são desprezados.

PLATÃO

ADIMANTO:
— Certamente.

SÓCRATES:
— Acaba-se por procurar sempre mais o que se aprecia e descurar o que é objeto de desprezo.

ADIMANTO:
— É verdade.

SÓCRATES:
— Por fim, esses homens, de começo tão só ambiciosos, se transformam em negociantes interesseiros, passando a admirar e a elogiar os ricos, a quem entregam o poder, enquanto os pobres são objeto de desprezo.

ADIMANTO:
— Com toda a certeza.

SÓCRATES:
— Promulgam então uma lei que é o traço distintivo da oligarquia, fixando um censo, que é mais elevado quanto mais forte é a oligarquia, tanto mais baixo quanto mais fraca ela é, e proíbem aqueles cuja fortuna não atinge o limite fixado de terem acesso aos cargos públicos. O cumprimento desta lei é feito pela força das armas ou então, antes de chegarem a isso, impõem este tipo de governo pela intimidação. Não é assim?

ADIMANTO:
— Exatamente assim.

SÓCRATES:
— Temos aí, em breves palavras, o que vem a ser esta forma de governo.

ADIMANTO:
— Sim, mas quais seriam, segundo nosso modo de ver, suas características e seus defeitos?

SÓCRATES:
— O primeiro defeito é representado por seu próprio limite. Pense bem! Se os comandantes dos navios fossem escolhidos tendo-se em conta somente a renda, seriam excluídos os pobres, apesar de serem superiores em capacidade.

ADIMANTO:
— Sua navegação iria muito mal!

SÓCRATES:
— Não haveria de acontecer o mesmo para qualquer outro cargo?

ADIMANTO:
— Acho que sim.

SÓCRATES:
— Também a propósito do governo de um Estado ou não necessariamente?

ADIMANTO:
— Sem dúvida alguma, pois isso vale tanto mais quanto mais importante for o cargo.

A REPÚBLICA

SÓCRATES:
— Aí está, portanto, um grave defeito da oligarquia.
ADIMANTO:
— Me parece de todo evidente.
SÓCRATES:
— E este seria inferior ao primeiro?
ADIMANTO:
— Qual?
SÓCRATES:
— A inevitável presença de dois Estados num só. Aquele dos ricos e aquele dos pobres, coexistentes, mas sempre rivais.
ADIMANTO:
— Não, por Zeus, esse defeito não é certamente menos grave que o outro.
SÓCRATES:
— Além do mais, não há muita vantagem para um governo assim, porquanto não poderia sequer enfrentar uma guerra, por ver-se obrigado a entregar as armas ao povo e a temê-lo mais que os próprios inimigos. Ou, por outra, não se servir dele, revelando-se radicalmente oligárquicos também nas batalhas, além do fato de não querer, por avareza, contribuir para o custeio da guerra.
ADIMANTO:
— Não é realmente grande vantagem.
SÓCRATES:
— Além disso, lhe pareceria justo o que já desaprovamos, isto é, empregar no mesmo Estado os mesmos cidadãos concomitantemente na agricultura, no comércio e na guerra?
ADIMANTO:
— De jeito nenhum.
SÓCRATES:
— Reflita agora e considere se o pior mal não seria aquele que primeiro o atinge.
ADIMANTO:
— Qual?
SÓCRATES:
— A possibilidade de vender todos os próprios bens e de comprar os dos outros e, depois de tê-los vendido, a faculdade de permanecer no Estado, sem dele participar como comerciante, nem como artesão, nem como cavaleiro, nem como soldado de infantaria, sem nenhum título, a não ser o de pobre e indigente.
ADIMANTO:
— Sim, esta é a pior das desgraças.
SÓCRATES:
— Certamente, nos Estados oligárquicos não há preocupação quanto a isso. Caso contrário, não haveria alguns cidadãos riquíssimos e outros absolutamente pobres.

PLATÃO

ADIMANTO:

— Correto.

SÓCRATES:

— Considere também isto. Quando era rico e gastava, esse cidadão era por acaso mais útil ao Estado no que tange ao que falávamos antes? Ou só se fazia passar por um dos governantes, sendo na realidade nem governante nem súdito no próprio Estado, mas somente um esbanjador dos próprios bens?

ADIMANTO:

— Assim deve ser. Apesar das aparências, não passava de um dissipador.

SÓCRATES:

— Se assim achar, pois, podemos dizer que esse flagelo do Estado nasce numa família como num favo nasce o zangão, flagelo da colmeia?

ADIMANTO:

— Exatamente assim, Sócrates.

SÓCRATES:

— Aqui, porém, Adimanto, subsiste uma diferença, porquanto a divindade não deu o ferrão a nenhum zangão alado, ao passo que, a esses de duas patas, alguns os tornou inofensivos, enquanto outros foram dotados de um terrível ferrão. Aqueles privados de ferrão acabam por se tornarem velhos esfarrapados, enquanto todos aqueles dotados de ferrão engrossam o número dos malfeitores.

ADIMANTO:

— É a pura verdade.

SÓCRATES:

— Parece, pois, claro que em qualquer Estado onde houver miseráveis, haverá também ladrões, assaltantes, sacrílegos e malfeitores de toda espécie.

ADIMANTO:

— Evidente.

SÓCRATES:

— Mas você não vê que nos Estados oligárquicos há miseráveis?

ADIMANTO:

— Quase todos o são, salvo os governantes.

SÓCRATES:

— Não deveríamos, portanto, acreditar que neles existam muitos malfeitores dotados de ferrão, contidos continuamente à força pelos governantes?

ADIMANTO:

— Devemos acreditar nisso!

SÓCRATES:

— E não deveríamos afirmar que a situação deles haveria de ser tributada à ignorância, à má educação e à organização do próprio Estado?

ADIMANTO:

— Por certo.

A REPÚBLICA

SÓCRATES:

— Esse é, portanto, o Estado oligárquico e esses seus defeitos, se não forem ainda mais numerosos.

ADIMANTO:

— Possível que seja assim.

SÓCRATES:

— Concluímos também com a descrição sobre a forma de governo chamada oligarquia, aquela governada com base na renda. Vamos ver agora como nasce e como se comporta o homem que se enquadra nesse Estado.

ADIMANTO:

— Muito bem.

SÓCRATES:

— Acaso não é assim que acontece para ele a passagem do espírito timocrático para o oligárquico?

ADIMANTO:

— Como?

SÓCRATES:

— O filho do timocrático começa por imitar seu pai e seguir seus passos. Depois vê que ele de improviso cai em desgraça, batendo contra o Estado como um navio bate contra os escolhos. Isso porque, depois de ter sacrificado seus bens e a si mesmo como estrategista nos exércitos ou como chefe de qualquer outro cargo relevante, é levado aos tribunais pelas calúnias dos sicofantas e perde a vida, ou é exilado, ou fica privado dos próprios bens e dos direitos de cidadão.

ADIMANTO:

— É provável.

SÓCRATES:

— Ao ver este tipo de coisa, meu amigo, este, já temeroso e esbulhado de seus bens, desbanca do trono de sua alma a ambição e a emotividade, eu acho, e se lança aos negócios. Poupando até sordidamente e empenhando-se como poucos, paulatinamente consegue fazer fortuna. Depois de tudo isto, você não acredita que esse homem faça subir ao trono de sua alma o espírito de cobiça e de avareza, concedendo a elas o absoluto império de si mesmo, ornando-o com a tiara e as faixas e colocando-lhe às mãos a cimitarra?

ADIMANTO:

— Acho que sim.

SÓCRATES:

— Quanto ao espírito racional e corajoso, acho que os coloca a seus pés, de lado e de outro, e passa a servir aquele espírito de cobiça e avareza. Obriga à primeira a não calcular e a não estudar senão os meios com os quais possa aumentar seu próprio dinheiro e, à segunda, a não admirar e a não respeitar senão

PLATÃO

a riqueza e os ricos, além de não se deixar elogiar por qualquer outro mérito, a não ser pela posse de dinheiro e de tudo o que possa multiplicá-lo.

ADIMANTO:

— Não existe outro meio tão rápido e eficaz para volver para a avidez um jovem ambicioso.

SÓCRATES:

— E este, por acaso, não é o homem oligárquico?

ADIMANTO:

— Sim, a transformação individual por que passa o torna em tudo semelhante à forma de governo de que nasce a oligarquia.

SÓCRATES:

— Vejamos agora se este a ela se assemelha.

ADIMANTO:

— Vamos ver.

SÓCRATES:

— Antes de tudo, não pode se assemelhar a ela pelo extraordinário apreço pelo dinheiro?

ADIMANTO:

— Certamente.

SÓCRATES:

— E também no fato de ser econômico e ativo, de satisfazer somente as exigências necessárias, sem conceder-se qualquer outro tipo de gasto e refreando como inúteis os outros desejos?

ADIMANTO:

— Exatamente.

SÓCRATES:

— É um homem sórdido, faz dinheiro com qualquer coisa, sempre a aumentar seu tesouro, um daqueles que o povo admira. Por acaso, não é esse o homem que espelha fielmente a oligarquia?

ADIMANTO:

— Parece-me que sim. Por certo que num Estado desses e num cidadão como esse o dinheiro goza de elevadíssimo prestígio.

SÓCRATES:

— Claro que tal homem jamais se haverá de interessar pela cultura.

ADIMANTO:

— Não me parece. Caso contrário, não teria posto um cego como guia do coro, prestando-lhe tantos louvores.

SÓCRATES:

— Muito bem. Preste atenção ainda nisto. Não poderíamos afirmar que por sua incultura surjam nele desejos semelhantes aos dos zangões, alguns miseráveis, outros maléficos, apenas contidos em seus limites por suas outras preocupações?

A REPÚBLICA

ADIMANTO:

— Por certo.

SÓCRATES:

— Você sabe, portanto, para onde se deveria olhar para descobrir sua maldade?

ADIMANTO:

— Para onde?

SÓCRATES:

— Para a tutela dos órfãos e para qualquer outra ocasião semelhante que se lhe apresente, em que se pode agir desonestamente sem temor algum.

ADIMANTO:

— É verdade.

SÓCRATES:

— Por isso mesmo, não é evidente que esse homem, nas demais relações em que conquista boa reputação de justiça, reprime seus maus impulsos com um louvável disfarce, mas sem persuadi-los que assim seria melhor nem os aplacando com a razão, e sim premido pela necessidade e pelo medo, porquanto treme pelo resto de seu patrimônio?

ADIMANTO:

— Exatamente.

SÓCRATES:

— E, por Zeus, na maioria desses homens, quando se trata de gastar o dinheiro dos outros, esses desejos aparecem como zangões.

ADIMANTO:

— Estou certo disso.

SÓCRATES:

— Um homem desses não pode fugir ao contraste interior, pois não é uma só pessoa, mas duas, porque nutre desejos inconciliáveis, mesmo que geralmente os melhores sobrepujem os piores.

ADIMANTO:

— É assim mesmo.

SÓCRATES:

— Por isso, acho que é mais respeitado que muitos outros, mas a verdadeira virtude de uma alma em harmonia e concordância consigo mesma foge para bem longe dele.

ADIMANTO:

— Sou do mesmo parecer.

SÓCRATES:

— Quando se trata de disputar uma vitória ou qualquer outro prêmio individual em jogos no Estado, o homem parcimonioso é um concorrente fraco porque não quer gastar dinheiro em competições de prestígio, receoso de poder

PLATÃO

despertar os desejos pródigos que o levem a colaborar com a ambição. Por isso, como verdadeiro oligárquico, combate utilizando poucos recursos e, muitas vezes, perde, embora conserve seus próprios bens.

ADIMANTO:

— Por certo.

SÓCRATES:

— Haveríamos de hesitar ainda para configurar uma semelhança entre o Estado oligárquico e o homem poupador e mercantilista?

ADIMANTO:

— De maneira alguma.

SÓCRATES:

— Cumpre-nos agora, pelo que parece, estudar o surgimento e as características da democracia e depois avaliar o caráter do homem democrático.

ADIMANTO:

— Poderíamos seguir nosso procedimento habitual.

SÓCRATES:

— A passagem da oligarquia à democracia não seria acaso determinado, quase sempre, pela insaciabilidade dos próprios desejos, pela necessidade de se tornar o mais rico possível?

ADIMANTO:

— Em que sentido?

SÓCRATES:

— Os governantes, devendo seus postos à sua riqueza, não querem refrear por lei os jovens que se entregam à libertinagem e impedir-lhes que dilapidem seus patrimônios, porque, na realidade, querem comprá-los e emprestar dinheiro a juros para esses jovens, a fim de se tornarem ainda mais ricos e poderosos.

ADIMANTO:

— Sim, este é seu principal objetivo.

SÓCRATES:

— E já não se torna evidente que num Estado os cidadãos não podem apreciar a riqueza e, ao mesmo tempo, cultivar neles o espírito de moderação, por que inevitavelmente haverão de menosprezar a riqueza ou a temperança?

ADIMANTO:

— Sim, é bem evidente.

SÓCRATES:

— Assim, os governos oligárquicos, permitindo que se dedicassem à libertinagem, reduziram por vezes à pobreza homens de condição não ignóbil.

ADIMANTO:

— Por certo.

A REPÚBLICA

SÓCRATES:

— Eu acho, porém, que esses permanecem no próprio Estado, providos de ferrões e bem armados, alguns como devedores, outros desonrados, outros ainda há um tempo devedores e desonrados, repletos de ódio e de vontade de atacar os outros cidadãos e sobretudo aqueles que lhes subtraíram os bens, enfim, ansiosos por fazer eclodir uma revolução.

ADIMANTO:

— Assim é, precisamente.

SÓCRATES:

— Os agiotas, que caminham de cabeça baixa fingindo não vê-los, destroem com sua riqueza quem quer que ceda ante a ganância deles e, enquanto multiplicam os juros de seu capital, multiplicam no Estado os zangões e os miseráveis.

ADIMANTO:

— E como poderia ser diversamente?

SÓCRATES:

— Mas não querem eliminar essa desgraça nem quando está para se incendiar, evitando de impedir a cada um de suar seus próprios bens conforme seu agrado e de fazer uma lei especial para suprimir esses desregramentos.

ADIMANTO:

— Que lei?

SÓCRATES:

— Uma segunda lei contra os esbanjadores para obrigar os cidadãos a voltar-se à virtude. De fato, se esta impusesse que a maior parte das transações voluntárias fosse feita com o risco para quem empresta, no Estado seriam levados a efeito menos negócios vergonhosos e menos desgraças haveriam de surgir, como aquelas que há pouco citamos.

ADIMANTO:

— Sim, muito menos, sem dúvida.

SÓCRATES:

— Em vez disso, os governantes, por todos estes motivos, reduziram a esta situação os súditos, enquanto eles e seus jovens filhos se entregam ao luxo, à inércia física e espiritual, incapazes de resistir, por preguiça, aos prazeres e à dor.

ADIMANTO:

— É verdade.

SÓCRATES:

— Sem cuidado algum por todas as coisas, excetuando-se os negócios, não se preocupam com a virtude como não o fazem com os pobres.

ADIMANTO:

— Certamente que não.

PLATÃO

SÓCRATES:

— Nessas condições, quando os governantes e os súditos se encontram lado a lado em viagens, ou em quaisquer outras ocasiões de encontro, ou numa procissão, ou na guerra, ou numa travessia por mar, ou durante o serviço militar, ou quando se observam reciprocamente no próprio momento do perigo, os pobres certamente se saem muito bem em confronto com os ricos. Melhor ainda, muitas vezes, um pobre robusto e bronzeado, em ordem de batalha ao lado de um rico que cresceu à sombra e com muita carne supérflua, vê que este não tem fôlego e é incapaz. E você não acha que ele vai pensar que essas pessoas se enriqueceram por causa de sua covardia e que os pobres, encontrando-se juntos, se encorajariam dizendo: "Essa gente está em nossas mãos, não vale nada!"

ADIMANTO:

— Sim, eu também sei que pensam exatamente assim.

SÓCRATES:

— Assim como um pequeno agente externo basta para deixar enfermo um corpo fraco, chegando por vezes a deixá-lo em mau estado, assim também um Estado em situação análoga por um motivo fútil, enquanto uns pedem socorro a outro Estado oligárquico e outros a um Estado democrático, adoece e combate contra si mesmo e por vezes, sem que o socorro externo intervenha, eclode a guerra civil.

ADIMANTO:

— E muito violenta, ainda por cima.

SÓCRATES:

— A democracia se estabelece, portanto, a meu ver, quando os pobres vencem, massacram alguns, mandam para o exílio outros e, com os restantes, dividem em condições de igualdade o governo e as magistraturas que, no mais das vezes, são distribuídas por sorteio.

ADIMANTO:

— De fato, este regime é a democracia que se estabelece quer pelas armas, quer pelo medo dos adversários que preferem partir para o exílio.

SÓCRATES:

— E de que maneira esses governam? Como se constitui esse regime? Claro que o cidadão que o acata deve ser chamado democrático.

ADIMANTO:

— Sim, é claro.

SÓCRATES:

— Antes de mais nada, os cidadãos são livres e o Estado respira liberdade e transparência, cada um podendo fazer o que quiser.

ADIMANTO:

— Pelo menos, é o que se diz.

A REPÚBLICA

SÓCRATES:

— Mas onde reina essa liberdade, é evidente que cada um pode organizar a própria vida como melhor lhe aprouver.

ADIMANTO:

— Sim, é evidente.

SÓCRATES:

— Logo, sobretudo nesse regime, acho que se pode encontrar gente de todo tipo.

ADIMANTO:

— Como não.

SÓCRATES:

— E talvez seja o melhor regime. Como uma peça multicolor, assim também este, tecido de todos os caracteres, pode parecer o mais belo. Assim pode parecer talvez a muitos, por exemplo às mulheres e crianças, que admiram a variedade.

ADIMANTO:

— Por certo.

SÓCRATES:

— E ali é fácil, caro amigo, estabelecer um governo.

ADIMANTO:

— Por quê?

SÓCRATES:

— Porque, graças à liberdade, contém todo tipo de governo e quem quiser, como nós agora, fundar um Estado, seria melhor chegar-se a um Estado democrático e escolher qualquer forma de governo que lhe agrade, como se escolhem os objetos na feira, e depois reproduzi-lo.

ADIMANTO:

— Sim, e, com certeza, modelos não haveriam de faltar.

SÓCRATES:

— O fato de que nesse Estado não subsista a obrigação de governar, nem para quem pudesse exercer o cargo, nem de ser governado, se não o quiser, nem de combater em caso de guerra, nem de viver em paz com os outros, se não desejar a paz, e por outro lado, a liberdade de exercer o governo e a justiça, quando a oportunidade se apresentar, mesmo que uma lei o vete, esse modo de vida não é à primeira vista sumamente agradável?

ADIMANTO:

— Talvez, mas só à primeira vista.

SÓCRATES:

— E não é invejável a serenidade de alguns condenados? Num regime desses, você nunca viu homens condenados à morte ou ao exílio permanecerem, apesar disso, e passear entre a multidão como heróis, como se ninguém se preocupasse com eles nem os visse?

PLATÃO

ADIMANTO:

— Pelo contrário, vi e muitos!

SÓCRATES:

— E a tolerância e a extrema liberalidade de ideias na democracia, melhor, o desprezo por aqueles valores de que falávamos com respeito quando fundávamos nosso Estado, certamente não podem tornar honesto quem não tenha um caráter superior, quem desde a infância não se tenha dedicado a belos jogos e a belas ocupações. Pelo contrário, com quanta leviandade se calcam aos pés todas as coisas, sem se preocupar com as bases de onde partir para a vida política, mas limitando-se a proclamar-se amigo do povo!

ADIMANTO:

— Deveras, um ótimo governo!

SÓCRATES:

— Estas e outras vantagens semelhantes pode ter a democracia. Seria, ao que parece, um regime agradável, desordenado e variado, garantindo igualdade para quem é igual e para quem não o é.

ADIMANTO:

— Sim, conheço bem tudo isso.

SÓCRATES:

— Considere agora o perfil do homem democrático. Ou, antes, não seria o caso de examinar, como foi feito para a forma de governo, de que modo surge?

ADIMANTO:

— Sim.

SÓCRATES:

— Talvez sua gênese seja esta. Aquele oligarca avarento não teria tido talvez um filho que teria criado nos mesmos costumes?

ADIMANTO:

— Por que não?

SÓCRATES:

— Esse filho, a exemplo do pai, não haveria de reprimir à força seus desejos de dispêndio e inimigos da poupança, aqueles que são definidos exatamente como não necessários?

ADIMANTO:

— É claro.

SÓCRATES:

— Se você quiser, pois, para não discutir às cegas, vamos definir antes quais são os prazeres necessários e quais não.

ADIMANTO:

— De acordo.

A REPÚBLICA

SÓCRATES:

— Não é correto considerar necessários aqueles que não podem ser reprimidos e que é útil satisfazê-los? Porque estes não se pode não os desejar naturalmente. Não é assim?

ADIMANTO:

— Certamente.

SÓCRATES:

— Teremos razão, portanto, de lhes aplicar o conceito de necessário.

ADIMANTO:

— Sim, teremos razão.

SÓCRATES:

— E não faríamos bem em definir não necessários todos aqueles prazeres que podem ser rejeitados, se a isso nos habituarmos desde jovens, e cuja realização não traz nenhum efeito positivo, quando não provoca por vezes consequências negativas?

ADIMANTO:

— Faríamos bem.

SÓCRATES:

— Não seria bom, portanto, escolher um exemplo de uns e outros para termos uma ideia mais exata?

ADIMANTO:

— Com certeza.

SÓCRATES:

— O desejo de comer iguarias e outros pratos para conservar uma saúde com vigor, não seria talvez necessário?

ADIMANTO:

— Acho que sim.

SÓCRATES:

— Em tal caso, o desejo de boa comida é duplamente necessário, porquanto útil e indispensável para a vida.

ADIMANTO:

— Sim.

SÓCRATES:

— Isso valeria também para merendas e petiscos, desde que contribuam para o bem-estar físico.

ADIMANTO:

— Exatamente.

SÓCRATES:

— Mas o desejo que vai além disto e exige manjares sofisticados, desejo que, no entanto, a maioria pode reprimir e sufocar desde a juventude com a educa-

PLATÃO

ção, que é prejudicial ao corpo e à alma quando se quer primar pela racionalidade e pela temperança, este poderia ser corretamente definido não necessário?

ADIMANTO:

— Sem sombra de dúvida.

SÓCRATES:

— Não poderíamos afirmar também que alguns são desejos que levam ao desperdício, enquanto outros são desejos instrumentais, porquanto úteis à nossa atividade?

ADIMANTO:

— Com certeza.

SÓCRATES:

— Poderíamos dizer o mesmo com referência aos prazeres amorosos e aos outros correlatos?

ADIMANTO:

— Sim, o mesmo.

SÓCRATES:

— Também o homem portanto, a quem chamamos de zangão está repleto, como dizíamos, desses prazeres e desejos, vivendo sob o domínio daqueles não necessários. E o homem dominado pelos prazeres necessários não é oligárquico e avarento?

ADIMANTO:

— Sem dúvida.

SÓCRATES:

— Por isso, vamos voltar a descrever a transformação do homem oligárquico em democrático. A meu ver, isto se processa assim.

ADIMANTO:

— Como?

SÓCRATES:

— Quando um jovem, criado como dissemos sem cultura e de modo mesquinho, prova do mel dos zangões e se vê na companhia desses insetos agitados e perigosos, capazes de lhe proporcionar divertimentos de todo tipo, de qualquer espécie e qualidade, fique então certo que nele haverá de ocorrer o princípio da mudança da oligarquia à democracia.

ADIMANTO:

— É quase inevitável.

SÓCRATES:

— Como, pois, o Estado se transformava com o auxílio externo em outro partido do mesmo gênero, assim também o jovem não se transforma com o auxílio externo de um gênero de desejos semelhante num dos dois gêneros que estão nele?

ADIMANTO:

— Exatamente.

A REPÚBLICA

SÓCRATES:

— Mas se, da parte contrária ou do pai ou de outros familiares que o haverão de censurar e humilhar, chegar um auxílio ao partido oligárquico, então eu acho que em seu íntimo deverão se produzir discórdia, revolução e contrarrevolução.

ADIMANTO:

— Com certeza.

SÓCRATES:

— Eu acho que, por vezes, o partido democrático cede ao oligárquico e alguns de seus desejos desaparecem, outros são eliminados, se na alma do jovem penetrar a vergonha; e assim, ele retorna à ordem.

ADIMANTO:

— Sim, por vezes isso acontece.

SÓCRATES:

— Ocorre também que, depois da derrocada daqueles desejos, muitos outros afins se desenvolvem em segredo e se tornam fortes por causa da má educação recebida do pai.

ADIMANTO:

— Sim, isso geralmente ocorre.

SÓCRATES:

— Esses o arrastam para companhias da mesma espécie e de sua união clandestina surge uma multidão de outros similares.

ADIMANTO:

— Com certeza.

SÓCRATES:

— No fim, a meu ver, conquistam a cidadela da alma do jovem, certificando-se que está vazia de conhecimentos, de bons hábitos e de princípios verdadeiros que, no espírito daqueles que são caros aos deuses, são as sentinelas e os guardas mais seguros.

ADIMANTO:

— Sim, e bem mais seguros.

SÓCRATES:

— Em seu lugar, acorrem para ocupar aquela cidadela discursos falsos e presunçosos e opiniões fúteis.

ADIMANTO:

— Não há dúvida alguma.

SÓCRATES:

— E o jovem não haverá de voltar a morar abertamente junto desses lotófagos? Se dos familiares chegar algum auxílio para a parte poupadora de sua alma, aqueles discursos fúteis haverão de fechar nele as portas das muralhas reais e não haverão de deixar entrar aquele auxílio, não haverão de acolher como embaixadores os discursos dos mais velhos, mas haverão de vencer a batalha e

PLATÃO

mandar para um exílio desonroso a vergonha, chamando-a de estupidez, e haverão de expulsar a temperança, chamando-a de covardia e cobrindo-a de lama, convencendo assim o jovem de que a moderação e a regularidade nas despesas são indícios de mesquinhez vulgar e acabando por expulsar das fronteiras também aquelas, com a ajuda de muitos e inúteis desejos.

ADIMANTO:

— Certamente.

SÓCRATES:

— Depois de tê-la esvaziado completamente, eles tomam e iniciam a alma desse jovem com grandes ritos de iniciação, depois introduzem nela, ricamente coroadas e acompanhadas de solene cortejo, a arrogância, a anarquia, a libertinagem e a impudicícia, louvando-as e cobrindo-as de elogiosos apelativos. Assim, eles chamam de educação a insolência, de liberdade a anarquia, de magnificência a libertinagem, de coragem a impudicícia. Não é mais ou menos dessa maneira que um jovem passa do regime dos prazeres necessários à liberação e à entrega de si mesmo aos prazeres supérfluos e inúteis?

ADIMANTO:

— Sim, é claro.

SÓCRATES:

— Depois esse jovem vive esbanjando dinheiro, tempo e fadigas para os prazeres supérfluos, bem como para os necessários. Se ele se sentir bem assim e tiver a ventura de não levar a extremos seus abusos, se aplacado quando um pouco mais maduro e acalmada sua pior turbulência, é levado a acolher grupos de exilados e a não se entregar totalmente aos invasores, passando então a estabelecer uma espécie de paridade entre seus prazeres, conferindo sucessivamente o domínio de si próprio ao prazer da vez, como se fosse sorteado, para que seja realizada e depois segue outro, sem desprezar nenhum, ao contrário, alimentando-os todos em pé de igualdade.

ADIMANTO:

— Exatamente.

SÓCRATES:

— Ele não aceita nem deixa entrar em sua cidadela qualquer discurso verdadeiro, nem se interessa em ouvir dizer que alguns prazeres se referem a desejos honestos, mas outros desejos são maus e que se torna necessário cultivar e apreciar os primeiros, mas é preciso reprimir e punir os últimos. Ele se nega a tudo, afirmando que todos os prazeres são iguais e todos devem ser desfrutados da mesma maneira.

ADIMANTO:

— Com essa disposição de espírito, ele age exatamente assim.

SÓCRATES:

— Vive assim dia após dia e abandona-se ao desejo que se apresenta. Hoje embriaga-se ao som da flauta, amanhã beberá água pura e jejuará.

A REPÚBLICA

Ora se exercita na ginástica, ora se entrega ao ócio e não se preocupa com nada; ora parece dedicado na filosofia. Muitas vezes ocupa-se de política e, saltando para a tribuna, diz ou faz o que lhe passa pela cabeça. Sucede-lhe entusiasmar-se pela gente de guerra, e ei-lo que se torna guerreiro. Interessa-se pelo comércio, e ei-lo que se lança nos negócios. Em sua existência não há ordem nem coação, mas vive convencido que ela é prazerosa, livre e feliz.

ADIMANTO:

— Você descreveu de modo sensacional a vida de um amigo da igualdade.

SÓCRATES:

— Mas acho também que este homem é variado e rico de humores diversos, belo e variegado como o Estado que se lhe assemelha. Muitos homens e mulheres poderiam invejar seu modo de vida porque encerra em si muitíssimos modelos de governos e de caracteres.

ADIMANTO:

— Assim é, na verdade.

SÓCRATES:

— Vamos então colocar um homem desse tipo na democracia? Poderíamos defini-lo corretamente como democrático?

ADIMANTO:

— Sim, vamos defini-lo assim.

SÓCRATES:

— Agora nos resta descrever o melhor dos regimes e o melhor dos indivíduos. A tirania e o tirano.

ADIMANTO:

— É verdade.

SÓCRATES:

— Pois bem, amigo! Qual é a característica da tirania? Parece-me quase evidente que ela surge da degeneração da democracia.

ADIMANTO:

— Sim, é evidente.

SÓCRATES:

— Logo, como da oligarquia se origina a democracia, assim da democracia se origina a tirania.

ADIMANTO:

— De que maneira?

SÓCRATES:

— O objetivo que se havia proposto e com qual se originou a oligarquia não era a riqueza excessiva?

ADIMANTO:

— Sim.

PLATÃO

SÓCRATES:

— O que, porém, a levou à ruína foi o insaciável desejo de riqueza e a indiferença diante de todos os outros valores por causa do mercantilismo.

ADIMANTO:

— É verdade.

SÓCRATES:

— E a ruína da democracia também não é provocada pelo desejo insaciável por aquilo que lhe deu origem?

ADIMANTO:

— Mas qual é esse bem?

SÓCRATES:

— A liberdade. Num Estado democrático, você haverá de ouvir que ela é o bem supremo e que por isso todo aquele que tiver um caráter livre deveria viver somente nesse.

ADIMANTO:

— É o que se diz com frequência.

SÓCRATES:

— Como eu lhe dizia, portanto, não seriam esse desejo insaciável e a indiferença perante todos os outros valores que transformam este regime e o preparam para que se instale a tirania?

ADIMANTO:

— Em que sentido?

SÓCRATES:

— A meu ver, um Estado democrático, sedento de liberdade e quando servido por maus copeiros, perde todo controle, inebriando-se de liberdade pura, pune seus governantes, a menos que estes não sejam realmente complacentes e não concedam grande liberdade, acusando-os de malvados que aspiram à oligarquia.

ADIMANTO:

— É assim que agem.

SÓCRATES:

— Acho ainda que trata com desprezo os cidadãos que respeitam os governantes, considerando-os escravos voluntários que nada valem, ao passo que elogia e admira em particular e em público os governantes que são semelhantes aos súditos e os súditos que são semelhantes aos governantes. Num Estado desses, porém, não é inevitável que a inclinação à liberdade se estenda a todas as coisas?

ADIMANTO:

— E como não?

SÓCRATES:

— E que penetre ainda, meu caro amigo, nas casas das famílias e que, finalmente, se instale a anarquia até entre os animais?

ADIMANTO:

— O que é que você quer dizer com isso?

A REPÚBLICA

SÓCRATES:

— Por exemplo, que um pai se acostume a se tornar como seu filho e a temer seus próprios filhos e o filho se torne como seu pai e para ser livre não tenha mais nem respeito nem receio de seus pais. Mais ainda, que o mero residente se coloque no mesmo plano do cidadão e que o cidadão no mesmo grau desse residente, o mesmo ocorrendo com os estrangeiros.

ADIMANTO:

— É, de fato, o que anda acontecendo.

SÓCRATES:

— Há ainda, contudo, outros pequenos inconvenientes. Em situações semelhantes, o mestre tem medo dos alunos e os adula, os alunos desprezam os mestres e preceptores. Numa palavra, os jovens se comportam como os velhos e os contestam com palavras e com fatos, ao passo que os velhos, para se tornarem agradáveis aos jovens, descambam para a afetação, imitando os jovens para não serem tachados de duros e tiranos.

ADIMANTO:

— É isso mesmo.

SÓCRATES:

— Num Estado desses, caro amigo, o limite extremo da liberdade excessiva é atingido quando os homens e as mulheres comprados não são menos livres que seus compradores. Quase ia me esquecendo de dizer quanta igualdade e liberdade subsistem nas relações entre homens e mulheres!

ADIMANTO:

— Logo, segundo a expressão de Ésquilo, conviria "dizer tudo o que nos vem à boca"?

SÓCRATES:

— Exatamente. E é justamente o que estou fazendo. Precisaria ver para crer, como até os animais por lá são mais livres que em qualquer outro Estado. De fato, segundo diz o provérbio, as cadelas se assemelham às patroas, os cavalos e os burros são acostumados a andar livres e garbosos, atropelando pelas estradas quem quer que não lhes abra passagem. Enfim, tudo ali respira da mesma maneira, plena liberdade.

ADIMANTO:

— Você acaba de contar o que conheço muito bem porque acontece o mesmo comigo, quando vou ao campo.

SÓCRATES:

— Mas você sabe muito bem qual é a consequência de tudo isso. O ânimo dos cidadãos se enfraquece a ponto de não suportar nenhum tipo de coação que, ao contrário, os incita à revolta. Finalmente, como você sabe, não se interessam sequer pelas leis, escritas ou não escritas, contanto que não venham a ter sob hipótese alguma um patrão.

PLATÃO

ADIMANTO:

— Estou perfeitamente a par disso.

SÓCRATES:

— Pois é, meu amigo, a meu ver, é desse belo e vigoroso governo que se origina a tirania.

ADIMANTO:

— Vigoroso mesmo! Mas o que acontece depois?

SÓCRATES:

— A mesma doença que leva à ruína a oligarquia, sendo que neste regime irrompe ainda mais forte e violenta por causa da excessiva liberdade, levando a democracia à servidão. Com efeito, geralmente todo excesso provoca a reação contrária, fenômeno que se observa nas estações, nas plantas, nos animais, mas sobretudo nas formas de governo.

ADIMANTO:

— É natural.

SÓCRATES:

— Na realidade, a excessiva liberdade quase sempre degenera em excessiva servidão tanto para os cidadãos quanto para o Estado.

ADIMANTO:

— Logicamente.

SÓCRATES:

— Por isso é de todo natural que a tirania se origine somente da democracia ou, em outras palavras, acho que a mais absoluta e intolerável servidão se origine da mais pura liberdade.

ADIMANTO:

— É natural.

SÓCRATES:

— Parece-me, no entanto, que não era isto que você queria saber, mas qual seria o flagelo que leva à ruína tanto a oligarquia como a democracia.

ADIMANTO:

— É verdade.

SÓCRATES:

— Pois bem! Por esse flagelo eu pretendia falar daquele tipo de indivíduos ociosos e esbanjadores, dentre os quais os mais corajosos seguem na frente e os mais fracos os seguem na esteira. Comparamos os primeiros aos zangões providos de ferrão e os segundos, aos inofensivos.

ADIMANTO:

— Correto.

SÓCRATES:

— Estes dois grupos de homens se encontram em todo regime e fazem estragos, como no corpo humano faz um edema e a bílis. Mas o bom médico e

A REPÚBLICA

legislador de um Estado, da mesma forma que um bom apicultor, deve impedir com todas as precauções, em primeiro lugar, que se multipliquem ou, como mínimo, cortá-los o mais rápido possível junto dos favos que os hospedam.

ADIMANTO:

— Sim, por Zeus, deve fazer exatamente isso!

SÓCRATES:

— Para distinguir da melhor maneira o que procuramos, vamos proceder, portanto, desta maneira.

ADIMANTO:

— Como?

SÓCRATES:

— Vamos dividir o Estado democrático nas três partes de que na realidade se compõe. A primeira é talvez aquela classe que nele se forma por causa da permissividade como ocorre no regime oligárquico.

ADIMANTO:

— É verdade.

SÓCRATES:

— Só que nesse regime muito mais radicalmente que naquele.

ADIMANTO:

— O que você quer dizer?

SÓCRATES:

— Na oligarquia é pouco influente e fraca porque não é apreciada e não é convidada a ocupar cargos públicos. Ao contrário, na democracia é a parte preponderante, com poucas exceções, e são os mais radicais que falam e agem, enquanto os outros, sentados em torno da tribuna, resmungam e não toleram opositores, de tal modo que num regime desses quase tudo é decidido por essa gente.

ADIMANTO:

— É o que ocorre.

SÓCRATES:

— Mas existe outra classe que vive sempre segregada do povo.

ADIMANTO:

— Qual seria?

SÓCRATES:

— Enquanto todos se entregam a suas ocupações, geralmente a maior parte da riqueza se concentra nas mãos daqueles que possuem um caráter mais equilibrado.

ADIMANTO:

— É natural.

SÓCRATES:

— Dessa gente, a meu ver, que os zangões sugam o mel em maior abundância e o mais nutritivo.

PLATÃO

ADIMANTO:
— Sem dúvida, porquanto como se poderia sugar de quem pouco possui?
SÓCRATES:
— E estes, a meu ver, são os ricos que são chamados de "filhos dos zangões".
ADIMANTO:
— Parece que sim.
SÓCRATES:
— A terceira classe seria composta pelo povo, pelos artesãos e por aqueles que participam dos negócios públicos e são donos de pequenos patrimônios. Na democracia, porém, representam a classe mais poderosa quando se unem.
ADIMANTO:
— De fato, é assim, mas sem mel não se dispõem a se unir.
SÓCRATES:
— No entanto, mel sempre lhes é dado, pelo menos quando o podem os governantes que despojam de seus bens os ricos e os distribuem ao povo, embora conservem para si a maior parte.
ADIMANTO:
— Sim, desse modo é que é feita a distribuição.
SÓCRATES:
— Eu acho que, vendo-se espoliados, os ricos se sentem obrigados a falar e a agir no meio do povo, usando de todos os meios para se defender dos espoliadores.
ADIMANTO:
— Com certeza.
SÓCRATES:
— Mesmo que não queiram a revolução, são acusados pelos outros de conspirar contra o povo e de aspirar à oligarquia.
ADIMANTO:
— Sem dúvida.
SÓCRATES:
— Finalmente, quando descobrem que o povo tenta prejudicá-los, não por ter consciência mas por ser ignorante e insuflado pelos caluniadores, então se transformam realmente, quer queiram quer não, em oligarcas. Esse também, contudo, é um mal produzido pelo ferrão do zangão.
ADIMANTO:
— É verdade.
SÓCRATES:
— Assim é que se desencadeiam as denúncias, os processos e as acusações recíprocas.
ADIMANTO:
— Com certeza.

A REPÚBLICA

SÓCRATES:

— O povo, porém, não tem o infalível hábito de confiar seus interesses a um protetor que procura engrandecer e conferir-lhe todo o poder?

ADIMANTO:

— É o que faz.

SÓCRATES:

— Está claro, pois, que o tirano, quando surge, não se origina de outra raiz que não daquela de um protetor do povo.

ADIMANTO:

— Muito claro, com certeza.

SÓCRATES:

— Por que motivo, porém, o protetor se transforma em tirano? Não acontece como na fábula que se conta a respeito do templo de Zeus Liceu na Arcádia?

ADIMANTO:

— Que fábula?

SÓCRATES:

— Aquela que narra que aquele que tivesse saboreado vísceras humanas misturadas com as de outras vítimas de sacrifícios, haveria de se transformar inevitavelmente em lobo. Mas será possível que você nunca ouviu falar dela?

ADIMANTO:

— Já ouvi, sim.

SÓCRATES:

— Do mesmo modo, quando o chefe do povo, seguro da obediência inconteste da multidão, não sabe abster-se do sangue dos homens da sua tribo, mas, acusando-os injustamente, como é costume dos seus iguais, e levando-os até os tribunais, se mancha de crimes mandando tirar-lhes a vida, quando, com uma língua e uma boca ímpias, prova o sangue da sua família, exila e mata, deixando ao mesmo tempo entrever a supressão das dívidas e uma nova partilha das terras, então um tal homem não deve necessariamente, e como por uma lei do destino, morrer à mão dos seus inimigos ou tomar-se tirano, e de homem se transformar em lobo?

ADIMANTO:

— Realmente é inevitável.

SÓCRATES:

— Aí está ele, portanto, em guerra aberta contra os ricos.

ADIMANTO:

— Sim.

SÓCRATES:

— Se acaso for exilado e retornar depois, apesar de seus inimigos, não haveria de voltar como perfeito tirano?

ADIMANTO:

— Certamente.

PLATÃO

SÓCRATES:

— Se os súditos, porém, não podendo derrubá-lo ou condená-lo à morte mediante calúnias públicas, não haveriam de arquitetar um modo de tirar-lhe a vida secretamente, causando-lhe morte violenta?

ADIMANTO:

— Sim, geralmente é o que fazem.

SÓCRATES:

— É então que se dá o caso de todos os que chegam a esse posto recorrerem ao famoso pretexto de pedir ao povo uma escolta especial para defender o protetor do povo.

ADIMANTO:

— É verdade.

SÓCRATES:

— E o povo, pelo que me parece, cheio de confiança em si mesmo, concede-a, temendo pela segurança do protetor.

ADIMANTO:

— É o que acontece.

SÓCRATES:

— Quando, pois, um homem rico e como tal antipático ao povo, se dá conta disso, então, meu amigo, como diz o oráculo a Creso "foge para o Hermo pedregoso, retira-se e sequer pensa em ser tachado de covarde".

ADIMANTO:

— E faz muito bem, porque não poderia permitir-se de passar pela segunda vez por esse temor.

SÓCRATES:

— Se for preso, porém, acho que isso lhe haveria de custar a vida.

ADIMANTO:

— Com toda a certeza.

SÓCRATES:

— Mas é claro que esse mesmo chefe "não fica distendido em belo repouso por muito tempo", mas, depois de ter eliminado muitos rivais, galga o mais alto posto do Estado e, com isso, já se tornou não um simples governante, mas um perfeito tirano.

ADIMANTO:

— Sem dúvida.

SÓCRATES:

— Deveríamos agora descrever a felicidade do cidadão e do Estado em que surge indivíduo desses?

ADIMANTO:

— Vamos descrevê-la.

A REPÚBLICA

SÓCRATES:

— Nos primeiros dias, não distribui a quantos encontre sorrisos e saudações, dizendo que não é um tirano? Não faz as mais belas promessas em particular e em público? Não perdoa as dívidas, não distribui terra ao povo e a seus partidários e não se mostra afável e benévolo com todos?

ADIMANTO:

— Precisa agir assim.

SÓCRATES:

— Depois, a meu ver, quando se livrou dos inimigos externos, mediante alianças com alguns e eliminando outros, sentindo-se bem seguro desse lado, continua a fomentar simulacros de guerras para que o povo sinta a necessidade de um verdadeiro chefe.

ADIMANTO:

— É provável.

SÓCRATES:

— E também para que os cidadãos, já empobrecidos pelos tributos, se vejam obrigados a pensar em suas necessidades cotidianas e não passem a conspirar contra ele.

ADIMANTO:

— Evidente.

SÓCRATES:

— E, decerto, para matar aqueles que suspeita que sejam demasiado livres de espírito para se dobrarem e deixar-lhe o poder, entregando-os ao inimigo com um pretexto qualquer. Não seriam esses todos motivos de que um tirano teria necessidade para estar sempre às voltas com alguma guerra?

ADIMANTO:

— Por certo.

SÓCRATES:

— Procedendo desse modo não se torna odioso para os cidadãos?

ADIMANTO:

— E como não!

SÓCRATES:

— Também aqueles, portanto, que o ajudaram a tomar o poder haveriam de falar com franqueza a ele e entre eles, criticando seu modo de agir, se para tanto tiverem coragem?

ADIMANTO:

— É provável.

SÓCRATES:

— Por isso, o tirano deverá eliminar a todos eles para dominar em paz e, sem distinção de amigos e inimigos, não deverá ficar com ninguém que lhe faça sombra em sua volta.

ADIMANTO:

— É claro.

PLATÃO

SÓCRATES:

— Deverá ter olhos perspicazes para distinguir rapidamente quem é corajoso, quem é generoso, quem é inteligente e quem é rico. E tal será sua situação que se verá obrigado, quer queira quer não, a se declarar inimigo de todos eles e mover-lhes guerra sem tréguas, até que deles tenha conseguido purificar o Estado.

ADIMANTO:

— Bela purificação!

SÓCRATES:

— Sim, exatamente o contrário da que os médicos utilizam para purificar o corpo. De fato, esses extirpam o pior e deixam o melhor, enquanto ele faz precisamente o oposto.

ADIMANTO:

— Não resta, porém, ao tirano outra maneira, se quiser ter o domínio total.

SÓCRATES:

— Sim, ele está mesmo num dilema realmente agradável que o obriga a viver entre muita gente medíocre que o odeia ou simplesmente a não viver!

ADIMANTO:

— Sim, é verdade.

SÓCRATES:

— E não é certo que, quanto mais odioso se tornar aos cidadãos com esse comportamento, tanto mais terá necessidade de um corpo de guarda mais numeroso e fiel?

ADIMANTO:

— Assim terá de ser.

SÓCRATES:

— Mas quem lhe será fiel? Onde irá buscar gente assim?

ADIMANTO:

— Se puder pagar, acorrerá gente de todo lado e espontaneamente.

SÓCRATES:

— Pelo cão! Parece que você está falando de zangões estrangeiros e recolhidos às pressas!

ADIMANTO:

— E é assim.

SÓCRATES:

— Mas não poderia talvez em seu próprio país...

ADIMANTO:

— O quê?

SÓCRATES:

— Tirar os escravos dos patrões, libertá-los e transformá-los em seus próprios guardas pessoais?

A REPÚBLICA

ADIMANTO:

— Com certeza, porquanto esses seriam os mais fiéis a ele.

SÓCRATES:

— É realmente esplêndida a situação do tirano de que você fala, se tiver de conservar como amigos fiéis estes indivíduos, depois de ter matado os de antes!

ADIMANTO:

— Quer queira quer não, seus homens são exatamente esses.

SÓCRATES:

— E esses seus novos companheiros passariam a admirá-lo e ficariam com ele como seus novos cidadãos, enquanto as pessoas honestas haveriam de odiá--lo e evitá-lo?

ADIMANTO:

— Por que não?

SÓCRATES:

— Não é sem razão que a tragédia é considerada uma obra de arte sábia, particularmente aquela de Eurípides.

ADIMANTO:

— O que é que quer dizer?

SÓCRATES:

— Entre as muitas que pronunciou, se encontra esta máxima profunda: "Os tiranos se tornam sábios pela companhia de homens sábios." Evidentemente queria dizer que sábios são aqueles com quem o tirano vive.

ADIMANTO:

— E proclama ainda que a tirania é divina. Ele e outros poetas a elogiam muito!

SÓCRATES:

— Por essa razão, os poetas trágicos, que são sábios, haverão de perdoar a nós e a quantos se comportam como nós, se não os recebermos em nosso Estado, visto que exaltam a tirania.

ADIMANTO:

— Acredito que os mais educados dentre eles nos haverão de perdoar.

SÓCRATES:

— Apesar de tudo, a meu ver, esses levam os Estados para a tirania e a democracia, vagando pelas cidades, reunindo multidões e pagando vozes belas, volumosas e persuasivas.

ADIMANTO:

— Assim é.

SÓCRATES:

— Além disso, eles recebem dinheiro e são elogiados sobretudo por parte dos tiranos, como é natural, e por parte da democracia. Quanto mais, porém, tentarem aproximar-se de formas de governo superiores, tanto mais haverá de diminuir seu prestígio, como se fossem incapazes de seguir adiante por falta de alento.

PLATÃO

ADIMANTO:

— É exatamente assim.

SÓCRATES:

— Mas nós nos deixamos levar pela divagação. Vamos falar novamente daquela bela guarnição, numerosa, variada, sempre renovada e vamos ver o que o tirano haveria de fazer para mantê-la.

ADIMANTO:

— Claro que teria de começar por saquear o tesouro sagrado do Estado e até o momento em que os lucros da venda lhe fossem suficientes, haveria de diminuir os tributos impostos ao povo.

SÓCRATES:

— E quando esses fundos se tivessem esgotado?

ADIMANTO:

— Evidentemente, ele e seus partidários, seus amigos e suas amantes haveriam de viver dos bens de família.

SÓCRATES:

— Entendo. Caberia ao povo, portanto, que gerou este tirano, mantê-lo juntamente com seus amigos.

ADIMANTO:

— É praticamente inevitável.

SÓCRATES:

— Mas como!? Se o povo se indignasse e lhe dissesse que não é justo que um filho adulto tenha de ser mantido pelo pai? Porque, ao contrário, ele deveria ser mantido pelo filho. Não haveria de lhe dizer que não o gerou e não lhe conferiu o poder para se tornar, uma vez crescido, o escravo de seus escravos e manter a ele e a seus escravos com uma multidão de outros estranhos, mas para livrar-se dos ricos sob sua tutela e daqueles que no Estado eram tidos como honestos? Não haveria de lhe ordenar agora que se retire do Estado, junto de seus amigos, como um pai expulsa de casa o filho, junto de seus hóspedes mal-educados?

ADIMANTO:

— Então, por Zeus, o povo haveria de compreender que tipo de fera pôs no mundo, acariciou e criou e que, mesmo sendo mais fraco, estaria pretendendo expulsar aquele que é mais forte.

SÓCRATES:

— Mas o que você está dizendo? O tirano se atreveria a usar de violência contra o pai e maltratá-lo se não lhe obedecesse?

ADIMANTO:

— Sim, e bem antes já o teria desarmado.

SÓCRATES:

— Mas você está falando de um tirano parricida e péssimo protetor da velhice. Pelo que parece, você está descrevendo talvez a tirania como é conhecida por

314

A REPÚBLICA

todos. Segundo o provérbio, o povo, tentando evitar a fumaça da escravidão sob homens livres, caiu no fogo a serviço de escravos e, em lugar daquela excessiva e pura liberdade, pôs sobre si mesmo o jugo da mais dura e amarga escravidão.

ADIMANTO:

— Sim, é isto mesmo que ocorre.

SÓCRATES:

— Pois bem! Estaríamos exagerando ao dizer que já discutimos o suficiente a respeito da transição da democracia à tirania e suas características?

ADIMANTO:

— Não, essa explicação é deveras suficiente.

Livro Nove

SÓCRATES:

— Agora nos resta apenas estudar o homem tirânico, sua origem, se vem da transformação do homem democrático, seu comportamento e sua vida, se vive feliz ou na desgraça.

ADIMANTO:

— Sim, é o que falta considerar.

SÓCRATES:

— Você sabe o que quero ainda?

ADIMANTO:

— O quê?

SÓCRATES:

— Parece que não esclarecemos de modo suficiente quais e quantos são os desejos. Essa lacuna poderá dificultar nossa busca.

ADIMANTO:

— Não podemos, porém, remediar isso agora?

SÓCRATES:

— Certamente. E era essa minha intenção. Pois bem! Dentre os desejos e os prazeres não necessários, alguns me parecem ilegítimos. Talvez subsistam em todos, mas se forem reprimidos pelas leis e por exigências mais elevadas, com a ajuda da razão em alguns indivíduos desaparecem por completo ou permanecem isolados e enfraquecidos, ao passo que em outros se tornam mais fortes e numerosos.

A REPÚBLICA

ADIMANTO:

— Mas de que desejos e prazeres você está falando?

SÓCRATES:

— Daqueles que despertam durante o sono, quando repousa essa parte da alma que é racional, benigna e feita para comandar a outra, e a parte bestial e selvagem, empanturrada de comida ou de bebida, estremece e, depois de ter sacudido o sono, parte em busca da satisfação dos seus maus pendores. E você sabe que em tal estado, como se fosse livre e desvinculada de todo controle racional, ela se atreve a tudo. De fato, sequer hesita em tentar unir-se à mãe ou a qualquer homem, deus ou animal. Não hesita em manchar-se com todo tipo de assassinato, em não se abster de qualquer comida, numa palavra, não há loucura ou imprudência de que não seja capaz.

ADIMANTO:

— O que você diz é a pura verdade.

SÓCRATES:

— Mas um homem sábio e moderado que se dispõe a dormir depois de ter despertado a própria razão e tê-la nutrido de belos discursos e estudos, em paz consigo mesmo, sem irritar a parte concupiscível de sua alma com jejum ou com uma alimentação excessiva, a fim de adormecer e não perturbar a alma racional com a alegria nem com a dor, ao contrário, deixando-a só consigo mesma a meditar sobre alguma coisa que ignora do passado, ou do presente, ou do futuro; um homem que tenha aplacado a parte emotiva sem ter-se irado com ninguém e vá dormir sem perturbações emotivas, mas que tenha sossegado essas duas partes e colocado em ação a terceira, a reflexão, e assim repouse, então, como você sabe, em tal condição ele capta da maneira mais profunda a verdade e não lhe aparecem, de modo algum, essas visões ímpias nos sonhos.

ADIMANTO:

— Acho que seja assim mesmo.

SÓCRATES:

— Acabamos por falar demais dessas coisas, mas o que queremos observar é o seguinte: há uma espécie de desejos perigosos, selvagens e desenfreados também naqueles que parecem muito equilibrados. E esses desejos se manifestam nos sonhos. Veja lá se minhas palavras lhe parecem sensatas e se você está disposto a aprová-las.

ADIMANTO:

— Certamente as aprovo.

SÓCRATES:

— Relembre agora nossa descrição do homem democrático. Dizíamos que havia sido criado por um pai econômico, que só apreciava os desejos ligados aos negócios e desprezava aqueles supérfluos, ligados à diversão e à exterioridade. Não é assim?

PLATÃO

ADIMANTO:

— Sim.

SÓCRATES:

— Esse jovem, tendo entrado em contato com homens mais refinados e cheios de desejos que enumeramos, acabou por se tornar pronto a qualquer excesso e a viver como eles, avesso à parcimônia paterna, mas dotado de uma índole melhor que seus corruptores, arrastado para ambas as direções. Firma seu próprio caráter na posição intermediária, desfrutando com moderação de todo prazer, assim pelo menos lhe parece, e vive uma existência não desordenada nem ilegítima e de oligarca se transformou em democrata.

ADIMANTO:

— De fato, esta é a ideia que nós fazíamos a respeito.

SÓCRATES:

— Tente supor agora que esse homem, já velho, tenha por sua vez um filho educado nos mesmos hábitos.

ADIMANTO:

— Certo.

SÓCRATES:

— Vamos supor agora que o rapaz tenha o mesmo destino de seu pai e que se entregue a um desregramento total que seus sedutores chamariam de independência completa. Seu pai e o resto de sua família haveriam de favorecer os desejos equilibrados, mas haveriam de se opor aos outros. Quando esses terríveis magos e criadores de tiranos se desesperam para dominar de outro modo um jovem, procuram infundir-lhe no coração um amor que preside os desejos ociosos e dispendiosos, como se fosse uma espécie de grande zangão alado. Você acha que o afeto desses seja qualquer outra coisa?

ADIMANTO:

— Não creio que seja outra coisa.

SÓCRATES:

— Quando, porém, os outros desejos zumbem em torno dele, cheios de incenso, de perfumes, de coroas, de vinho e de prazeres dissolutos próprios dessas companhias, alimentando e fomentando ao extremo o ferrão do desejo, então esse tirano da alma é escoltado pela loucura e se agita e, se surpreende em si alguma opinião ou desejo considerado honesto e ainda provido de moderação, o suprime e o arranca de seu coração, até se purificar da temperança e estar tomado pela loucura antes desconhecida.

ADIMANTO:

— Descrição perfeita do processo pelo qual se forma o homem tirano.

SÓCRATES:

— E não será por esta razão que há muito tempo o amor é chamado de tirano?

A REPÚBLICA

ADIMANTO:

— É provável.

SÓCRATES:

— E o bêbado não teria também, meu amigo, alguma coisa do tirano?

ADIMANTO:

— Sim, tem.

SÓCRATES:

— E o homem louco e perturbado tenta e acha que sabe comandar não somente os homens, mas até os deuses.

ADIMANTO:

— Sem dúvida.

SÓCRATES:

— Portanto, caro amigo, um homem se torna realmente tirano quando, por natureza, ou por hábito, ou por causa de ambos, torna-se beberrão, apaixonado e louco.

ADIMANTO:

— Assim é.

SÓCRATES:

— Essa é, ao que parece, sua origem. Mas como vive?

ADIMANTO:

— Como se diz brincando, é você quem vai dizer.

SÓCRATES:

— Pois bem, vou dizê-lo. Aquele que estiver completamente dominado em seu coração pela tirania de Eros, acho que vai passar todo o seu tempo em festas, prazeres, banquetes e mulheres.

ADIMANTO:

— Necessariamente.

SÓCRATES:

— E não serão muitos, indômitos e insaciáveis os desejos que surgem dia e noite?

ADIMANTO:

— Certamente muitos.

SÓCRATES:

— Esses indivíduos dissipam rapidamente suas rendas.

ADIMANTO:

— Sem dúvida.

SÓCRATES:

— Contraem depois empréstimos e dilapidam o patrimônio.

ADIMANTO:

— É inevitável.

SÓCRATES:

— Quando nada mais lhes sobrar, não é inevitável que os desejos fogosos e violentos passem a piar como pintinhos, feridos pelo ferrão de outros desejos e

PLATÃO

sobretudo pelo próprio amor, a quem os demais desejos servem como de guarda pessoal e escolta? Então esse homem se agita e procura subtrair alguma coisa de alguém com artifícios ou mesmo com violência.

ADIMANTO:

— E para tanto, se empenha ferozmente.

SÓCRATES:

— Assim, se vê obrigado a surripiar quanto lhe apareça ao alcance das mãos ou tornar-se vítima de dores atormentadoras.

ADIMANTO:

— Não tem outra saída.

SÓCRATES:

— Do mesmo modo que nele os novos prazeres suplantavam e destronavam os antigos, assim também ele, mais jovem que seu pai e sua mãe, haverá de pretender possuir mais bens do que eles e os despojará, se já houver dissipado sua parte, passando a dissipar também os bens paternos.

ADIMANTO:

— Com certeza.

SÓCRATES:

— Se os pais não os entregarem a ele, não haverá de tentar num primeiro momento de roubar seus pais com artifícios?

ADIMANTO:

— Sem dúvida.

SÓCRATES:

— Depois, porém, em caso de insucesso, não haverá de recorrer à rapina com violência?

ADIMANTO:

— Acho que sim.

SÓCRATES:

— Se, caro amigo, os velhos pais oferecerem resistência, o filho haverá de evitar de exercer sua tirania contra eles?

ADIMANTO:

— Não alimento grandes esperanças em favor dos pais desse.

SÓCRATES:

— Mas, por Zeus, Adimanto, se ele se apaixonar por uma cortesã estranha e recém-conhecida, como haverá de tratar a mãe, sua velha amiga e consanguínea? Ou por um jovem, estranho amigo de pouco, como haverá de tratar o velho e alquebrado pai, o mais antigo e íntimo de seus amigos? Um homem desses, você acha que haveria de titubear em bater neles e a colocá-los em segundo plano ante seus novos amores, se os introduzisse em sua própria casa?

ADIMANTO:

— Não, por Zeus!

A REPÚBLICA

SÓCRATES:

— Parece realmente uma grande sorte ter gerado um filho tirano!

ADIMANTO:

— Nada invejável.

SÓCRATES:

— Quando, porém, os bens paternos e maternos estancarem e o enxame dos prazeres já se tiverem estabelecido nele, não haverá de tentar primeiramente arrombar as paredes de alguma casa ou roubar o manto de um viajante, surpreendendo-o durante a alta madrugada, e a seguir não haverá de saquear os templos? No meio de tudo isso, as antigas ideias sobre o bem e sobre o mal que ele seguia desde a infância, haverão de desaparecer diante daquelas apenas libertadas da escravidão pelos guardas pessoais de Eros e essas, junto desse, haverão de vencer. Quando ainda estava sob a autoridade do pai e era um democrata em seu íntimo, estas ideias só encontravam desafogo durante o sono. Mas pela tirania de Eros, haverá de tornar-se, desperto, o que era somente em sonho e não haverá de se abster de qualquer crime terrível, nem de qualquer delito ou de qualquer barbaridade. Eros, que passou a reinar de modo tirânico entre a anarquia e o desregramento de seu coração, uma vez dono do poder soberano, haverá de expor seu súdito a qualquer risco, como ocorre com um Estado, contanto que tirem vantagem ele próprio e seu séquito desordenado, os amigos vindos de fora com as más companhias e aqueles de dentro, soltos e desenfreados, todos com os mesmos hábitos. Não haverá de ser essa, acaso, a vida que vai levar?

ADIMANTO:

— Essa mesma.

SÓCRATES:

— Se num Estado, pessoas desse tipo são poucas e a maioria da população se conserva prudente, essas partem para assumir a função de guardas pessoais de um tirano ou mercenários onde houver guerra. Mas se a paz e a tranquilidade reinarem em toda parte, permanecerão no próprio Estado, cometendo grande quantidade de pequenos delitos.

ADIMANTO:

— Quais?

SÓCRATES:

— Por exemplo, roubam, arrombam casas, furtam bolsas, furtam os que andam pela cidade, despojam os templos, vendem como escravos outros cidadãos. Além do mais, são hábeis oradores, por vezes se portam como sicofantas, dão falso testemunho e se deixam corromper.

ADIMANTO:

— São realmente pequenos os delitos de que você fala! Além do mais, poucos também!

PLATÃO

SÓCRATES:

— Sim, são pequenos somente em relação aos grandes. Todos esses não atingem, como diz o provérbio, sequer o tornozelo, se comparados à maldade e à opressão de um tirano. De fato, quando cidadãos desse tipo e seus partidários forem numerosos num Estado e se derem conta de sua própria força, então, com a ajuda da insensatez do povo, escolhem um tirano, aquele que dentre eles se demonstre o tirano maior e mais forte.

ADIMANTO:

— E eles têm razão, porquanto esse pode se tornar o tirano mais absoluto.

SÓCRATES:

— Pode ocorrer, portanto, que o poder lhe seja entregue espontaneamente. Se, no entanto, o Estado resistir, como anteriormente tinha coragem de punir os próprios pais, assim agora haverá de fazer com a pátria, punindo-a, se dispuser dos meios, e introduzindo novos companheiros, aos quais haverá de sujeitar a "mátria", como dizem os cretenses, que um tempo lhe era cara, e a pátria e assim haverá de manter esses companheiros. E esta pode representar a realização dos desejos de um homem desses.

ADIMANTO:

— Exatamente esta.

SÓCRATES:

— Antes, porém, de tomarem o governo, quando ainda eram cidadãos privados, não se comportavam como passo a descrever? Em primeiro lugar, sempre prontos a agradar em tudo às pessoas com que vivem, precisamente como os bajuladores, e, se precisam de alguma coisa, fazem mesuras e parecem realmente amigos íntimos. Alcançado, porém, seu objetivo, se tornam estranhos.

ADIMANTO:

— Com certeza.

SÓCRATES:

— Assim vivem toda a vida, sem que realmente sejam amigos de ninguém, como patrões ou escravos de outro. Isso porque a índole do tirano não conhece liberdade e amizade.

ADIMANTO:

— Exatamente.

SÓCRATES:

— E não haveríamos de definir, com razão, de pérfidas essas pessoas?

ADIMANTO:

— Claro.

SÓCRATES:

— E extremamente injustas, se tivermos definido anteriormente de modo correto a justiça.

ADIMANTO:

— Acho que a definimos corretamente.

A REPÚBLICA

SÓCRATES:

— Concluindo, o homem pior é talvez aquele que, desperto, age como se estivesse sonhando, pelo menos segundo nossa descrição.

ADIMANTO:

— É verdade.

SÓCRATES:

— E assim se torna aquele que detém o poder absoluto e um caráter acentuadamente tirano, e tanto pior se tornará quanto mais tempo vive no exercício da tirania.

Glauco tomou a palavra e disse:

— É inevitável.

SÓCRATES:

— Por isso, o homem mais perverso não deverá ser também o mais infeliz? E aquele que tiver exercido a tirania por mais tempo e do modo mais completo não se terá tornado efetivamente infeliz de modo mais completo e por mais tempo? Apesar de tudo, o povo não pensa assim.

GLAUCO:

— Não pode ser de outra maneira.

SÓCRATES:

— Uma coisa seria, portanto, o homem tirano comparado com o Estado tirano e outra, o homem democrático comparado com o Estado democrático? E isto valeria também para outros tipos de homem?

GLAUCO:

— Certamente.

SÓCRATES:

— Em decorrência, também entre um homem e outro, com relação à virtude e à felicidade, existe a mesma diferença que subsiste entre um Estado e outro?

GLAUCO:

— Sem dúvida.

SÓCRATES:

— E qual seria a diferença com relação à virtude entre um Estado tirano e um Estado monárquico, como o descrevemos acima?

GLAUCO:

— São de todo contrários. Um é ótimo e o outro é péssimo.

SÓCRATES:

— Não vou pedir que se explique melhor porque sua opinião é de todo clara. Com relação, porém, à prosperidade e à miséria, você tem a mesma opinião? Não vamos nos iludir, contudo, ao observar o tirano, que é um só, nem aos poucos de seu séquito. Antes de emitir nossa opinião, vamos entrar no Estado e vamos examiná-lo por toda a parte.

PLATÃO

GLAUCO:

— Sua colocação é correta, mas é evidente para qualquer um que não existe Estado mais miserável que o tirânico, nem um mais próspero que o monárquico.

SÓCRATES:

— Talvez convenha tomar esta precaução também em relação aos cidadãos em particular, solicitando que emita um juízo sobre eles quem estiver em condições de penetrar com o pensamento no caráter de um homem e não se deixe iludir, como uma criança, pelas aparências externas, pela pompa que os tiranos mostram aos estranhos, mas que observe atentamente. E se, portanto, eu achasse que todos nós devêssemos escutar quem estiver em condições de avaliar bem, que tivesse vivido na mesma casa com ele, que tivesse assistido à sua vida doméstica nas relações com cada um de seus familiares, nas ocasiões em que se pudesse observá-lo totalmente despido de pompa solene e depois em sua vida pública, após ter visto tudo isso o exortássemos a nos referir se o tirano é feliz ou infeliz em suas relações humanas?

GLAUCO:

— Esse pedido seu também seria muito correto.

SÓCRATES:

— Se você quiser, portanto, vamos fingir que também nós estamos em condições de julgar e vamos imaginar que temos relações com um tirano. Assim, haveríamos de ter alguém que respondesse a nossas perguntas.

GLAUCO:

— Muito bem.

SÓCRATES:

— Vamos lá! Você deve proceder assim. Lembre-se da analogia entre o Estado e o indivíduo, analisa cada um deles e fale da condição de um e de outro.

GLAUCO:

— Em que sentido?

SÓCRATES:

— Antes de mais nada, para começar a falar do Estado, você acha que o Estado sujeito a um tirano seja livre ou escravo?

GLAUCO:

— Totalmente escravo.

SÓCRATES:

— Entretanto, você pode ver nele escravos e homens livres.

GLAUCO:

— Poucos desses. Os mais respeitados, por assim dizer, estão reduzidos à escravidão mais indecorosa e deprimente.

A REPÚBLICA

SÓCRATES:

— Se, no entanto, o indivíduo é semelhante ao Estado, não é inevitável que também nele subsista a mesma situação e que sua alma esteja sujeita a grande escravidão e opressão justamente em suas partes mais nobres, enquanto pequena parte, a mais malvada e louca, predomina?

GLAUCO:

— É inevitável.

SÓCRATES:

— Uma alma desse tipo, você a classifica como escrava ou livre?

GLAUCO:

— Como escrava.

SÓCRATES:

— Logo, um Estado sujeito a um tirano não faz, de jeito nenhum, o que quer?

GLAUCO:

— Certamente que não.

SÓCRATES:

— Então, uma alma dominada pela tirania em seu conjunto não haverá de fazer, de modo algum, o que quer, mas estará sempre nas garras da agitação e sempre vítima da desordem e do remorso.

GLAUCO:

— Sem dúvida.

SÓCRATES:

— Mas um Estado tirano será rico ou pobre?

GLAUCO:

— Pobre.

SÓCRATES:

— Então é inevitável que uma alma dominada pela tirania seja sempre pobre e esfaimada.

GLAUCO:

— Sim.

SÓCRATES:

— E não é igualmente inevitável que um Estado desses e um indivíduo desses estejam sempre dominados pelo medo?

GLAUCO:

— Por certo.

SÓCRATES:

— Haveria acaso outro em que você acha que poderia encontrar mais soluços, gemidos, lamentos e dor?

GLAUCO:

— Não, em nenhum outro.

PLATÃO

SÓCRATES:
— E você acha pode: encontrar em qualquer outro homem um número maior dessas aflições do que nesse homem tirano, dominado pelas paixões e pelo amor?

GLAUCO:
— Como seria isso possível?

SÓCRATES:
— Olhando para todos esses males e outros defeitos do mesmo tipo, acho que você acaba de considerar este Estado como o mais infeliz de todos.

GLAUCO:
— E não teria razão?

SÓCRATES:
— Certamente. Mas com base nessas mesmas considerações, o que você diria do homem tirano?

GLAUCO:
— Afirmo que, de longe, é o mais infeliz dos homens.

SÓCRATES:
— Aqui, no entanto, você está errado.

GLAUCO:
— Mas como?

SÓCRATES:
— Eu não acho que ainda o seja realmente.

GLAUCO:
— Quem seria então?

SÓCRATES:
— Talvez outro lhe haverá de parecer ainda mais infeliz que este.

GLAUCO:
— Quem seria?

SÓCRATES:
— Qualquer um que, embora de natureza tirânica, não vive como cidadão privado, mas tem a infelicidade de se tornar ele próprio, não saberia por que fatalidade, um tirano.

GLAUCO:
— Pelo que já dissemos, parece que você tem razão mesmo.

SÓCRATES:
— Sim, embora não se deva confiar muito em conjecturas, mas proceder com rigor, porque nossa busca se refere ao problema mais importante, isto é, a vida boa e aquela má.

GLAUCO:
— Perfeitamente correto.

SÓCRATES:
— Observe bem, pois, se meu raciocínio é seguro. A mim parece que a condição do tirano deva ser estudada da maneira seguinte.

A REPÚBLICA

GLAUCO:

— Isto é?

SÓCRATES:

— Confrontando-a com a situação daqueles cidadãos privados que no Estado possuem muitas riquezas e muitos escravos. Eles têm em comum com o tirano o exercício de ampla autoridade. A diferença é somente quantitativa.

GLAUCO:

— É verdade.

SÓCRATES:

— Você sabe que eles vivem tranquilos e não temem seus escravos.

GLAUCO:

— Por que haveriam de temê-los?

SÓCRATES:

— Claro, mas você sabe qual a razão?

GLAUCO:

— Sim. O Estado inteiro socorre todo cidadão privado.

SÓCRATES:

— Muito bem. Se um deus, porém, tomasse um dono de cinquenta ou mais escravos e, com a mulher e os filhos, o transportasse com o restante de seus bens e com seus escravos para um deserto, onde nenhum homem livre pudesse vir em seu socorro, qual e que tamanho medo você acha que poderia ter por sua própria causa e pela de sua mulher e filhos? Não teria medo de ser massacrado com eles por seus escravos?

GLAUCO:

— Um medo louco!

SÓCRATES:

— Em razão disso, não se veria obrigado a bajular alguns de seus próprios escravos, a libertá-los sem qualquer motivo, e não se haveria de tornar ele próprio um adulador de seus escravos?

GLAUCO:

— Sim. Teria de agir exatamente assim para não ser morto.

SÓCRATES:

— Se esse deus, porém, o rodeasse de muitos vizinhos dispostos a não tolerar a autoridade de outro e se esses punissem com a morte a quem fosse surpreendido mandando?

GLAUCO:

— Acho que esse seria ainda mais infeliz, uma vez controlado e rodeado por todos os seus inimigos.

SÓCRATES:

— E não se encontra em semelhante prisão o tirano, se por natureza está, como descrevemos, cheio de múltiplos e diversos medos e paixões? Embora es-

PLATÃO

piritualmente ávido, sozinho entre os cidadãos, ele não pode viajar para lugar algum, nem ver o que todos os homens livres têm a curiosidade de ver. Encerrado na própria casa, vive geralmente como uma mulher, invejando aqueles cidadãos que viajam para qualquer lugar e podem contemplar todas as belezas.

GLAUCO:

— É verdade.

SÓCRATES:

— Mais numerosas, portanto, são as desgraças que atingem o homem escravizado a suas paixões, o homem tirano que você considerou o mais infeliz de todos, quando deixa de ser cidadão privado e é obrigado pelo destino a tornar-se tirano, tentando governar os outros sem ser capaz de manter o domínio sobre si mesmo. Pode ser comparado a um homem fisicamente doente e incapaz que, em vez de viver segregado, se inscrevesse em competições e fosse obrigado a passar a vida lutando.

GLAUCO:

— A comparação é mais que correta.

SÓCRATES:

— Logo, caro Glauco, não é total a infelicidade do tirano e sua vida não é ainda mais dura do que aquela de quem, como você falava, vive da maneira mais dura?

GLAUCO:

— É verdade.

SÓCRATES:

— Na realidade, mesmo que alguém não acredite nisso, o verdadeiro tirano é um verdadeiro escravo por sua extrema servidão e baixeza, é um adulador dos piores e, evidentemente, não pode satisfazer de modo algum seus desejos. Melhor, falta-lhe quase tudo e, aos olhos de quem sabe perscrutar o fundo de sua alma, demonstra-se realmente pobre, cheio de medo, de convulsões e de dor por toda a vida, se verdade é que sua condição se assemelha à do Estado por ele governado. É assim ou não?

GLAUCO:

— É assim.

SÓCRATES:

— Além disso, não deveríamos atribuir-lhe aqueles males de que falamos antes, mas que inevitavelmente nele se encontram e mais ainda se desenvolvem com o exercício do poder, tais como a inveja, a deslealdade, a injustiça, a falta de amigos, a impiedade, os vícios de todo tipo que ele hospeda e nutre e, como consequência de tudo isso, é o mais infeliz dos homens, aumentando ainda sua desdita ao tornar infelizes também seus íntimos?

GLAUCO:

— Nenhum homem sensato o poderia negar.

A REPÚBLICA

SÓCRATES:

— Pois bem! Como o juiz supremo pronuncia sua sentença, assim também você deverá tentar estabelecer uma escala de felicidade entre esses cinco indivíduos: o homem monárquico, o timocrático, o oligárquico, o democrático e o tirânico.

GLAUCO:

— O julgamento é fácil. Eu os disponho na ordem em que se apresentaram, como se faz com os corais, com relação à virtude, ao vício, à felicidade e a seu oposto.

SÓCRATES:

— Deveríamos convocar um arauto ou eu mesmo poderia anunciar que o filho de Ariston sentenciou que o homem melhor, mais justo e mais feliz é o real porque reina sobre si mesmo, enquanto que o pior, o mais injusto e o mais infeliz é o tirano em confronto consigo mesmo e com o Estado?

GLAUCO:

— Pode anunciá-lo.

SÓCRATES:

— E deveria acrescentar também que pouco importa se esses assim parecem ou não aos olhos de todos os homens e dos deuses?

GLAUCO:

— Pode acrescentar isso também.

SÓCRATES:

— Muito bem. Essa pode ser considerada nossa primeira demonstração. Veja agora se lhe parece lógica a segunda.

GLAUCO:

— Qual seria?

SÓCRATES:

— Uma vez que o Estado foi dividido em três partes que correspondem às três partes da alma, a meu ver, se poderia aceitar também outra demonstração.

GLAUCO:

— Qual?

SÓCRATES:

— Como são três suas partes, parece que sejam três também os prazeres, cada um específico de cada uma das partes. Isso vale também para os desejos e as ordens.

GLAUCO:

— O que você quer dizer?

SÓCRATES:

— A primeira parte é aquela com a qual o homem aprende. A segunda, aquela pela qual prova emoções. Para a terceira, em vista da multiplicidade de suas formas, é impossível conferir-lhe um nome único e específico, mas com aquele que é o mais importante e eficaz, a chamamos de parte concupiscível, por

PLATÃO

causa da violência dos desejos que se relacionam com o comer, o beber, o amor e outros a eles correlatos. E a consideramos também ávida, porque esses desejos, no mais das vezes, se realizam graças ao dinheiro.

GLAUCO:

— Nisto procedemos corretamente.

SÓCRATES:

— Se, portanto, dissemos que seu prazer e seu amor é o lucro, não haveríamos de fixar da melhor maneira nosso conceito, de modo que nos haveria de clarear um pouco as ideias, ao falarmos dessa parte da alma, e não poderíamos considerá-la corretamente ávida e cobiçosa?

GLAUCO:

— Parece-me que sim.

SÓCRATES:

— Não haveríamos de dizer que a parte emotiva aspira sempre à vitória e ao prestígio?

GLAUCO:

— Certamente.

SÓCRATES:

— Seria, pois, oportuno chamá-la de amiga da vitória e da honra?

GLAUCO:

— Totalmente oportuno, sem dúvida.

SÓCRATES:

— Em vez disso, está claro para todos que a parte com a qual aprendemos tende incessantemente a procurar a verdade e, dentre as três, é a que menos se preocupa com dinheiro e glória.

GLAUCO:

— Sim.

SÓCRATES:

— Poderíamos então chamá-la acertadamente de amiga do estudo e da sabedoria?

GLAUCO:

— Por que não?

SÓCRATES:

— E o espírito de alguns, não é dominado por esta parte, o espírito de outros pela segunda e o de outros ainda, pela terceira?

GLAUCO:

— Precisamente.

SÓCRATES:

— Poderíamos afirmar, então, que os homens pertencem a três categorias fundamentais: os amantes da sabedoria, os amantes do sucesso e os amantes do lucro?

GLAUCO:

— Sem dúvida.

330

A REPÚBLICA

SÓCRATES:

— Poderíamos acrescentar que existem três categorias de prazeres que correspondem a esses três caracteres?

GLAUCO:

— Claro.

SÓCRATES:

— Você se dá conta de que, se quisesse perguntar a cada um desses três homens qual dos três modos de vida seria preferível, cada um diria que é o seu? O negociante não haveria de dizer que, comparando com o lucro, o prazer advindo da honra e do estudo não vale nada, uma vez que não dá dinheiro?

GLAUCO:

— É verdade.

SÓCRATES:

— E o ambicioso? Por acaso, não avalia como vulgar o prazer que se tem com o dinheiro, fumaça e besteira aquele que se tem com o estudo, se este não conferir honras?

GLAUCO:

— Sim.

SÓCRATES:

— Quanto a nós, o que haveriam de representar para o filósofo os outros prazeres, se comparados com o conhecimento e o aprofundamento incessante da verdade? Não os haveria de considerar muito distantes do verdadeiro prazer? E não os chama de necessários, no sentido próprio da palavra, porque os haveria de evitar sem falta, se não fossem para ele inevitáveis?

GLAUCO:

— Sim, é exatamente assim.

SÓCRATES:

— Como poderíamos então saber qual deles diz a verdade, ao discutir os prazeres e o modo de viver de cada categoria não para viver melhor ou pior, com maior ou menor honestidade, mas somente para falar do modo mais prazeroso e inócuo?

GLAUCO:

— Eu, com certeza, me sinto incapaz de me pronunciar a respeito.

SÓCRATES:

— Entretanto, considere isto. Com que meio se pode avaliar um fato pelo modo mais adequado? Existe um critério melhor que a experiência, a inteligência e a razão?

GLAUCO:

— Como poderia existir?

SÓCRATES:

PLATÃO

— Pense bem! Dentre os três tipos de indivíduos, qual seria o mais experiente em todos os prazeres que mencionamos? O homem ambicioso, se por acaso se puser a aprender a essência da verdade, teria mais experiência do prazer que se tira do conhecimento do que o filósofo poderia ser mais experiente daquele que se tem pelo lucro?

GLAUCO:

— Bem ao contrário! Porque um, o filósofo, deve inevitavelmente provar desde a infância os outros prazeres, ao passo que o homem ambicioso, quando se dedica a aprender como seriam as essências, não tem certeza alguma de sentir e experimentar a suavidade deste prazer. Pelo contrário, apesar de todo o seu esforço, debalde conseguiria senti-lo.

SÓCRATES:

— Logo, o filósofo conhece ambos os prazeres muito melhor que o homem ambicioso.

GLAUCO:

— Sem dúvida.

SÓCRATES:

— E comparando-o com o ambicioso? Acaso o filósofo conhece o prazer que se tem com a honra muito menos do que esse possa conhecer o prazer que se tem com a reflexão?

GLAUCO:

— Se cada um dos dois atinge seu próprio objetivo, a honra cabe a ambos. De fato, muitos honram tanto os ricos, como os corajosos, os sábios, de modo que todos eles conhecem o prazer que se tem com a honra, dentro dos limites do possível. Em vez disso, ninguém, a não ser o filósofo, pode sentir o prazer que se tem pela contemplação do ser.

SÓCRATES:

— Logo, segundo a experiência, esse é o homem mais apto para emitir um juízo entre os três.

GLAUCO:

— Sem dúvida.

SÓCRATES:

— E será o único em que a experiência se alia à reflexão.

GLAUCO:

— Sim.

SÓCRATES:

— E também a faculdade que consente de emitir um juízo não pertence ao homem ávido, nem ao ambicioso, mas somente ao filósofo.

GLAUCO:

— Qual seria essa faculdade?

SÓCRATES:

— Não foi dito que para julgar é preciso a razão?

A REPÚBLICA

GLAUCO:
— É verdade.
SÓCRATES:
— O instrumento essencial do filósofo é exatamente esse.
GLAUCO:
— E como não!?
SÓCRATES:
— Em lugar disso, se se julgasse de modo melhor com a riqueza e com o lucro, deveriam ser de todo corretos a aprovação e o menosprezo do homem ganancioso.
GLAUCO:
— Por certo.
SÓCRATES:
— Se se devesse julgar com base à honra, ao sucesso e ao valor, não estaria no lugar certo o homem ambicioso e amante do sucesso?
GLAUCO:
— Claro.
SÓCRATES:
— Mas como se deve julgar com a experiência, a inteligência e a razão...
GLAUCO:
— É inevitável que seja verdadeiro, sobretudo o que é aprovado pelo filósofo e pelo filólogo.
SÓCRATES:
— Portanto, mesmo que sejam três os prazeres, o mais suave talvez seja aquele que se refere à parte da alma com que aprendemos e mais suave a existência daquele que é governado por esta parte?
GLAUCO:
— Não pode ser de outra forma. O homem inteligente aprova a própria existência como juiz que tem autoridade.
SÓCRATES:
— Que gênero de vida e que prazer colocaria em segundo lugar este juiz?
GLAUCO:
— Evidentemente aqueles do homem batalhador e ambicioso, mais próximos ao seu do que aqueles do homem de negócios.
SÓCRATES:
— Então o prazer do homem ávido ou ganancioso vem em último lugar, pelo que parece.
GLAUCO:
— Sem dúvida alguma.
SÓCRATES:
— São já, portanto, duas demonstrações sucessivas e por duas vezes o justo derrotou o injusto. E pela terceira, vamos invocar, como ocorre em Olímpia,

PLATÃO

Zeus salvador e Olimpo. Considere agora que o prazer dos outros, excetuando-se aquele do intelectual, não é verdadeiro nem puro, mas se assemelha a uma sombra. Assim, pelo menos, me parece que o tenha definido um sábio. E exatamente essa poderia ser a última e a pior queda do homem injusto.

GLAUCO:

— Sem dúvida. Mas o que quer dizer?

SÓCRATES:

— Vou conseguir demonstrá-lo, mas somente com sua ajuda, se você aceitar responder a minhas perguntas.

GLAUCO:

— Pergunte, pois.

SÓCRATES:

— Então, me diga. Não consideramos a dor como o sentimento contrário ao prazer?

GLAUCO:

— Sim.

SÓCRATES:

— Mas não existe também uma situação em que não se sente nem prazer nem dor?

GLAUCO:

— Sim, existe.

SÓCRATES:

— E entre dois sentimentos se prova uma certa paz de alma? Não se poderia defini-la assim?

GLAUCO:

— É verdade.

SÓCRATES:

— Você lembra o que dizem os doentes enquanto sofrem?

GLAUCO:

— O quê?

SÓCRATES:

— Que nada é mais prazeroso que a saúde, mas que antes de ficarem doentes não se haviam dado conta?

GLAUCO:

— Sim, lembro.

SÓCRATES:

— E você não ouve dizer, por quem sofre uma grande dor, que nada há de melhor do que não sofrer mais?

GLAUCO:

— Sim, certamente.

A REPÚBLICA

SÓCRATES:

— Eu acho que você sabe que os homens enfrentam muitas outras situações análogas. E então, quando sofrem, exaltam como condição melhor não o fato de ter prazer, mas sim o fato de não sentir dor e estar tranquilos.

GLAUCO:

— Porque, nesse caso, talvez a tranquilidade represente uma coisa prazerosa e desejável.

SÓCRATES:

— Mas quando se termina de desfrutar um prazer, o repouso sucessivo traz uma sensação molesta.

GLAUCO:

— Talvez sim.

SÓCRATES:

— E aquele estado intermediário de que acabamos de afirmar sua existência, isto é, a tranquilidade, poderá ser ora dor ora prazer.

GLAUCO:

— Parece que sim.

SÓCRATES:

— Mas pode tornar-se um ou outra juntos o que não é nenhum dos dois?

GLAUCO:

— Acho que não.

SÓCRATES:

— Apesar de tudo, o prazer e a dor, quando surgem na alma, são ambos um movimento, ou não?

GLAUCO:

— Sim.

SÓCRATES:

— Mas não acabamos de reconhecer que esse estado intermediário, que não é prazer nem dor, é a tranquilidade?

GLAUCO:

— Sim, reconhecemos.

SÓCRATES:

— Como, pois, se pode afirmar corretamente que seja prazeroso não sentir dor ou que seja doloroso não ter prazer?

GLAUCO:

— Não, não se pode.

SÓCRATES:

— Então esse estado parece prazeroso em confronto com a dor e doloroso com relação ao prazer, mas na realidade não o é. Em todos esses fantasmas não há nada de real com relação à verdade do prazer, mas somente ilusão.

PLATÃO

GLAUCO:

— A isso, pelo menos, nos induz a pensar nosso discurso.

SÓCRATES:

— Considere agora os prazeres que não provêm da dor, para que você não venha a crer que neste caso a essência do prazer seja muitas vezes cessação da dor e vice-versa.

GLAUCO:

— Em que caso e de que prazeres você quer falar?

SÓCRATES:

— De muitos prazeres, mas sobretudo daqueles do olfato, se você quiser tomá--los em consideração. De fato, eles surgem de improviso com grande intensidade, sem serem precedidos de qualquer dor e cessam também sem deixar dor alguma.

GLAUCO:

— É a pura verdade.

SÓCRATES:

— Por isso, não devemos crer que o prazer puro seja isenção da dor e vice-versa.

GLAUCO:

— Certo que não.

SÓCRATES:

— Entretanto, as sensações que do corpo se propagam na alma e se chamam prazeres, talvez os mais numerosos e intensos, são todos desse tipo, isto é, cessação da dor.

GLAUCO:

— Sim, é verdade.

SÓCRATES:

— E não se dá o mesmo também com a alegria e a dor que a espera provoca antecipadamente?

GLAUCO:

— Sim.

SÓCRATES:

— Você sabe, pois, quais são e a que se assemelham sobretudo?

GLAUCO:

— A quê?

SÓCRATES:

— Você acha que na natureza exista o alto, o baixo e o centro?

GLAUCO:

— Por certo.

SÓCRATES:

— E quem se move do baixo para o centro, não imagina por acaso de estar subindo? Se parado no centro, olhar para o ponto de onde partiu, não acha que se encontra no alto, visto que jamais viu a verdadeira altura?

A REPÚBLICA

GLAUCO:
— Por Zeus, não acho que esse pudesse pensar outra coisa.

SÓCRATES:
— Mas se se movesse novamente para baixo, não teria razão em acreditar que estaria descendo?

GLAUCO:
— Como não!?

SÓCRATES:
— E não se encontraria nessa situação porque ignora o que seja realmente no alto, ao centro e embaixo?

GLAUCO:
— Evidente.

SÓCRATES:
— Como admirar, pois, que, ignorando a verdade, os homens se formem ideias erradas sobre muitíssimas coisas, mas especialmente em relação ao prazer e à dor e ao estado intermediário entre esses estejam numa condição tal que, passando para a dor, têm razão em acreditar que sofrem porque sofrem realmente e, passando da dor à condição intermediária, acreditam sinceramente que estão próximos da satisfação e do prazer? É como se eles, por ignorarem o branco, opusessem o cinza ao preto. Da mesma maneira se enganam pela inexperiência do prazer e opõem à dor a ausência da dor.

GLAUCO:
— Por Zeus, não me maravilho mesmo, antes teria de me surpreender o contrário.

SÓCRATES:
— Agora, preste atenção ao que vou dizer. A fome, a sede e qualquer outra exigência similar não representam lacunas para o bem-estar do corpo?

GLAUCO:
— Certamente.

SÓCRATES:
— Mas a ignorância e a estultícia não são lacunas para o bem-estar da alma?

GLAUCO:
— Sim.

SÓCRATES:
— E ficaria satisfeito que se desse a se alimentar quem conseguisse a inteligência?

GLAUCO:
— Claro que sim.

SÓCRATES:
— Mas a verdadeira forma de satisfação se refere ao menos ou ao mais?

PLATÃO

GLAUCO:

— Ao mais, evidentemente.

SÓCRATES:

— Qual dos dois gêneros, a seu ver, está mais próximo da essência pura: o alimento, as bebidas, os condimentos e a nutrição em geral ou a opinião verdadeira, a ciência, a inteligência e, enfim, toda espécie de virtude? Para decidir, pense nisto: o que depende do ser eternamente igual e imortal e da verdade e é ele próprio tal e em tal condição se encontra, não lhe parece que seja alguma coisa a mais com relação ao que depende daquilo que nunca é igual a si mesmo e mortal e é ele próprio tal e em tal condição se encontra?

GLAUCO:

— Sim, aquilo que participa do ser imutável é muito superior.

SÓCRATES:

— Mas a essência daquilo que é sempre mutável participa da essência mais do quanto possa participar da ciência?

GLAUCO:

— De modo algum.

SÓCRATES:

— E da verdade?

GLAUCO:

— Nem dela.

SÓCRATES:

— E se participa menos da verdade, participa menos também da essência?

GLAUCO:

— Inevitavelmente.

SÓCRATES:

— Enfim, aquilo que se relaciona ao cuidado do corpo tem menor participação da verdade e da essência do que aquilo que se relaciona com o cuidado da alma?

GLAUCO:

— Sem dúvida.

SÓCRATES:

— E você não acha que a mesma relação valha entre o corpo e o espírito?

GLAUCO:

— Sim.

SÓCRATES:

— Mas aquilo que se nutre de maior realidade e é ele próprio mais real não goza de maior plenitude em relação ao que se nutre de menos realidade e é ele próprio menos real?

A REPÚBLICA

GLAUCO:

— Como não!?

SÓCRATES:

— Se, pois, nutrir-se das coisas adequadas à própria natureza é prazeroso, o que se nutre mais realmente e com coisas mais reais goza mais verdadeira e realmente do verdadeiro prazer, enquanto o que participa de coisas menos reais pode nutrir-se menos verdadeira e solidamente e participar de um prazer menos seguro e menos verdadeiro.

GLAUCO:

— É de todo inevitável que seja assim.

SÓCRATES:

— Assim, aquele que, ignorando a inteligência e a virtude, está sempre ocupado em banquetes e em prazeres similares, move-se para baixo, ao que parece, e depois volta ao centro e assim fica vagueando por toda a vida, sem nunca olhar nem se projetar para o alto, superando esse limite. Esses indivíduos também não se nutrem da verdadeira realidade nem provam um prazer sólido e puro porque se comportam como os animais que olham sempre para baixo e, curvados para baixo e para a mesa, vão se alimentando e copulando. Mais ainda, impelidos por essa avidez insaciável, se batem e se empurram com chifres e cascos de ferro, acabando por se matarem, exatamente porque não nutrem daquilo que é real a verdadeira parte de si mesmos nem seu invólucro.

GLAUCO:

— Sócrates, você fala como se fosse um oráculo sobre a vida dos homens.

SÓCRATES:

— E não ficam sempre mísera e inevitavelmente entre prazeres impuros e dor, entre sombras que do verdadeiro prazer só têm os contornos, mas se mostram coloridas pela superposição de prazer e dor, de tal modo que ambos se revelam intensos e produzem seus amores incontroláveis e suas lutas insensatas como, segundo Stesícoro, em Troia se combateu pelo fantasma de Helena, ignorando a verdade?

GLAUCO:

— Não há como evitar algo de semelhante.

SÓCRATES:

— E o mesmo não ocorre inevitavelmente da mesma forma a propósito da parte emotiva da alma, quando é satisfeita com a inveja provocada pela ambição, ou com a violência provocada pela ânsia de vitória, ou com a ira devida a um mau-caráter, quando se procura saciar-se de honras, de vitória e de ira sem bom senso e sem discernimento?

PLATÃO

GLAUCO:

— Sim, é inevitável que o mesmo ocorra com relação a isso.

SÓCRATES:

— E então? Não poderíamos afirmar com certeza que também os desejos de lucro e de ambição, se seguirem a ciência e a razão e com elas forem em busca dos prazeres que lhes são indicados pelo intelecto, haveriam de colher os prazeres mais autênticos que lhes fosse possível ter, exatamente porque seguem a verdade e os prazeres que lhes são próprios, se é verdade que para cada um é próprio o que é melhor?

GLAUCO:

— Sim, realmente é assim.

SÓCRATES:

— Portanto, quando a alma em sua totalidade segue sem dissensão o filó-sofo, a cada uma de suas partes cabe agir no próprio interesse e nos limites da justiça e cada uma aufere, quanto possível, dos melhores prazeres que lhe são próprios e que são também os mais verdadeiros.

GLAUCO:

— Sem dúvida.

SÓCRATES:

— Em vez disso, quando comanda uma das duas outras partes, acontece que ela não consegue o próprio prazer e obriga às outras a procurar um inapropriado e falso.

GLAUCO:

— Com certeza.

SÓCRATES:

— E tanto mais se haveria de chegar a esse resultado, quanto mais nos afas-tássemos da filosofia e da razão?

GLAUCO:

— Certamente.

SÓCRATES:

— E não se afasta ao máximo da razão o que se afasta da lei e da ordem?

GLAUCO:

— Evidente.

SÓCRATES:

— E não se revelaram como os mais distantes os desejos amorosos e tirânicos?

GLAUCO:

— Sem qualquer sombra de dúvida.

SÓCRATES:

— Pelo contrário, como os menos distantes aqueles monárquicos e equilibrados?

GLAUCO:

— Sim.

A REPÚBLICA

SÓCRATES:

— Logo, acho que o tirano será o homem mais distante de seu verdadeiro prazer e o outro, o menos distante.

GLAUCO:

— Inevitavelmente.

SÓCRATES:

— Por isso, o tirano haverá de viver da maneira mais desagradável e o rei da maneira mais prazerosa.

GLAUCO:

— Sem dúvida.

SÓCRATES:

— Você saberia também o quanto mais desagradavelmente que o rei deva viver o tirano?

GLAUCO:

— Pode dizê-lo você mesmo.

SÓCRATES:

— Se, pelo que parece, os prazeres são três, mas, um só é legítimo e os outros dois são bastardos, o tirano, depois de ter ultrapassado o limite dos prazeres bastardos e ter fugido para longe da lei da razão, convive com prazeres vis que lhe servem de corpo de guarda; talvez só assim se possa explicar sua inferioridade.

GLAUCO:

— Como?

SÓCRATES:

— O tirano vem em terceiro lugar, depois do homem oligárquico, porque entre eles se encontra o homem democrático.

GLAUCO:

— É verdade.

SÓCRATES:

— Portanto, se antes tínhamos razão no que dissemos, esse convive com um fantasma de prazer que se encontra três vezes mais distante em relação ao primeiro?

GLAUCO:

— Assim mesmo.

SÓCRATES:

— Mas o homem oligárquico vem em terceiro lugar em relação ao homem monárquico, se considerarmos o homem aristocrático e o homem monárquico como a mesma pessoa.

PLATÃO

GLAUCO:

— Sim, está no terceiro lugar.

SÓCRATES:

— Assim, o tirano está nove vezes distante do verdadeiro prazer.

GLAUCO:

— Claro.

SÓCRATES:

— Por isso, ao que parece, o fantasma do prazer do tirano pode ser expresso linearmente por um número plano.

GLAUCO:

— Por certo.

SÓCRATES:

— E a distância que o separa do prazer do homem monárquico é expressa elevando esse número ao quadrado e depois ao cubo.

GLAUCO:

— Para um matemático isto é evidente.

SÓCRATES:

— Se, pelo contrário, pudesse expressar-se numericamente o quanto o rei esteja distante do tirano em relação ao verdadeiro prazer, se terá como resultado, fazendo a multiplicação, que ele vive 729 vezes melhor que o tirano e, de modo inverso, que o tirano é 729 vezes mais infeliz que o rei.

GLAUCO:

— Que número incrível para medir a distância entre os dois, isto é, entre o homem justo e o homem injusto, com relação ao prazer e à dor!

SÓCRATES:

— Entretanto, é verdadeiro e apropriado ao modo de viver deles, se a esses correspondem os dias e as noites, os meses e os anos.

GLAUCO:

— Sim, devem corresponder.

SÓCRATES:

— Se, portanto, o homem honesto e justo supera em tanto o homem mau e injusto em relação ao prazer, qual não haverá de ser sua prodigiosa superioridade em relação à decência de vida, à beleza e à virtude?

GLAUCO:

— Será realmente prodigiosa, por Zeus!

SÓCRATES:

— Muito bem. Agora que chegamos a este ponto do discurso, vamos resumir as etapas que nos conduziram até aqui. Dizíamos que ao homem perfeitamente injusto convém ser assim, contanto que tenha a reputação de ser justo. Não dissemos isso, talvez?

A REPÚBLICA

GLAUCO:
— Exatamente.

SÓCRATES:
— Agora que chegamos a um acordo sobre os efeitos de um comportamento honesto e de um comportamento desonesto, vamos falar com quem assim se expressou.

GLAUCO:
— Como vamos fazer isso?

SÓCRATES:
— Vamos modelar com a fantasia um simulacro da alma para que esse se dê conta do que andou dizendo.

GLAUCO:
— Que simulacro?

SÓCRATES:
— Semelhantes aos monstros das antigas fábulas, tais como Quimera, Cila, Cerbero e tantos outros que reuniam, pelo que se diz, muitas formas num único corpo.

GLAUCO:
— Sim, é isso mesmo que se diz.

SÓCRATES:
— Tente, pois, modelar um monstro de muitas formas e muitas cabeças de animais domésticos e selvagens, capaz de mudar de aspecto e de gerar por si mesmo todas essas formas.

GLAUCO:
— Seria preciso um artista fenomenal para fazê-lo! De qualquer modo, visto que a palavra é mais maleável que a cera e de qualquer outra matéria desse tipo, já o moldei!

SÓCRATES:
— Agora, molda a forma de um leão e depois de um homem. A primeira, porém, dever ser muito maior dessas duas e depois molde outra.

GLAUCO:
— Isto é mais fácil. Aqui está, já modelei todas.

SÓCRATES:
— Agora, junte as três e una-as muito bem.

GLAUCO:
— Está feito.

SÓCRATES:
— Envolva-as agora externamente com uma única forma, a humana. Assim, deverão parecer um único ser, um homem por certo, para quem não possa olhar para seu interior e veja somente o invólucro externo.

343

PLATÃO

GLAUCO:

— Já as recobri.

SÓCRATES:

— Vamos responder, portanto, ao que afirma que a esse homem convém comportar-se de modo injusto e de nada lhe serve praticar a justiça, que isto equivale a sustentar que lhe convém alimentar esse monstro multiforme e fortalecê-lo juntamente com o leão e o resto, enquanto se reduz à fome o homem, tornando-o tão fraco que deva ser arrastado pelos outros dois para onde queiram e, ao contrário de acostumá-los a conviver e a se tornarem amigos, deixar que combatam entre si, que se estraçalhem e se devorem.

GLAUCO:

— Sim, elogiar um comportamento injusto seria exatamente isto.

SÓCRATES:

— Aquele que dissesse que a justiça é conveniente, haveria de confirmar a necessidade de agir e de falar de modo que o homem interior pudesse dominar o mais possível o homem inteiro e vigiar o monstro de muitas cabeças, como faz um camponês que cultiva com cuidado as plantas domésticas mas impede o crescimento das ervas daninhas, obtendo a aliança da natureza do leão e cuidando de todas as naturezas juntas, tornando-as amigas entre si e amigas dele. Não é assim que as haverá de criar?

GLAUCO:

— Sim, quem elogia a justiça afirma exatamente isto.

SÓCRATES:

— Assim sendo, sob qualquer aspecto, aquele que exalta a justiça está na verdade e aquele que exalta a injustiça está no falso. Tomando em consideração o prazer, a honra e a utilidade, aquele que elogia a justiça tem razão, enquanto que aquele que a censura nada diz que preste e sequer conhece aquele que censura.

GLAUCO:

— Pelo menos para mim, parece que não o conheça mesmo.

SÓCRATES:

— Vamos tentar convencê-lo com brandura, porquanto seu erro é involuntário, e vamos lhe perguntar: "Caro amigo, a distinção legal entre o que é belo e o que é feio não foi feita por razões análogas? O que é belo não submete ao homem, ou melhor, à sua parte divina, o que há de animalesco nele, enquanto o que é feio não submete a natureza doméstica à natureza selvagem?" Nosso interlocutor vai estar de acordo com isto ou não?

GLAUCO:

— Se me der razão, sim.

A REPÚBLICA

SÓCRATES:

— Com base neste raciocínio, haveria de existir, pois, alguém a quem lhe fosse útil tomar ouro de modo injusto para si, se deveras ocorrer algo semelhante, ou seja, se, ao tomar o ouro, escravizar a parte melhor dele à parte pior? Entretanto se, para tomar o ouro, devesse entregar como escravos de patrões selvagens e malvados o filho e a filha, não haveria de lhe convir nem se tomasse uma grande quantidade dele. Se escravizasse sua natureza mais divina àquela mais ímpia e desnaturada sem sentir piedade, não seria talvez um miserável e não se deixaria corromper pelo ouro de maneira bem mais funesta que Erifila que aceitou o colar em troca da vida de seu marido?

GLAUCO:

— Sim, respondendo por ele, seria muito pior.

SÓCRATES:

— E você não acha que também a intemperança foi desaprovada há tanto tempo exatamente por que deixa mais livre que a devida a natureza perigosa, aquele grande e multiforme monstro?

GLAUCO:

— Evidente.

SÓCRATES:

— E não são desaprovados a arrogância e o mau humor, quando os instintos do leão e da serpente se desenvolvem e se propagam sem harmonia?

GLAUCO:

— É verdade.

SÓCRATES:

— Não são desaprovados também o luxo e a indolência porque deixam em liberdade esse mesmo monstro, fazendo com que cresça nele a covardia?

GLAUCO:

— Com certeza.

SÓCRATES:

— Não são desaprovadas a adulação e a mesquinhez, quando submetem a natureza irascível a esse monstro vulgar e, por ganância de dinheiro, acostumam os jovens a se humilharem e a se tornarem macacos em vez de leões?

GLAUCO:

— Sem dúvida.

SÓCRATES:

— Por qual razão você acha que seja ignominiosa a condição dos artesãos e dos operários, senão porque sua parte melhor é por natureza tão fraca que não pode dominar os animais que neles subsistem, ao contrário, os afaga e só consegue aprender a abrandá-los?

GLAUCO:

— Parece que é assim.

PLATÃO

SÓCRATES:

— E um homem desse tipo, para ser governado pelo mesmo princípio que governa o homem melhor, deve ser, a nosso ver, escravo daquele homem ótimo que tem em si o princípio divino. Achamos, porém, que não deva ser governado em seu detrimento, como pensava Trasímaco em relação aos súditos, mas somente porque é melhor para qualquer um ser dominado por quem é divino e inteligente. Certamente seria melhor ainda se este princípio o possuísse em si mesmo. Caso contrário, é preciso impô-lo do exterior, para que sejamos quanto possível todos iguais e amigos, guiados pelo mesmo princípio.

GLAUCO:

— Perfeitamente correto.

SÓCRATES:

— Também a lei revela uma intenção análoga porque oferece sua ajuda a todos os cidadãos. Esse é também o objetivo da autoridade sobre as crianças. Não lhes permitimos que disponham de si mesmas antes que lhes tenhamos estabelecido na alma, como num Estado, uma ordem. Mas depois de ter desenvolvido sua parte melhor com o que de melhor há em nós mesmos e depois de haver substituído nossa participação com um guardião e um guia semelhante nelas, finalmente deixamos livres as crianças.

GLAUCO:

— Está claro.

SÓCRATES:

— Por isso, Glauco, como é possível sustentar que seja conveniente seguir a injustiça ou a intemperança ou ainda o delito, se tudo isso tornará pior também aquele que, em decorrência, consiga mais dinheiro ou qualquer outro poder?

GLAUCO:

— Não é mesmo possível.

SÓCRATES:

— E como é possível afirmar que é conveniente agir mal sem ser descoberto e sem espiar? Quem consegue fazer isso, não se torna ainda pior? Pelo contrário, a parte animalesca daquele que não evita o castigo pode ser aplacada e domesticada e a parte doméstica pode ser liberada; assim, a alma em seu conjunto é reposta em sua melhor natureza e, adquirindo temperança, justiça e sabedoria, assume uma condição mais honrosa do que aquela que é assumida, quando o corpo cresce em vigor e beleza com a saúde, tanto quanto o espírito é mais precioso que o corpo.

GLAUCO:

— É verdade.

A REPÚBLICA

SÓCRATES:

— E ao menos o homem de bom senso não haverá de viver tendendo de modo total para esse objetivo, honrando em primeiro lugar aquelas disciplinas que podem tornar assim sua alma e deixando de lado as outras?

GLAUCO:

— Claro.

SÓCRATES:

— Mais, não haverá de viver para esse fim sem confiar o bom estado e o cuidado de seu corpo ao prazer bestial e irracional, sem se preocupar muito em ser forte ou sadio ou belo se, em decorrência disso, não devesse tornar-se sábio, mas procurando abertamente realizar a harmonia física em vista do equilíbrio espiritual?

GLAUCO:

— Sim, se quiser ser um verdadeiro músico.

SÓCRATES:

— E não haverá de procurar o mesmo acordo e equilíbrio também em relação à posse de dinheiro? E não haverá de evitar o crescimento excessivo de seus bens, sob pena de atrair sobre si infinitas desgraças, sem se deixar deslumbrar pelo apreço da multidão?

GLAUCO:

— Não creio.

SÓCRATES:

— Atento para não perturbar seu equilíbrio interior pelo excesso ou pela escassez de bens, ele irá aumentar ou consumir seu patrimônio como puder.

GLAUCO:

— É verdade.

SÓCRATES:

— Olhando para o mesmo objetivo, haverá de aceitar algumas honras e haverá de saboreá-las, se as considerar capazes de torná-lo melhor, mas haverá de evitar aqueles reconhecimentos privados e públicos que, a seu ver, possam vir a destruir seu equilíbrio.

GLAUCO:

— Mas com essa preocupação, não haverá de querer dedicar-se à política.

SÓCRATES:

— Pelo cão! Ele haverá de se ocupar e de boa vontade, em sua cidade mas talvez não em sua pátria, a menos que não apareça uma ocasião prodigiosa.

GLAUCO:

— Entendo. Você se refere àquela república de que descrevemos a fundação, mas que foi fundada somente em nossas palavras porque, eu acho, que no mundo não se encontre em parte alguma.

PLATÃO

SÓCRATES:

— Mas talvez exista seu modelo no céu para quem estiver disposto a vê-lo e apoiar-se ele próprio nesse Estado. De qualquer modo, não importa se existe ou se foi destinado a existir: um homem desse tipo haveria de se ocupar somente desta cidade e de nenhuma outra.

GLAUCO:

— Talvez seja verdade.

Livro Dez

SÓCRATES:

— Refletindo bem, das muitas excelências que percebo em nosso Estado, o que mais me agrada é a questão da poesia.

GLAUCO:

— Por quê?

SÓCRATES:

— Porque refutamos toda aquela que se fundamenta na imitação. Agora que já deixamos nitidamente traçada a distinção entre as diversas partes da alma, me parece ainda mais evidente que essa não deva ser aceita de modo algum.

GLAUCO:

— O que você quer dizer?

SÓCRATES:

— Vou falar claramente, mas não gostaria que o digam aos poetas trágicos e a todos os outros que recorrem à imitação. Tudo isso me parece veneno para os ouvintes, pelo menos para aqueles que não podem se servir como antídoto, do conhecimento daquilo que são realmente as obras poéticas.

GLAUCO:

— O que é que o leva a falar assim? Qual é sua opinião?

SÓCRATES:

— É preciso dizer, embora uma certa ternura e um certo respeito que desde a infância tenho por Homero me impeçam de falar. Na verdade, parece ter sido

PLATÃO

ele o mestre e o chefe de todos esses belos poetas trágicos. Mas não se deve testemunhar a um homem mais consideração do que à verdade e, como acabei de dizer, é um dever falar.

GLAUCO:

— Muito bem.

SÓCRATES:

— Escute, pois, ou melhor, responda.

GLAUCO:

— Faça suas perguntas.

SÓCRATES:

— Você seria capaz de me explicar o que vem a ser, em geral, a imitação? Eu mesmo não entendo bem o que venha a ser.

GLAUCO:

— E você acha que eu entendo disso?

SÓCRATES:

— Nada haveria de estranho porque gente de vista fraca chega a ver muitas coisas antes que pessoas de vista aguda.

GLAUCO:

— Isso é verdade. Em sua presença, porém, não teria coragem de falar sequer do que parece evidente. É melhor, portanto, que você fale.

SÓCRATES:

— Por onde é que você quer que comecemos a análise, mantendo-nos fiéis a nosso método habitual? De fato, geralmente consideramos uma só espécie que compreende muitos objetos particulares a que conferimos o mesmo nome. Você está me entendendo ou não?

GLAUCO:

— Entendo, sim.

SÓCRATES:

— Vamos tomar, portanto, também nesse caso um objeto entre tantos. Você sabe que existem muitas camas e muitas mesas, por exemplo.

GLAUCO:

— Sem dúvida.

SÓCRATES:

— Esses objetos, porém, podem ser reunidos segundo duas ideias, a de cama e a de mesa.

GLAUCO:

— Sim.

SÓCRATES:

— E não costumamos dizer que os fabricantes de um e outro desses objetos têm em mente a ideia no decorrer de seu trabalho e assim fazem as

A REPÚBLICA

camas e as mesas que usamos, além de qualquer outro objeto? Acaso não é verdade, porém, que nenhum artesão realiza a própria ideia do objeto? E como poderia?

GLAUCO:

— Sim, seria impossível.

SÓCRATES:

— E esse artesão que vou mencionar, como o chamaria?

GLAUCO:

— Que artesão?

SÓCRATES:

— Aquele que faz tudo o que os artesãos fazem separadamente.

GLAUCO:

— Você está falando de um homem prodigiosamente hábil.

SÓCRATES:

— Talvez sua admiração por ele vai se tornar ainda maior, porquanto nada falei ainda. Com efeito, esse mesmo artesão não tem só o talento de fazer qualquer objeto, mas também faz brotar todas as plantas da terra, faz nascer todos os seres vivos, ele mesmo incluído, e depois a terra, o céu, os deuses do céu e tudo o que está sob a terra no Hades.

GLAUCO:

— Que sabichão prodigioso!

SÓCRATES:

— O quê? Você não acredita? Então me diga! Parece-lhe que um artífice desses não possa mesmo existir ou que, em certas condições, alguém possa criar tudo isto? Você não vê que em certa medida esse criador poderia ser você?

GLAUCO:

— Mas em que condições?

SÓCRATES:

— A realização não é difícil, mas é múltipla e rápida. Basta que você tome um espelho e o volte em todas as direções. Com muita rapidez, você haverá de criar o sol e os corpos celestes, rapidamente haverá de criar a terra, celeremente você haverá de criar a si mesmo, os demais seres vivos, os objetos, as plantas e tudo o que acabei de mencionar.

GLAUCO:

— Sim, mas somente na aparência, sem qualquer consistência real.

SÓCRATES:

— Muito bem. Você acaba de penetrar precisamente em meu raciocínio. De fato, também o pintor assim o faz, me parece. Ou não?

GLAUCO:

— Com certeza.

PLATÃO

SÓCRATES:
— Acho que você, no entanto, poderá objetar que suas criações não são verdadeiras. Entretanto, em certo sentido, também um pintor faz uma cama. Ou não?

GLAUCO:
— Sim, mas também somente na aparência.

SÓCRATES:
— E quem fabrica as camas? Você não acabou de dizer que nem ele realiza a ideia, isto é o que consideramos a essência de uma cama, mas somente uma cama qualquer?

GLAUCO:
— Sim, é verdade.

SÓCRATES:
— Mas se não realiza a essência, não pode realizar uma cama real, mas somente um objeto que se assemelha àquele real, mas não o é. Seria verdadeiro afirmar que o trabalho de quem fabrica camas ou de outro artesão qualquer seja completamente real?

GLAUCO:
— Não, ou pelo menos é o que haveria de parecer a quem se ocupa dessas questões.

SÓCRATES:
— Não devemos nos admirar, portanto, que esse trabalho seja um pouco mais obscuro que a verdade.

GLAUCO:
— Não, por certo.

SÓCRATES:
— Agora, se você quiser, vamos tentar compreender quem haveria de ser um imitador desses mesmos objetos.

GLAUCO:
— Como você quiser.

SÓCRATES:
— Há três espécies de cama: a natural que, a meu ver, poderíamos considerar como obra de um deus, ou poderia ser de alguém mais?

GLAUCO:
— Não, acho que de ninguém mais.

SÓCRATES:
— A segunda espécie é obra do artesão.

GLAUCO:
— Sim.

SÓCRATES:
— A terceira é obra do pintor. Não seria assim?

GLAUCO:
— De acordo.

A REPÚBLICA

SÓCRATES:

— Pintor, marceneiro, deus, aí estão os três criadores das três espécies de cama.

GLAUCO:

— Sim, são esses três.

SÓCRATES:

— O deus, ou porque não quisesse ou porque por necessidade não pudesse fazer em sua forma natural mais de uma cama, realizou portanto somente aquela que é a cama segundo a essência. Duas ou mais como aquela não foram criadas pela divindade, nem o serão jamais.

GLAUCO:

— Por quê?

SÓCRATES:

— Porque se tivesse somente duas, necessariamente apareceria uma terceira, da qual as outras duas teriam a espécie, e a cama segundo a essência seria esta, e não as duas primeiras.

GLAUCO:

— Correto.

SÓCRATES:

— Acho que, ciente disso, o deus criou em sua forma natural somente essa cama porque quis ser, não um artesão, mas o real criador de uma cama real, não de uma cama qualquer.

GLAUCO:

— Talvez seja assim.

SÓCRATES:

— Você quer que o chamemos criador desse objeto ou vamos lhe conferir qualquer outro designativo desse tipo?

GLAUCO:

— É justo, porque criou esse objeto e todo o resto desde a origem.

SÓCRATES:

— E o marceneiro, não é o artesão da cama?

GLAUCO:

— Sim.

SÓCRATES:

— Haveríamos de considerar como artesão e fabricante de tal objeto também o pintor?

GLAUCO:

— De modo algum.

SÓCRATES:

— Mas então, a seu ver, qual sua relação com a cama?

GLAUCO:

— Acho que a solução mais razoável seja a de considerar o pintor como um imitador do objeto, do qual os dois outros são artífices.

PLATÃO

SÓCRATES:

— Muito bem. Então você considera imitador o criador de um produto que esteja a três graus de distância daquele original?

GLAUCO:

— Exatamente.

SÓCRATES:

— Assim, o mesmo vale para o poeta trágico, enquanto imitador. Como todos os outros imitadores, ele estará no terceiro lugar, depois do real e da verdade.

GLAUCO:

— Talvez sim.

SÓCRATES:

— Quanto ao imitador, estamos praticamente de acordo. Com relação ao pintor, diga-me mais uma coisa. Você acha que ele se esforça para imitar exatamente aquele único objeto original ou os produtos dos artesãos?

GLAUCO:

— Estes últimos.

SÓCRATES:

— Segundo sua essência ou segundo suas aparências? Explique também este ponto.

GLAUCO:

— O que você quer dizer?

SÓCRATES:

— Apenas isto. Uma cama não é diferente de si mesma, se vista de lado ou de frente ou de qualquer outra maneira? Ou parece diferente, mas não é? Isto não vale também para todos os demais objetos?

GLAUCO:

— É assim mesmo, parece diferente, mas não o é.

SÓCRATES:

— Reflita agora. Qual é a finalidade da pintura em relação a cada objeto? Quer reproduzi-lo como é na realidade ou de acordo com sua aparência? Enfim, é imitação da aparência ou da verdade?

GLAUCO:

— Da aparência.

SÓCRATES:

— Por isso, a imitação está distante do verdadeiro e, ao que parece, realiza tudo captando um pouco a aparência ilusória de cada coisa. O pintor, por exemplo, pode pintar um sapateiro, um marceneiro, todos os demais artesãos, mas não conhece nenhuma de suas respectivas artes. Entretanto, se é um bom pintor, ao pintar um marceneiro e ao mostrá-lo de longe, conseguiria iludir as crianças e os ignorantes, dando-lhes a impressão de se encontrarem diante de um verdadeiro marceneiro.

A REPÚBLICA

GLAUCO:

— Com certeza.

SÓCRATES:

— Aqui está, porém, meu caro, o nó de toda a questão. Sempre que alguém vier nos dizer que encontrou um homem que conhece todas as artes e ofícios, como cada um dos especialistas específicos, conhecedor exímio de cada detalhe, deve-se acreditar que este seja um ingênuo e que talvez tenha encontrado um charlatão que o iludiu, apresentando-se como grande sábio, pelo fato de ele mesmo ser incapaz de distinguir a ciência, a ignorância e a imitação.

GLAUCO:

— Você tem toda a razão.

SÓCRATES:

— Resta-nos examinar a tragédia e Homero, seu iniciador. De fato, ouvimos dizer por parte de alguns que os poetas trágicos conhecem todas as artes, todas as coisas humanas que se relacionam com a virtude e com o vício e, além disso, as divinas. É inevitável, sem dúvida, que um bom poeta deva conhecer os temas de que trata, se quiser desenvolvê-los bem. Caso contrário, nem poeta seria. Torna-se necessário verificar se aqueles que afirmam isto não se deixaram iludir por esses imitadores ou se ficaram ofuscados e, à vista de suas obras, não compreendem que estas estão a três graus de distância da realidade e que podem ser criadas facilmente, mesmo sem conhecer a verdade, exatamente porque são aparências privadas de realidade; ou ainda, se esses estão com a razão e se os bons poetas conhecem tudo aquilo que lhes atrai a admiração das multidões.

GLAUCO:

— Essa deve ser exatamente nossa averiguação.

SÓCRATES:

— Você acredita que, se alguém pudesse criar as duas coisas, isto é, o objeto a imitar e sua imitação, haveria de se dedicar realmente a criar imitações e haveria de considerar essa atividade como o fim principal de sua existência?

GLAUCO:

— Acho que não.

SÓCRATES:

— Se, porém, conhecesse realmente o que imita, dedicaria muito mais seu tempo a objetos reais que a imitações e, como memória, procuraria deixar muitas obras boas, preferindo ser o objeto antes que o autor dos elogios.

GLAUCO:

— Também penso assim, porquanto a honra e a vantagem seriam bem diversas num caso e noutro.

SÓCRATES:

— Não vamos exigir, portanto, de Homero nem de qualquer outro poeta que fossem peritos em medicina, ao contrário de se limitarem a imitar os dis-

PLATÃO

cursos dos médicos. Que doentes pode gabar-se de ter curado, como Esculápio, um poeta antigo ou moderno, que alunos de medicina deixou, como seus discípulos que aquele fez. Nem vamos interrogá-los sobre as demais artes. Vamos deixá-los de lado. Com relação, porém, aos temas mais belos e mais importantes tratados por Homero, como a guerra, a estratégia, a política, a educação do homem, é justo perguntar a ele: "Caro Homero, se realmente em relação à virtude não estás a três graus de distância da verdade, como criador de uma imagem e, portanto, imitador; se estás no segundo lugar e podes conhecer quais os hábitos que tornam os homens melhores ou piores em particular e em público, lembranos que a cidade teve um governo melhor graças a ti, como Esparta graças a Licurgo e muitos outros Estados, grandes e pequenos, graças a muitos outros legisladores. Qual cidade reivindica o fato de que foste um bom legislador e lhe prestaste serviços? A Itália e a Sicília reivindicam Carondas e nós, Sólon. Mas quem te reivindica?" Estaria ele em condições de citar algum Estado?

GLAUCO:

— Não creio. Nem os homéridas falam disso.

SÓCRATES:

— Por acaso, é mencionada alguma guerra bem conduzida sob seu comando e por seus conselhos?

GLAUCO:

— Nenhuma.

SÓCRATES:

— São lembradas como dele muitas engenhosas invenções de homem sábio em certas coisas, nas artes ou em outras atividades, como são lembrados Tales de Mileto e Anacarsis de Cítia?

GLAUCO:

— Não, absolutamente nada.

SÓCRATES:

— Se não em particular, pelo menos publicamente se diz que Homero tenha sido em vida mestre de educação para quem a ele se apegou e tenha deixado aos pósteros um modo homérico de vida, como Pitágoras foi profundamente estimado por isso e seus discípulos, chamando ainda hoje de pitagórico seu modo de viver, se distinguem dos demais?

GLAUCO:

— Não, nada disso se conta a respeito dele. A cultura de Creófilo, companheiro de Homero, pareceria ainda mais ridícula que seu nome, se for verdade, Sócrates, o que se diz de Homero, ou seja, que em vida foi sempre menosprezado por esse Creófilo.

SÓCRATES:

— Sim, é o que se diz. Mas você acha, Glauco, que Homero, se tivesse sido realmente capaz de educar os homens e torná-los melhores por um real conheci-

A REPÚBLICA

mento que por imitação, não teria tido muitos seguidores e não teria sido por eles honrado e estimado? Entretanto, Protágoras de Abdera e Pródico de Coos, bem como tantos outros conseguiram persuadir seus seguidores, com suas conversações particulares, de que estariam em condições de administrar a própria casa e o próprio Estado somente se se submetessem à orientação pedagógica deles. Tornaram-se tão estimados por sua sabedoria que pouco faltou para que seus seguidores os carregassem em triunfo. Mas os contemporâneos de Homero e de Hesíodo teriam deixado que andassem de cidade em cidade a recitar seus versos, em vez de retê-los a preço de ouro e obrigá-los a fixar residência definitivamente junto a eles, se estes tivessem sido realmente capazes de fomentar o crescimento da virtude dos homens? Se não tivessem conseguido convencê-los, não os teriam seguido para onde quer que fossem para poder aprender toda a sua cultura?

GLAUCO:

— Parece que você, Sócrates, está realmente com a razão.

SÓCRATES:

— Podemos, portanto, afirmar que todos os poetas, a começar por Homero, quando tratam da virtude ou de qualquer outro tema são imitadores de imagens e não atingem a verdade. Como dizíamos há pouco, o pintor não haverá de criar a aparência de um sapateiro, sem que ele próprio entenda algo de calçados, para aqueles que não entendem mais que ele e admiram somente as cores e as formas?

GLAUCO:

— Exatamente.

SÓCRATES:

— De modo análogo, acho que poderíamos dizer que o poeta dá um colorido em palavras e frases a toda arte, sem saber fazer outra coisa que imitar. Por isso, aquele que, como ele, cuida somente das palavras, parece que fala realmente bem, quer use a poesia do ritmo e da harmonia com relação à arte do sapateiro, quer faça o mesmo com relação à estratégia ou a qualquer outra atividade, tão grande é o encanto natural da poesia. Enunciadas, porém, de todo despidas das cores da poesia e da música, acho que você percebe como aparecem essas palavras. Sem dúvida, você já notou isso.

GLAUCO:

— Com certeza.

SÓCRATES:

— Acaso não se assemelham aos rostos de jovens que deixam de ser belos quando começaram a se tornar pálidos?

GLAUCO:

— Realmente, é assim.

SÓCRATES:

— Vamos adiante. O criador de uma imagem, ou seja, o imitador, nada entende da realidade, mas só da aparência. Não é verdade?

PLATÃO

GLAUCO:

— Sim.

SÓCRATES:

— Não vamos, porém, deixar pela metade nossa análise. Vamos considerar a questão a fundo.

GLAUCO:

— Pode falar.

SÓCRATES:

— Um pintor, por exemplo, haverá de pintar as rédeas e o freio do cavalo?

GLAUCO:

— Sim.

SÓCRATES:

— Quem os fabrica, não seriam o seleiro e o ferreiro?

GLAUCO:

— Sem dúvida.

SÓCRATES:

— O pintor sabe como devem ser feitos as rédeas e o freio? Ou ignora até quem os fabrique, o ferreiro e o seleiro, ao passo que sabe quem deles deve servir-se, isto é, o cavaleiro?

GLAUCO:

— É assim mesmo.

SÓCRATES:

— O mesmo não vale para qualquer objeto?

GLAUCO:

— O que você quer dizer?

SÓCRATES:

— Para cada objeto existem três artes: aquela que o utiliza, aquela que o realiza e aquela que o reproduz.

GLAUCO:

— Certamente.

SÓCRATES:

— Mas a virtude, a beleza, a perfeição de todo objeto, de todo ser vivo, de toda ação se referem somente à utilidade para a qual cada um deles é feito pelo homem ou gerado pela natureza?

GLAUCO:

— Com certeza.

SÓCRATES:

— Então é de todo inevitável que de cada coisa seja melhor conhecedor aquele que dela faz uso e este passe a informar ao fabricante as qualidades e os defeitos que ocorrem durante o uso. Por exemplo, um flautista informa ao fabri-

A REPÚBLICA

cante de flautas quais os instrumentos que possuem um belo som e passará a lhe dizer como deve fabricá-los e este haverá de lhe obedecer.

GLAUCO:

— Perfeito.

SÓCRATES:

— Logo, o bom conhecedor se pronuncia sobre as flautas boas e aquelas ruins e o outro as haverá de fabricar confiando no primeiro?

GLAUCO:

— Com certeza.

SÓCRATES:

— Assim, o fabricante haverá se de fiar no julgamento do usuário em relação à perfeição ou imperfeição do próprio objeto, haverá de se manter em contato com ele e haverá necessariamente de escutá-lo, ao passo que somente o usuário terá profundo conhecimento do objeto.

GLAUCO:

— Exatamente.

SÓCRATES:

— Mas o imitador poderá, pelo uso, obter o conhecimento daquilo que representa, se é belo e correto ou não, ou ainda adquirir uma opinião segura pelo contato com um conhecedor que lhe explique como deve representar?

GLAUCO:

— Não, não vai obter nem uma nem outra coisa.

SÓCRATES:

— Logo, o imitador não haverá de possuir nem o conhecimento nem a opinião precisa a respeito das qualidades e dos defeitos daquilo que imita.

GLAUCO:

— Parece que não.

SÓCRATES:

— Que belo imitador, se conhece tão bem aquilo que faz!

GLAUCO:

— Não seria grande coisa.

SÓCRATES:

— Entretanto, não deixará de continuar a imitar sem saber o que subsiste de perfeito ou de imperfeito em cada objeto. Ao que parece, haverá de imitar o que haverá de parecer belo ao povo ignorante.

GLAUCO:

— Sem dúvida.

SÓCRATES:

— A meu ver, já nos pusemos de acordo a respeito desses problemas. O imitador não sabe nada de essencial sobre aquilo que imita. Sua imitação é uma

PLATÃO

brincadeira, mais que uma atividade séria. Aqueles que se dedicam à poesia trágica, fazendo poemas em jambos e em hexâmetros, são todos eles, e no grau máximo, imitadores.

GLAUCO:

— É verdade.

SÓCRATES:

— Por Zeus! Essa imitação não dista três graus da verdade? Sim ou não?

GLAUCO:

— Sim.

SÓCRATES:

— E sobre que parte do homem ela exerce seu próprio poder?

GLAUCO:

— Mas de que parte você pretende falar?

SÓCRATES:

— Você haverá de saber. A mesma grandeza, vista de perto ou de longe, não parece igual.

GLAUCO:

— Certamente que não.

SÓCRATES:

— E os mesmos objetos aparecem tortos ou retos, se vistos fora ou dentro da água, e côncavos ou convexos, de acordo com a ilusão ótica provocada pelas cores, e é evidente que se produz na alma uma grande confusão. Precisamente em função dessa nossa fraqueza natural, a pintura em contraste claro-escuro, bem como a magia e tantos outros artifícios desse tipo, induzem a ilusões contínuas.

GLAUCO:

— É verdade.

SÓCRATES:

— Contra seus efeitos, porém, foram descobertos remédios eficazes, isto é, calcular, medir e pesar, de tal modo que não prevalece em nós o que parece maior, ou menor, ou ainda mais numeroso, ou mais pesado, mas a faculdade que é capaz de calcular, de medir e de pesar.

GLAUCO:

— Com certeza.

SÓCRATES:

— E tudo isso não pode ser obra de nossa alma racional?

GLAUCO:

— Sim, é obra dela.

SÓCRATES:

— Com frequência, porém, mesmo medindo e comparando umas com as outras, as mesmas coisas parecem, ao mesmo tempo, opostas entre si.

A REPÚBLICA

GLAUCO:

— Sim.

SÓCRATES:

— Não dissemos, porém, que a mesma pessoa não pode ter contemporaneamente duas opiniões contrárias sobre os mesmos objetos?

GLAUCO:

— E estávamos com a razão.

SÓCRATES:

— Logo, a parte da alma que emite opiniões sem levar em consideração a medida não pode ser idêntica àquela que julga conforme a medida.

GLAUCO:

— Certamente que não.

SÓCRATES:

— Talvez aquela que se atém à medida e ao cálculo seja a parte melhor da alma.

GLAUCO:

— Sem dúvida.

SÓCRATES:

— E a parte oposta talvez seja a pior dentre nossas faculdades.

GLAUCO:

— Assim deve ser.

SÓCRATES:

— Precisamente em vista de tal conclusão, eu dizia que a pintura e a arte de imitar em geral ficam bem distantes da verdade em relação a seus efeitos e, ao contrário, têm estreita ligação com aquilo que em nós está distanciado da razão e não se propõe nenhum objetivo sadio e verdadeiro.

GLAUCO:

— Exatamente.

SÓCRATES:

— A imitação, portanto, má companheira daquilo que é mau, produz maus efeitos.

GLAUCO:

— Talvez sim.

SÓCRATES:

— Isto vale somente em relação à imitação que fere a vista ou também àquela que fere o ouvido e que chamamos de poesia?

GLAUCO:

— Também a essa, naturalmente.

SÓCRATES:

— Não vamos nos deter, por isso, na analogia com a pintura, mas vamos chegar exatamente àquela parte da alma para a qual se dirige a imitação poética e vamos ver se se trata de algo insignificante ou se é algo importante.

GLAUCO:

— Assim mesmo é que se deve proceder.

PLATÃO

SÓCRATES:

— Para começar, diríamos que a imitação representa homens que agem por necessidade ou espontaneamente, acreditando obter com suas ações vantagem ou desvantagem e, enquanto fazem tudo isso, experimentam sentimentos de prazer ou de dor. Ou acaso a imitação é algo mais que isto?

GLAUCO:

— Não.

SÓCRATES:

— Em tudo isto, porém, o homem está de acordo consigo mesmo? Ou também nas ações, como à vista dos próprios objetos, está em discórdia e em luta consigo mesmo? Agora me lembro, contudo, que sobre este ponto é inútil discutir, pois nos discursos anteriores já reconhecemos de modo suficiente que o homem está repleto de infinitas contradições desse tipo.

GLAUCO:

— Correto.

SÓCRATES:

— Sim, correto. Agora, porém, me parece necessário falar daquilo que antes deixamos de lado.

GLAUCO:

— Isto é?

SÓCRATES:

— Um homem equilibrado, a quem lhe acontecer o infortúnio de perder um filho ou algum outro bem extremamente caro, haverá de suportar tal desgraça, dizíamos antes, melhor que qualquer outro.

GLAUCO:

— Com certeza.

SÓCRATES:

— Vamos ver agora, se não haverá de sentir nenhuma dor ou, se isso é impossível, se limita a moderar a própria dor.

GLAUCO:

— Acho que a verdade é precisamente essa.

SÓCRATES:

— Agora, me diga. A seu ver, em que momentos ele haverá de controlar mais sua dor? Quando visto por seus semelhantes ou quando se encontrar sozinho?

GLAUCO:

— Sem dúvida, quando visto pelos outros.

SÓCRATES:

— Acho que na solidão haverá de ter coragem de pronunciar muitas palavras que se envergonharia de dizer em público, além de fazer muitas coisas que não se atreveria a fazê-las diante dos outros.

A REPÚBLICA

GLAUCO:

— E assim é.

SÓCRATES:

— Mas o que leva o homem a se dominar não são a razão e a lei, enquanto o que o leva a sofrer não é a própria dor?

GLAUCO:

— É verdade.

SÓCRATES:

— E aquele que experimenta dois impulsos contrários em relação à mesma situação, pode-se dizer que possui em si inevitavelmente duas personalidades.

GLAUCO:

Certamente.

SÓCRATES:

— E uma das duas não está disposta a obedecer a tudo quanto a lei prescreve?

GLAUCO:

— Gostaria que se explicasse melhor.

SÓCRATES:

— A lei diz que nas adversidades é melhor conservar a calma e não se agitar, porque em tais circunstâncias não é muito claro o que é bom e o que é mau, e aquele que se agita não ganha nada, nem para seu futuro. Finalmente, nenhuma das vicissitudes humanas merece grande consideração, além do que a aflição é um obstáculo para o que deveria vir em nosso auxílio de imediato.

GLAUCO:

— De que é que você está falando?

SÓCRATES:

— Da capacidade de refletir sobre o ocorrido. Como no jogo dos dados, é preciso adaptar a própria situação à sorte, de acordo com o direcionamento que parece melhor à razão. Se sofrermos uma queda, não devemos fazer como as crianças que põem a mão na ferida e passam o tempo a chorar, mas habituar a alma a se curar, sempre da maneira mais veloz possível, e a fortalecer a parte acidentada e doente, substituindo os lamentos pelos cuidados.

GLAUCO:

— Sem dúvida alguma, não há nada melhor a fazer quando a sorte não estiver de nosso lado.

SÓCRATES:

— Vamos repetir, portanto, que a parte melhor de nós mesmos é aquela que quer seguir a razão.

GLAUCO:

— É claro.

PLATÃO

SÓCRATES:

— Mas aquela que nos relembra nosso sofrimento e nos impele a lamentar-nos sem parar, não a haveríamos de definir como irracional, preguiçosa e quase covarde?

GLAUCO:

— Sem dúvida alguma.

SÓCRATES:

— Somente, porém, nossa natureza emotiva pode ser objeto de variadas imitações, ao passo que um caráter inteligente e calmo, sempre igual a si mesmo, não é facilmente imitável, nem seria atraente se acaso fosse imitado, sobretudo para essa gente de todo tipo que se reúne nos teatros durante as festas públicas, porque seria oferecer-lhe um quadro inteiramente estranho para ela.

GLAUCO:

— Sem sombra de dúvida.

SÓCRATES:

— O poeta imitador não está de forma alguma naturalmente próximo a esse princípio racional e sua habilidade não é feita para torná-lo benquisto e aplaudido pelo povo, ao contrário explora o caráter emotivo e inconstante, porquanto mais facilmente imitável.

GLAUCO:

— É claro.

SÓCRATES:

— Nossa crítica, portanto, é justa e podemos compará-lo ao pintor, a quem se assemelha, porque cria obras ruins em relação à verdade e porque trata com a outra parte da alma, que lhe é afim, e não com aquela melhor. Com razão, portanto, não deveríamos admiti-lo num Estado bem administrado, porque ele desperta, alimenta e fortalece essa parte da alma e destrói aquela racional. É o que haveria de acontecer, quando num Estado se entrega o poder absoluto aos malvados e se dá cabo dos honestos. De modo similar, diríamos que o poeta imitador introduz um mau governo na alma de cada indivíduo, agradando a parte insensata, aquela incapaz de distinguir o maior do menor, aquele que acha que os mesmos objetos são por vezes grandes e por vezes pequenos. Realmente, um poeta desses cria fantasmas e está muito distante da verdade.

GLAUCO:

— Exatamente.

SÓCRATES:

— Entretanto, não lançamos ainda contra a poesia a acusação mais grave. Com efeito, a coisa pior é seu poder de arruinar também os homens de bem, com raríssimas exceções.

GLAUCO:

— Como não, se esses são realmente seus efeitos?

A REPÚBLICA

SÓCRATES:

— Escute com atenção. Os melhores dentre nós, ao ouvirmos Homero ou um poeta trágico imitar um herói em aflição, enquanto declama longos versos gemendo ou canta ou bate no peito, sentem prazer, você bem o sabe, e se deixam levar pela compaixão, admirando realmente o poeta que foi capaz de transmitir essas impressões da maneira mais viva.

GLAUCO:

— Sim, sei muito bem.

SÓCRATES:

— Quando, no entanto, nos sobrevém uma dor pessoal, você sabe que nos gabamos do contrário, ou seja, de conseguir suportá-la com equilíbrio, e consideramos viril esse comportamento e efeminado aquele que há pouco apreciávamos.

GLAUCO:

— Sim, já notei isso.

SÓCRATES:

— Mas é razoável elogiar aquele que representa um homem como nós pessoalmente não gostaríamos de ser e do qual, ao contrário, sentiríamos vergonha? É justo sentir com isto prazer e ter admiração, antes que desgosto?

GLAUCO:

— Não, por Zeus, não parece razoável!

SÓCRATES:

— Certamente que não, sobretudo se você pensar dessa maneira.

GLAUCO:

— Explique-se melhor.

SÓCRATES:

— Observa bem que os poetas saciam e satisfazem aquela força que nas desgraças pessoais era refreada, mas tinha sede de lágrimas e de gemidos, queria saciar-se de lamentações, porque esta é exatamente sua natureza. A parte naturalmente melhor de nós mesmos, sem uma educação racional adequada e sem a força do hábito, afrouxa a vigilância da parte lamuriosa, porque contempla o sofrimento dos outros e acha que não há nada de mal em aprovar e em lamentar outro homem que proclame a própria honestidade, embora se queixe inoportunamente. Ao contrário, ela acha que com isso terá um prazer e se recusaria a ser dele privada com o desprezo pela arte poética em si. De fato, a poucos é dado, acredito, compreender que inevitavelmente os sentimentos dos outros se tornam os próprios, porque não é fácil dominar a compaixão nas desventuras pessoais depois de tê-la fortalecido com as vicissitudes dos outros.

GLAUCO:

— É a pura verdade.

PLATÃO

SÓCRATES:

— O mesmo discurso não há de valer também para a poesia cômica? Se numa representação cômica, ou em particular, você se diverte realmente com uma palhaçada que você mesmo se envergonharia de reproduzir, e não a despreza considerando-a desonesta, você não consegue o mesmo efeito como no caso da compaixão? Aquilo que você reprimia em si mesmo com a razão, apesar do desejo de fazer rir, porque você temia ser tachado de vulgar, então você o deixa livre e o fortalece e, depois, nas conversas particulares você se deixa levar por isso, sem se dar conta que está fazendo o papel de palhaço.

GLAUCO:

— É verdade.

SÓCRATES:

— E não é sempre o mesmo o efeito da imitação poética em relação ao amor, à ira e a todas as impressões de dor e de prazer que acreditamos inseparáveis de qualquer ação nossa? A poesia, de fato, os irriga e alimenta, em vez de torná-los estéreis, e os põem acima de nós, quando deveriam obedecer para não nos levarem a sermos piores e mais infelizes de melhores e mais felizes que éramos.

GLAUCO:

— Realmente, você tem toda a razão.

SÓCRATES:

— Por isso, Glauco, quando você encontrar algum admirador de Homero e o escutar dizer que este poeta educou a Grécia e que, para o governo e a educação da humanidade, vale a pena tornar a estudá-lo e a reorganizar toda a própria existência segundo seus ensinamentos, a estes você deve acolher e cumprimentá-los como as melhores pessoas do mundo, reconhecendo que Homero é o poeta supremo e o pai da tragédia. Ao mesmo tempo, porém, você deve lembrar que o Estado deverá aceitar da poesia somente os hinos aos deuses e os elogios às pessoas de bem. Se, ao contrário, você aceitar a musa corrupta da poesia lírica ou épica, em seu Estado certamente reinarão o prazer e a dor, em vez da lei e daquele princípio que a comunidade sempre reconhece como o melhor.

GLAUCO:

— É a pura verdade.

SÓCRATES:

— Esta deve ser nossa defesa com relação à exclusão da poesia de nossa república. A isto nos obrigava, com efeito, a razão, visto que essa é a natureza da poesia. Poderíamos acrescentar, para não sermos acusados de duros e rudes, que é muito antiga a oposição entre filosofia e poesia. Basta relembrar "a cadela que ladra contra o patrão", "o grande homem metido nas conversas fúteis dos insensatos", "o amontoado de sábios que derrota Zeus", "esses que agem sorrateiramente porque esfaimados" e muitíssimas outras provas da antiga inimizade. Quanto a nós, se a imitação poética que busca o prazer tivesse somente alguma razão para ser aco-

A REPÚBLICA

lhida numa república bem administrada, a aceitaríamos de boa vontade, porque estamos cientes que também nós nos encantamos com ela. Mas é uma impiedade trair o que parece verdadeiro. Você também, meu amigo, se encanta com a poesia, sobretudo quando se apresenta pelos versos de Homero. Ou não é assim?

GLAUCO:

— Com certeza.

SÓCRATES:

— Seria justo, pois, readmiti-la, uma vez que possa se justificar em versos líricos ou de outro modo?

GLAUCO:

— Sem dúvida.

SÓCRATES:

— Poderíamos conceder a seus protetores, simples admiradores da poesia mas não poetas, de pronunciar sua defesa em prosa, relembrando dela não somente seu lado agradável, mas também sua utilidade para os Estados e para a existência humana. De bom grado, haveríamos de escutá-los. De fato, talvez nós mesmos saíssemos ganhando, se a poesia conseguisse se demonstrar não somente agradável, mas também útil.

GLAUCO:

— Claro que só teríamos a ganhar.

SÓCRATES:

— Caso contrário, meu caro amigo, haveríamos de nos comportar como os namorados que, ao descobrirem que seu amor é prejudicial, rompem, mesmo que seja à força. Assim também nós estaríamos dispostos, por causa do amor por essa poesia que nos foi inculcado pela educação ministrada por nossos bons governos, a reconhecer tal poesia como ótima e verdadeira. Enquanto, porém, não tiver condições de se defender, haveremos de escutá-la com reservas, ficando atentos para não reincidir na infantil paixão do povo. Por isso, estamos persuadidos que este tipo de poesia não deve ser levado a sério, como se fosse capaz de atingir a verdade e fosse, em decorrência, coisa importante. Pelo contrário, ao escutá-la, é preciso ficar alerta para não comprometer o próprio equilíbrio interior e acreditar naquilo que já dissemos a seu respeito.

GLAUCO:

— Estou totalmente de acordo.

SÓCRATES:

— Grande é a prova, Glauco, maior do que se possa supor, aquela em que se exige tornar-se honesto ou mau, de tal modo que não devemos nos deixar induzir nem pelas honrarias, nem pelo dinheiro, nem por algum poder, nem pela própria poesia a menosprezar a justiça e as outras virtudes.

PLATÃO

GLAUCO:

— Baseando-me em tudo o que foi dito, estou de acordo e acredito que todos devam pensar da mesma forma.

SÓCRATES:

— Entretanto, sequer falamos ainda das maiores recompensas e dos maiores prêmios reservados à virtude.

GLAUCO:

— Devem ser incrivelmente elevadas, essas de que você pretende falar, se forem maiores que os prêmios que já enumeramos!

SÓCRATES:

— O que pode, no entanto, ser chamado grande em tão breve espaço de tempo? Porque todo o tempo que decorre da infância à velhice é muito pequeno, se comparado com a eternidade.

GLAUCO:

— Um nada, diria.

SÓCRATES:

— E você acha, portanto, que um ser imortal deva se preocupar por um tempo tão breve mais que da eternidade?

GLAUCO:

— Eu não, mas entendo o sentido de tua pergunta.

SÓCRATES:

— Você não compreendeu que nossa alma é imortal e não morre jamais?

Fixando-me com ar de surpresa, Glauco, disse:

— Eu não, por Zeus! Mas você tem condições de provar esta afirmação?

SÓCRATES:

— Acho que sim, se não me engano. Também você seria capaz, pois não é difícil.

GLAUCO:

— Pelo contrário, eu acho que é. De qualquer forma, estou curioso por escutar esta demonstração que lhe parece tão fácil!

SÓCRATES:

— Preste atenção, pois.

GLAUCO:

— Fale, então.

SÓCRATES:

— A seu ver, existem o bem e o mal?

GLAUCO:

— Com certeza.

SÓCRATES:

— Sobre eles, você tem a mesma opinião que eu?

GLAUCO:

— Isto é?

A REPÚBLICA

SÓCRATES:

— O mal é tudo o que traz ruína e destruição, enquanto o bem é tudo aquilo que conserva e é útil.

GLAUCO:

— De acordo.

SÓCRATES:

— E você não acredita que haja um bem e um mal para cada coisa? Os olhos, por exemplo, estão sujeitos à oftalmia, o corpo em seu todo está sujeito a doenças, o grão à ferrugem, a madeira à podridão, o bronze e o ferro à ferrugem. Enfim, quase todo ser tem seu próprio vício e sua própria doença.

GLAUCO:

— Sim, acredito.

SÓCRATES:

— E todo ser não se deteriora e não é levado à morte exatamente pela própria doença?

GLAUCO:

— Sem dúvida.

SÓCRATES:

— Assim, todo ser é levado à ruína por sua doença e pelo mal que traz em si. Se não fosse assim, nenhuma outra causa poderia destruí-lo. De fato, não há que temer que o bem possa destruir qualquer coisa, nem poderia fazê-lo aquilo que não é nem bem nem mal.

GLAUCO:

— Sem dúvida alguma, e como poderia fazê-lo?

SÓCRATES:

— Se, portanto, encontrarmos um ser que tenha sido tornado mau pela doença sem ser levado à dissolução e à morte, poderíamos ter certeza então que tal ser não estivesse sujeito à morte?

GLAUCO:

— Em tal caso, talvez sim.

SÓCRATES:

— E não existe alguma coisa que torna a alma má?

GLAUCO:

— Claro que existe! Tudo aquilo que mencionamos, como a injustiça, a intemperança, a covardia, a ignorância.

SÓCRATES:

— Mas a alma se dissolve e morre por causa de um desses vícios? Cuidado para não cair no erro de acreditar que o homem injusto e insensato morra, quando descoberto, por sua injustiça, que é o mal de sua alma. Considere, ao contrário, a questão da maneira seguinte. Como a maldade do corpo, isto é, a

PLATÃO

doença, o consome e o destrói até aniquilá-lo, assim também todas as coisas de que falávamos há pouco são aniquiladas pelo mal que se prende e adere a elas, levando-as ao aniquilamento. Não é assim?

GLAUCO:

— Sim.

SÓCRATES:

— Entretanto, considere a alma da mesma maneira. A presença constante da injustiça e dos demais vícios a corrompem e a levam a definhar até conseguir separá-la do corpo, impelindo-a para a morte?

GLAUCO:

— Não, em absoluto!

SÓCRATES:

— É estranho, porém, que a maldade de outrem destrua aquilo que não pode ser destruído pela própria.

GLAUCO:

— É realmente estranho.

SÓCRATES:

— Na realidade, Glauco, você deve considerar que, a nosso ver, nem os alimentos estragados, velhos ou podres, podem destruir o corpo. Se acaso sua má qualidade provoca no corpo o mal que lhe é próprio, isto é, a doença, haveríamos de dizer que esse perece por causa de seu próprio mal. Jamais haveríamos de acreditar, porém, que o corpo pudesse ser destruído por alimentos estragados, que são diferentes do corpo como o corpo é diferente deles, a menos que o mal estranho engendre no corpo seu mal específico.

GLAUCO:

— Você tem toda a razão.

SÓCRATES:

— Pela mesma razão, se a doença do corpo não provoca na alma a doença da alma, não devemos em absoluto pensar que a alma deva perecer por um mal estranho, se não tiver um próprio, e que essa venha a perecer pelo mal do outro.

GLAUCO:

— Parece-me justo.

SÓCRATES:

— Logo, ou alguém demonstra que estamos errados ou, até enquanto isso for impossível, devemos afirmar que nem a febre ou qualquer outra doença, nem a morte, nem se o corpo fosse retalhado em pedaços minúsculos, enfim, nada disso pode provar o aniquilamento da alma, porque antes seria necessário demonstrar que esses sofrimentos físicos tornam a própria alma mais injusta e mais ímpia. E não toleraremos a afirmação que a alma ou qualquer outra coisa perece pela intervenção de um mal estranho ao seu, se não concorrer o mal que lhe é próprio.

A REPÚBLICA

GLAUCO:

— Mas isso ninguém poderá comprovar, isto é, de que as almas dos que morrem se tornem mais culpadas por causa da morte.

SÓCRATES:

— De qualquer modo, se alguém tivesse a ousadia de impugnar esse raciocínio e sustentar, exatamente para não ser obrigado a reconhecer a imortalidade da alma, que o moribundo se torna pior e mais injusto, haveríamos de convir, se nosso contraditor tiver razão, em considerar a injustiça como uma doença mortal para quem a possui e que por ela, naturalmente homicida, morressem aqueles que a tivessem contraído. Os mais injustos haveriam de morrer mais depressa, os menos injustos mais lentamente, ao contrário do que se diz agora, isto é, que os injustos são condenados à morte por quem os pune.

GLAUCO:

— Por Zeus! A injustiça, pois, não haveria de ser considerada um mal realmente terrível, se levasse à morte a quem por ela fosse afetado. Seria, na realidade, um meio de livrar-se dos próprios males. Em vez disso, acho que deva ser considerada como assassina dos outros, enquanto conserva cheio de vida e ainda muito dinâmico quem a contraiu. Ao que parece, portanto, está bem longe de ser causa de morte!

SÓCRATES:

— Tem razão. Quando, na realidade, a própria maldade e o próprio mal não conseguem matar e fazer perecer a alma, é difícil que o mal destinado à destruição de outro ser destrua a alma ou qualquer outra coisa diversa do ser.

GLAUCO:

— Ao que parece, é difícil.

SÓCRATES:

— Logo, o ser que não morre por nenhum mal, nem próprio nem de outrem, deve existir sempre. Mas o que existe sempre é imortal.

GLAUCO:

— Necessariamente.

SÓCRATES:

— Esse problema está, portanto, resolvido. Se assim for, porém, você há de convir que a eternidade se refere sempre às mesmas almas. De fato, uma vez que nenhuma perece, seu número não pode diminuir nem aumentar. Se um grupo qualquer de seres imortais pudesse aumentar, é claro que agregaria a ele seres imortais e assim, ao final, todos os seres acabariam por ser imortais.

GLAUCO:

— É verdade.

SÓCRATES:

— A razão, no entanto, nos impede de acreditar nisso e também de pensar que a alma seja, na realidade, originalmente tal que pudesse refletir um ser cheio de incrível multiplicidade, dessemelhanças e discordâncias.

PLATÃO

GLAUCO:

— O que você quer dizer?

SÓCRATES:

— Não é fácil que seja eterno o que é resultante da composição de elementos diversos, a menos que seja perfeito como ora demonstramos no caso da alma.

GLAUCO:

— De fato, não é provável.

SÓCRATES:

— O raciocínio apenas exposto e outros desse tipo podem, pois, levar a afirmar a imortalidade da alma. Ao contrário, porém, de como fazemos, não se deve observar sua verdadeira natureza agora que é afetada pela união com o corpo e com os outros vícios, mas é preciso contemplá-la no estado puro, com os olhos do intelecto. Então se há de ver que é muito mais bela e haveríamos de distinguir com maior clareza a justiça, a injustiça e tudo o que já dissemos. Nossas palavras são verdadeiras em relação a seu estado presente. Com efeito, nós a vimos na condição de Glauco Marinho, porquanto dificilmente se poderia ver ainda sua forma original, porque das antigas partes de seu corpo, algumas foram quebradas, outras esmagadas e completamente desfiguradas pelas ondas. Novos elementos, porém, se agregaram, como conchas, algas, seixos, de tal modo que Glauco se assemelha mais a outro ser qualquer que o que era originalmente. Da mesma maneira, nós também vemos a alma agora, sujeita a mil males que a desfiguram. É preciso olhar, Glauco, em outra direção.

GLAUCO:

— Qual?

SÓCRATES:

— Para o amor pela sabedoria. É preciso entender o que ela compreende e quais as companhias que deseja, visto que é afim ao que é divino, imortal e eterno, e ainda qual poderia ser se seguisse tal princípio, elevada por tal impulso para fora do mar em que ora se encontra e sacudisse de si os seixos e as conchas que a recobrem, levados pelo lodo de que se nutre, daquele material lamacento e rochoso, múltiplo e selvagem, que provém dos chamados festins bem-aventurados. Então se poderia notar sua verdadeira natureza, complexa ou simples, e de que elementos se compõe. Acho que agora, apesar de tudo, explicamos bastante bem as características e as formas assumidas pela alma na vida humana.

GLAUCO:

— Perfeitamente bem.

SÓCRATES:

— Resolvemos praticamente com o raciocínio todas as dificuldades, sem recorrer aos prêmios nem ao prestígio que a justiça confere, como fazem, segundo o que vocês dizem, Hesíodo e Homero. Descobrimos, porém, que a

A REPÚBLICA

justiça como tal é para a própria alma o bem mais precioso e que esta deve agir segundo a justiça, quer possua o anel de Giges ou não, e ainda o elmo de Hades.

GLAUCO:

— Você tem toda a razão.

SÓCRATES:

— Portanto, Glauco, que mal haveria, se à justiça e às outras virtudes, além dessas vantagens, restituíssemos também todos os prêmios que os homens e os deuses oferecem à alma, tanto em vida do homem como depois de sua morte?

GLAUCO:

— Não há mal algum.

SÓCRATES:

— Vocês haveriam de me restituir, portanto, o que lhes emprestei no decurso da discussão?

GLAUCO:

— O quê?

SÓCRATES:

— Eu lhes concedi que o homem justo passasse por injusto e o homem injusto passasse por justo. Na realidade, vocês pensavam que essa concessão, mesmo que impossível aos olhos dos deuses e dos homens, fosse indispensável para nosso debate, ou seja, para confrontar a justiça e a injustiça, consideradas em sua essência. Você não se lembra mais?

GLAUCO:

— Seria desonesto se negasse lembrar-me disso.

SÓCRATES:

— Agora que a sentença foi pronunciada, eu lhes peço novamente, em nome da justiça, de avaliá-la segundo a fama que possui com os deuses e os homens, para que seja merecedora do primeiro prêmio que ela detém graças à sua ótima reputação e que confere a seus seguidores, a partir do momento que já é claro que ela distribui bens reais e não engana quem a segue realmente.

GLAUCO:

— Seu pedido é justo.

SÓCRATES:

— Em primeiro lugar, portanto, vocês não haveriam de me conceder que pelo menos aos deuses não escapa a distinção entre o homem justo e o homem injusto?

GLAUCO:

— Concedemos.

SÓCRATES:

— Em tal caso, um será caro aos deuses e o outro odioso, como pensávamos desde o começo.

PLATÃO

GLAUCO:

— Sem dúvida.

SÓCRATES:

— Não haveríamos de admitir que para o homem caro aos deuses receba em total plenitude todos os bens que deles provêm, a menos que esse homem tenha algum vício como consequência de uma culpa anterior?

GLAUCO:

— Exatamente.

SÓCRATES:

— Forçoso é, pois, reconhecer que para o homem justo, mesmo se reduzido à pobreza, à doença, ou a alguma outra desventura aparente, tudo resultará em bem para ele, quer em vida, quer após a morte. Na verdade, os deuses jamais abandonam aquele que se esforça em tornar-se justo e semelhante à divindade, mediante o exercício da virtude, por quanto isso seja possível a um homem.

GLAUCO:

— Sim, é lógico que um homem assim não seja abandonado pelo princípio que lhe é afim.

SÓCRATES:

— Logo, não se deve pensar exatamente o contrário em relação ao homem injusto?

GLAUCO:

— Sem dúvida.

SÓCRATES:

— Estas são, portanto, as recompensas que os deuses podem conceder ao homem justo.

GLAUCO:

— Eu, pelo menos, também penso assim.

SÓCRATES:

— E não seriam esses também os prêmios que recebem também da parte dos homens? As coisas não correm dessa maneira? Os maus e injustos não fazem como os atletas que correm bem na ida, mas não na volta? De fato, no começo partem com rapidez, mas no fim se tornam alvo de zombaria, abaixam as orelhas e se retiram da corrida sem ter ganhado nada. Os verdadeiros corredores, porém, chegam até o término, vencem e conquistam a coroa. Geralmente, não acontece isto também com os homens justos? Ao cabo de suas ações, de suas relações com os outros e de sua vida, eles conquistam boa reputação e são premiados pelos homens.

GLAUCO:

— É verdade.

SÓCRATES:

— Você me permite dizer com relação a estes o que você mesmo dizia sobre os injustos? O que pretendo dizer, na realidade, é que os homens justos, uma vez

A REPÚBLICA

atingida a idade madura, assumem o governo da república como querem, casam nas famílias que querem e dão suas filhas em casamento a quem quiserem. Tudo aquilo que você dizia a propósito dos injustos eu o afirmo em favor dos justos. Quanto aos injustos, digo que em geral, mesmo que escapem de qualquer coisa quando jovens, são descobertos no final da corrida, tornam-se alvo de zombaria e, quando velhos, são humilhados clamorosamente pelos estrangeiros e pelos concidadãos, frustrados e submetidos àquelas penas que você, e com razão, considerava terríveis. Acredite, pois, que, também a meu ver, eles deverão sofrer todos aqueles tormentos. Mas repare bem se minhas palavras lhe parecem aceitáveis.

GLAUCO:

— Sem dúvida, porque você tem razão.

SÓCRATES:

— Aí estão, portanto, os prêmios, as recompensas e os presentes concedidos ao homem justo, enquanto vivo, provenientes dos deuses e dos homens, além daqueles oferecidos pela própria justiça.

GLAUCO:

— E são realmente belos e duradouros.

SÓCRATES:

— Entretanto, são um nada, em número e grandeza, em relação aos prêmios e às penas que esperam o justo e o injusto depois da morte. É preciso descrevê-los para conferir com nosso debate a um e a outro tudo o que lhes cabe.

GLAUCO:

— Fale sem receio, pois poucos assuntos são mais agradáveis que este.

SÓCRATES:

— Não vou lhe contar um relato de Alcínoo, mas o de um homem valente, Her, filho de Armênio, originário da Panfília. Morto em combate, dez dias depois ele foi encontrado em bom estado, quando eram recolhidos do campo de batalha os cadáveres quase decompostos. Levado para casa, quando já estavam para concluir os funerais, no décimo segundo dia, estando ele estendido sobre a pira para ser cremado, retornou à vida e então contou o que havia visto lá embaixo no Hades. Disse que sua alma, depois de ter saído do corpo, andou errante junto de muitas outras e todas elas num lugar maravilhoso, onde havia duas aberturas que comunicavam com a terra e duas outras semelhantes no céu e que correspondiam às primeiras. No meio desse local estavam sentados juízes. Emitiam as sentenças e depois mandavam os justos seguirem para a direita ao alto, através do céu, mas antes punham sobre o peito deles as tabuletas com o texto da sentença. Aos injustos ordenavam, ao contrário, de seguirem para a esquerda e abaixo, e também a eles punham uma tabuleta às costas, em que figuravam escritas todas as suas culpas. Chegada sua vez, os juízes ordenaram a Her referir aos homens o que havia visto lá embaixo, advertindo-o para que escutasse e

PLATÃO

observasse tudo. Ele viu, pois, as almas se dirigirem, depois do juízo, a uma e outra das aberturas do céu e da terra respectivamente, enquanto as duas outras aberturas deixavam subir da terra, uma, almas empoeiradas e cansadas, enquanto da outra desciam do céu almas puras. Todas que iam chegando pareciam vir de longa viagem, mas alegres por terem chegado a esse prado, como quem arma acampamento para uma festa solene. Algumas que se conheciam trocavam acenos de cumprimentos. Aquelas provenientes da terra se informavam com as outras sobre os acontecimentos do céu e vice-versa. Algumas faziam seus relatos com gemidos e lágrimas e recordavam quantos e que sofrimentos haviam suportado e visto, durante sua viagem debaixo da terra, uma viagem de mil anos. As outras, pelo contrário, provenientes do céu, contavam suas impressões alegres e as incríveis belezas que haviam contemplado. Repetir esses numerosos relatos seria longo demais, Glauco.

Em resumo, Her contou que cada alma era castigada dez vezes mais por cada culpa cometida ou por cada pessoa ofendida e cada castigo durava cem anos, pouco mais ou menos quanto dura a vida humana, de tal modo que todas pagavam uma pena dez vezes superior à culpa. Aquele, por exemplo, que havia sido responsável pela morte de muita gente ou que havia traído cidades e exércitos ou que os havia reduzido à escravidão, ou que se havia maculado por qualquer outro delito, para cada uma dessas maldades pagava penas dez vezes superior. Aquele, porém, que tivesse agido bem, com justiça e piedade, era recompensado mediante o uso da mesma medida. Com relação aos mortos logo após o nascimento ou que haviam vivido breve tempo, Her disse diversas coisas que não vale a pena relembrar.

De acordo com ele, as culpas e os méritos relacionados com os deuses e com os pais, além dos assassinatos a mão armada eram compensados em medida ainda maior. De fato, dizia que havia cruzado com um homem a quem haviam perguntado onde se encontrava Arideu, o Grande. Este havia sido tirano de uma cidade da Panfília mil anos antes e havia trucidado seu pai e seu irmão mais velho, além de ter cometido muitas outras atrocidades, como se contava. Her disse que o interrogado respondeu: "Aqui não veio e jamais poderá vir."

"Entre os demais espetáculos terríveis a que assistimos, estava também este. Quando estávamos próximos à abertura e nos preparávamos para descer, depois de ter suportado todas as penas, de improviso vimos a ele e outros, quase todos tiranos. Com eles havia também alguns indivíduos de condição privada, mas que se haviam manchado de extraordinários delitos. No momento em que esses acreditavam poderem subir, a abertura não os deixava passar e se punha a mugir toda vez que tentasse subir um daqueles pecadores incuráveis e um dos que não tivessem expiado bastante seus crimes." Her disse que viu então homens cruéis e ardendo em fogo que estando por aí perto e ouvindo aquele bramido, agarravam aqueles infelizes e os levavam embora. Quanto a Arideu e outros,

A REPÚBLICA

amarraram-nos pelas mãos, pelos pés e pelo pescoço e, depois de tê-los jogado ao chão e lhes terem tirado a pele, os arrastavam ao longo da estrada, por sobre certas plantas espinhentas, indicando aos que passavam o motivo pelo qual os tratavam desse modo e revelando-lhes que os estavam arrastando para o Tártaro. Her disse que, mesmo tendo provado muitos e diferentes terrores, ouvir aquele mugido os superava a todos e a coisa mais agradável para cada um deles era a de subir sem ouvi-lo. Havia ainda outras punições e outros castigos desse tipo e recompensas correspondentes às punições.

Cada grupo, depois de ter passado sete dias naquele prado, devia partir daí no oitavo dia para chegar, depois de quatro dias, num local onde se via no alto um feixe de luz difusa, reto como uma coluna, muito parecido com o arco-íris, só bem mais luminoso e puro. Chegando aí depois de um dia de caminhada, viram as extremidades das correntes que suspendiam aquele feixe luminoso ao céu. Aquela luz envolvia o céu, como as cordas giram em torno das trirremes. Do mesmo modo, ele circundava toda a esfera celeste. A essas extremidades estava pendurado o fuso da Necessidade que impulsionava todas as esferas que giravam. A haste e o gancho do fuso eram de aço e a concha era feita deste e de outros metais. Essas eram suas características. A forma era semelhante àquela dos nossos. Segundo Her, porém, era preciso visualizá-lo composto da seguinte maneira: era como se numa grande concha côncava e completamente vazia houvesse outra semelhante e menor encaixada, como caixas enfiadas uma na outra, e depois uma terceira, uma quarta e ainda outras quatro. No total, as conchas eram oito, inseridas uma na outra. No alto, podiam ser vistas somente suas bordas circulares que formavam, em torno do fuso, o dorso contínuo de uma única concha. A haste do fuso passava através da oitava. A primeira concha exterior tinha a borda circular mais larga, a sexta estava em segundo lugar, a quarta estava em terceiro lugar, a oitava no quarto lugar, a sétima no quinto, a quinta no sexto, a terceira no sétimo e a segunda no oitavo lugar. A borda da concha maior era trabalhada, aquela da sétima era muito luminosa e espargia sua luz sobre a oitava, a segunda e a quinta tinham a mesma cor, mais amarela que a outra, a terceira era muito branca, a quarta era avermelhada, a sexta era mais branca que a terceira.

O fuso girava todo ele com o mesmo movimento e na rotação conjunta os sete círculos internos se moviam lentamente com um movimento contrário ao conjunto. Dentre estes, o mais veloz era o oitavo, seguido do sétimo, do sexto e do quinto que procediam juntos. Nesse movimento contrário, o quarto círculo parecia estar no terceiro lugar, o terceiro no quarto lugar e o segundo no quinto. O fio girava sobre os joelhos da Necessidade. Sobre os círculos no alto, movia-se, junto de cada um, uma Sereia que emitia uma única nota com um único som, mas as oito juntas formavam uma harmonia. Outras três mulheres, dispostas em círculo, cada uma sobre seu trono a igual distância, eram as filhas da Necessidade, as

PLATÃO

Moiras vestidas de branco com faixas na cabeça: Láquesis, Cloto e Átropo. Ao som das Sereias, Láquesis cantava o passado, Cloto o presente e Átropo o futuro. Cloto, tocando com a mão direita o círculo externo do fuso, o fazia girar a intervalos e Átropo fazia o mesmo, tocando com a esquerda os círculos internos. Láquesis, com ambas as mãos, tocava alternadamente uns e outros.

Logo que chegaram, Her e companheiros tiveram de se apresentar imediatamente a Láquesis. Primeiramente, um arauto os pôs em fila, depois tomou dos joelhos de Láquesis as sortes e os modelos de vida, subiu num elevado palco e assim falou:

"Proclamação da virgem Láquesis, filha da Necessidade! Almas efêmeras, aqui está o início de outro ciclo de nascimentos que haverão de trazer morte. Não será um gênio a vos escolher, mas vós havereis de escolher vosso gênio! A que for sorteada por primeiro, por primeiro haverá de escolher a vida que será necessariamente ligada a ela. A virtude não tem dono. Cada uma a possuirá mais ou menos, de acordo como for honrada ou menosprezada. A responsabilidade é de quem faz a escolha. A divindade é inocente."

Ao terminar essas palavras, o sacerdote lançou as sortes para todos e cada um escolheu aquela que lhe havia caído por perto, exceto Her, a quem isto não foi permitido. A seguir, a escolha foi explicada a cada um. Novamente foram dispostos no chão, diante deles, os modelos de vida, muito mais numerosos que as almas presentes. Havia-os de todos os tipos, os de todos os animais e dos homens. Dentre esses, havia as tiranias, algumas perfeitas, outras cortadas ao meio e terminando na pobreza, no exílio e na miséria. Havia também vidas de homens ilustres, tanto pela beleza do corpo, do rosto e pelo vigor e a resistência física, quanto pela nobreza e pelas virtudes dos antepassados. Havia também vidas de homens obscuros, privados de todas essas qualidades, e ainda de mulheres do mesmo tipo. Entre as almas não havia hierarquia porque mudavam inevitavelmente de lugar com relação à escolha. Os outros elementos estavam todos misturados, tanto riqueza, como pobreza, doença e saúde. Havia também a possibilidade de escolhas intermediárias entre estes extremos.

Aí está, a meu ver, caro Glauco, a grande prova para o homem. Sobretudo por isto, cada um de nós deve deixar de lado os outros conhecimentos e esforçar-se em procurar e adquirir somente este, na esperança de conseguir reconhecer e encontrar quem o torne capaz e experimentado em discernir a vida boa daquela má, em escolher sempre e em qualquer lugar a melhor possível, levando em conta o efeito total e particular de tudo o que expusemos há pouco. É preciso, enfim, saber qual beleza está unida à pobreza ou à riqueza, qual disposição de alma tem um efeito bom ou mau, o que são a nobreza e a obscuridade de nascimento, a condição privada e pública, a força e a fraqueza, a cultura e a ignorância, e quais efeitos produzem juntos todas essas características espirituais, naturais e adquiridas. Então se poderia escolher racionalmente, com base em

A REPÚBLICA

todos esses elementos e tendo presente a natureza da alma, a vida pior e aquela melhor, considerando pior aquela que conduzir a alma a se tornar mais injusta e melhor aquela que a levar a se tornar mais justa, menosprezando todas as outras possibilidades. Na realidade, constatamos que a melhor escolha, para vivos e mortos, é exatamente esta. E com esta convicção inabalável é preciso descer ao Hades para não se deixar capturar também lá embaixo pela riqueza e por desgraças semelhantes, para não cair na tirania e em outros comportamentos análogos que levam a cometer muitas maldades insuportáveis e depois sofrer individualmente ainda mais; para saber escolher a vida intermediária e evitar o excesso nas duas direções, seja nesta vida, o quanto possível, seja em todas as existências sucessivas. Este é, realmente, o modo pelo qual o homem pode conquistar a máxima felicidade.

O mensageiro das coisas dos infernos contou que, exatamente naquele momento, o arauto acrescentou: "Também o último que chegou, se fizer sua escolha com todo o discernimento e viver com seriedade, tem diante de si uma existência aceitável, em nada indecorosa. O primeiro a escolher não se distraia e o último não perca o ânimo."

Depois destas palavras, Her contou que o primeiro a ser sorteado escolheu a mais absoluta tirania, sem dar-se conta de tudo por sua insensatez e ganância. Não notou, portanto, que assim estava destinado a devorar seus próprios filhos e a enfrentar muitas outras desgraças. Quando, com a cabeça fria, examinou sua sorte, bateu no peito e deplorou o que havia feito sem dar atenção às advertências do arauto. De fato, não se acusava a si mesmo pelos próprios males, mas ao destino, aos gênios e a tudo, exceto a si mesmo. Era um dos provenientes do céu e na vida precedente havia vivido numa condição bem equilibrada, mas sua prática da virtude havia sido guiada pelo hábito, sem auxílio da filosofia. Enfim, entre aqueles que se deixavam surpreender por ignorância dos sofrimentos, os que desciam dos céus não eram os menos numerosos. Ao contrário, a maioria daqueles que subia da terra, tendo sofrido eles próprios e tendo visto outros sofrer, escolhiam sem precipitação. Por isso, entre a maior parte das almas ocorria uma troca de males e de bens, também por causa da ordem do sorteio. Se realmente quem quer que viesse a este mundo se aplicasse sadiamente à filosofia e se sua vez no sorteio não o chamasse entre os últimos, talvez, de acordo com quanto se conta das coisas lá embaixo, poderia ser feliz não somente nesta vida, mas também sua viagem daqui até lá embaixo e seu retorno para cá não haveriam de ocorrer embaixo da terra no sofrimento, mas no céu e sem dificuldades.

Her contava que o espetáculo de cada alma ocupada em escolher a própria existência era realmente incrível. Um espetáculo de compaixão, mas também risível e absurdo. Porque, em geral, as almas escolhiam de acordo com os hábitos adquiridos na vida precedente. Contou ter visto, por exemplo, a alma que havia sido de Orfeu escolher a vida de um cisne por ódio às mulheres, visto que

PLATÃO

havia morrido pelas mãos delas e, portanto, não queria nascer como uma mulher. Viu a alma de Tamíris escolher o rouxinol. Viu também um cisne e outras aves canoras escolher mudar-se em homens. A alma sorteada no vigésimo lugar escolheu a existência de um leão. Era Ajax Telamon que não queria tornar-se homem, relembrando o julgamento das armas. A seguinte era de Agamenon que também odiava o gênero humano por causa do que havia sofrido e escolheu transformar-se em águia. Nos sorteios intermediários estava a alma de Atalanta que, considerando as grandes honras prestadas aos atletas, não teve coragem de passar por sobre este gênero de vida e o abraçou. Depois viu a alma de Epeu tomar a condição de mulher trabalhadora. Entre as últimas se apresentou a alma do bufão Tersites entrar no corpo de um macaco. A alma de Ulisses foi a última a escolher e já curada das ambições, graças à lembrança das dificuldades passadas, andou girando longo tempo em busca da vida de um ocioso qualquer e encontrou uma com dificuldade, largada num canto, menosprezada por todos os outros. Ao vê-la, disse que a teria escolhido mesmo se tivesse chegado ao sorteio como primeira e, contente a levou. De igual modo, os animais se mudavam em seres humanos ou em outros animais. Aqueles injustos em animais selvagens, aqueles justos em animais domésticos. Ocorriam também misturas de todo tipo.

Quando todas as almas haviam escolhido cada uma a própria vida, apresentaram-se a Láquesis, respeitando a vez do sorteio. Ela mandou para sancionar e guardar a vida escolhida o gênio que cada uma havia tomado para si. Como primeiro trabalho, este conduzia a alma a Cloto, colocava-a sob a mão dela e sob o fuso em movimento, aperfeiçoando o destino escolhido no momento do sorteio. Depois de tê-la convidado a tocar o fuso, a conduzia até Átropo que tornava imutável a trama já tecida. De lá, a alma, sem poder voltar-se para trás, chegava aos pés do trono da Necessidade e passava para o outro lado. Uma vez que todas tivessem passado, dirigiam-se para a planície de Letes, num calor sufocante e abrasador, porquanto não havia ali árvore alguma ou qualquer coisa que brote da terra. À noite, as almas acamparam junto ao rio Ameles, cuja água vaso algum pode conter. Cada uma foi obrigada a beber uma certa quantidade dela, mas aquelas que não eram protegidas pela prudência bebiam mais que o necessário. Quem bebesse daquela água, esquecia-se de tudo. Uma vez adormecidas, no coração da noite, sobreveio um terremoto, iluminado por raios e, de improviso, elas se levantaram, correndo uma daqui, outra acolá em direção do nascimento e dispersaram-se como estrelas fugazes. Her, porém, havia recebido ordem de não beber daquela água. Não sabia como nem por que caminho havia retornado ao corpo, mas de repente ergueu os olhos e de madrugada viu-se estendido sobre a pira.

E assim, Glauco, seu relato se conservou e não foi perdido, podendo até ser salutar também para nós, se nele crermos e conseguirmos atravessar ilesos o rio do esquecimento e não contaminarmos nossas almas. Se vocês me derem

A REPÚBLICA

crédito, se estiverem convencidos de que a alma é imortal e capaz de suportar todo mal e todo bem, haveremos de percorrer sempre a via elevada e praticar de todos os modos a justiça junto com a prudência. Assim nos tornaremos caros a nós mesmos e aos deuses, enquanto ficarmos aqui embaixo e também quando conquistarmos as recompensas da justiça, semelhantes às dos atletas vitoriosos que correm para conquistá-las. E assim seremos felizes, seja nesta terra, seja na caminhada de mil anos que descrevemos.

Afresco de A Escola de Atenas, no Vaticano, obra de Rafael. Ao centro, Platão (esquerda) e Platão (à direita).

CONFIRA NOSSOS LANÇAMENTOS AQUI!

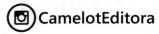